あえて左翼と名乗ろう
――34の「超」政治批評

Slavoj Žižek

A LEFT THAT DARES TO SPEAK ITS NAME

スラヴォイ・ジジェク

勝田悠紀 訳

青土社

親愛なる友人、アラン・バディウへ

あえて左翼と名乗ろう――34の「超」政治批評

目次

イデオロギー

付録

凡例

・本書はSlavoj Žižek, *A Left that Dares to Speak Its Name: 34 Untimely Interventions* (Polity Press, 2020) の全訳である。
・傍点は原文でイタリック体によって強調されている箇所を表す。
・原文の（ ）はそのまま再現した。ただし訳文中で原語、原文、訳語の言い換えを提示する際にも（ ）を用いた。
・原文の［ ］はそのまま再現した。
・〈 〉は原文で語頭が大文字になっている語句を表す。
・〔 〕は訳者による補足や注記を表す。
・原文における三点ピリオドは三点リーダ二つ（……）で表した。
・引用文の訳出に際し既訳を参照したところもあるが、訳文には文脈を考慮して変更が加えられている場合がある。
・主要人名索引は青土社が作成した。

あえて左翼と名乗ろう——34の「超」政治批評

序　共産主義の視点から

この本は一般メディアに書いたわたしの最近の文章（大幅に加筆修正した）を収めたものである。衆目を集めたさまざまな話題をひととおり網羅しており、経済の混乱から性の解放を目指す闘争、ポピュリズムから政治的正しさ《ポリティカル・コレクトネス》、トランプ大統領下のアメリカのあれこれから中国国内および中国との間で生じている緊張状態、セックスボットが提起する倫理的問題から中東危機までを取り上げている。最後に付した補遺には、わたしが関わった二つの論争の断片を入れてある。この本に収めた文章は、時期はずれなものだ。なぜなら共産主義の視点のみがこれらの主題を理解するのに適切な方法を与えてくれるという考えを前提にしているからである。ではなぜ共産主義なのか。

世界全体の状況がいよいよそのような視点を必要としていることを示す兆候はいくらでもある。現状の秩序を擁護する人たちは、社会主義の夢は果てたのだ、社会主義を実現しようというあらゆる企ては悪夢に終わったのだ（ベネズエラがどうなっているか見てみればいい！）と言いたがる。しかし同時に、パニックの兆候もあちこちで増大している。地球温暖化はどうしたらいいのか？わたしたちの生活の全面デジタル管理の脅威は？　難民の流入は？　まとめていえば、このグローバル資本主義の勝利なるものがもたらす影響や帰結をどうしたらいいのか？　驚くことは何もない。資本主義が勝利するとき、抵抗もまた噴出するのだ。

一方では、反啓蒙の狂乱のきざしがいたるところで増大している。ポーランド北部の都市コシャリンで三人のカトリック神父が、魔術を助長するものだとしてハリー・ポッター・シリーズ作品などの本を燃やし、その儀式を写真に撮ってフェイスブックに投稿した。神父たちは本を大きな籠に入れて教会から石畳に運び出し、祈りが唱えられ少数の人々が見物するなかで、本に火をつけたのだった。[1]それだけの出来事にすぎないといえば確かにそうだ——しかしこれを他の似た事件と並べてみれば、反啓蒙のパタンがくっきりと浮かび上がってくる。例えばパンジャブで行われた第百六回インド科学会議（二〇一九年一月）で、地方の科学者たちが一連の主張をした。いくつか挙げると、カウラヴァ〔叙事詩『マハーバーラタ』に登場するクル族〕は幹細胞と体外受精の技術によって誕生した。ラーマ王は「アストラ」と「シャストラ」を使い、ヴィシュヌ神はスダルシャンチャクラ〔いずれも武器の名称〕を放って標的を狩り立てたのだが、ここから以下のことがわかる。誘導ミサイルの技術は何千年も前のインドにすでに存在しており、ラーヴァナ王はプシュパカ・ヴィマナ〔空飛ぶ宮殿〕だけでなくランカ島に二十四種類の航空機と複数の空港を有しており、理論物理（ニュートンとアインシュタインの成果を含む）は完全に間違っていて、重力波は「ナレンドラ・モディ波」〔ナレンドラ・モディは第十八代インド首相〕、重力レンズ効果は「ハーシュ・ヴァルダン効果」〔ハーシュ・ヴァルダンはインドの政治家〕に名を改めるべきであり、ブラフマーは地球に恐竜がいたことを発見していてヴェーダのなかでそれに触れている。[2]

これは残存する西洋の植民地支配と戦うひとつの手段でもあり、ポーランドの焚書も西洋の商業消費主義と戦うための方策なのだと考えることができる。ヒンドゥー教インドとキリスト教ヨーロッパの二つの事例が同時発生していることから明らかなように、ここでわたしたちが扱っているのはグローバルな現象なのだ。

この（グローバル市場の繁栄とはいくらでも両立可能な）狂乱にますますはまり込みつつあるわたしたちに、本当の危機が迫っている。二〇一九年一月、国際的な科学者集団が、「健康を増進しつつ、持続可能な食糧生産を確保し、地球へのさらなる悪影響を抑える食事」を提案した。「この「地球の健康食品」は、赤身の肉と砂糖の消費を半分に抑え、果物、野菜、木の実の摂取を増やすことを基本とする」[3]。ここで問題になっているのは、食糧の生産および分配全体の大幅な再編成である——ではそれはどのように行うべきか。「報告では、人々が確実に食事を変え、しかもそれによって地球に害を与えることのないようにする五つの戦略を提案している。より健康的な食事の奨励、地球全体での多種多様な農作物生産への移行、持続可能な形での農業の強化、海洋および土地の管理に関する規制強化、廃棄食料の削減である」。いいだろう、しかし、またしても、どうすればこれを成し遂げられるのか。そうした方策を統括する力をもった強力なグローバル機関が必要なことは明らかではないか。そして、そうした機関はわれわれがかつて「共産主義」と呼んでいた方向を指し示しているのではないか。同じことは、人間としてのわれわれの生存に対するほかの脅威にも言えるのではないか。同じようなグローバルな機関が、爆発的に増加する難民・移民の問題、わたしたちの生活のデジタル管理の問題に対処するためにも必要で

はないか。(4)

共産主義の力が必要なのは、わたしたちの運命がまだ決まっていないからだ――ただ選択ができるというだけの意味ではなく、みずからの運命を選ぶことができるというよりラディカルな意味において。一般的な考え方では、過去は定まっていて、起こったことは起こったのであり、それを無かったことにはできないのに対し、未来は開かれていて、予測できない偶然に左右される。ここで考えるべきなのは、この一般的な見方の反転である。過去は遡及的な再解釈に開かれているのに対し、われわれは決定論的な世界に生きているために、未来は閉ざされているのだ。これは未来を変えられないということではない。未来を変えるためには、まず過去を（「理解する」のではなく）変え、再解釈する必要がある。そうすることで、支配的な過去の見方がしめす未来とは別の未来へと開かれるのだ。

新たな世界戦争が起こるだろうか。答えは逆説的なものでしかありえない。もし世界戦争が起こったとしたら、それは必然的に生じた戦争である。歴史とはそのように動くものなのだ――ジャン＝ピエール・デュピュイが語ったような奇妙な反転を通じて。「災害などの際立った出来事が起きた場合、それはまさに起きるべくして起きたと考える。しかし、その出来事が起きていない限りは、それは不可避ではない。したがって必然性は、出来事の現実化、その出来事が起きたという事実によって、事後的に作り出されるのだ」。(5) これとまったく同じことが新たな世界戦争にも言える。一度衝突が（アメリカとイランの間で、中国と台湾の間で）勃発してしまうと、それは不可避であるように見える。つまりわたしたちは自動的に、そこにいたった過去を、衝突の勃発を引き起こさざるを得なかった原因の連鎖として解釈することになる。もしそうならなければ、冷戦と同じように解釈することになる――危機的な瞬間の連続のなかで、世界的な衝突の致命的な帰結に両陣営が気がついていたため、破局は回避されたのだと。（だからこそ今日、冷戦期間中に第三次世界大戦の危機など実際には存在しなかった、両陣営ともただ火遊びに興じていただけだと解釈する人がたくさんいるのだ。）共産主義の介入はこの一段深い層においてこそ必要である。

ユルゲン・ハーバマスはしばしばドイツの（さらにはヨーロッパの）リベラル左派の公式哲学者と形容される――だから、二十年程前にスペインの保守首相ホセ・マリア・アスナールですら、正式にハーバマスをスペイン（とヨーロッパ）の公式哲学者にしようと提案した（ハーバマスの憲法パトリオティズム、すなわち、自分の民族的ルーツではなく憲法に組み込まれた解放的な価値観にもとづく愛国主義という構想を理由として）ことも不思議ではない。わたしは多くの点でハーバマスと意見を異にするが、かれが恐れることなく果たそうとする役割――権力を批判的に支え、そこに参与しさえすること――は尊敬に値する必要不可欠なものであり、根本的に無責任な「距離を置いた政治」に与していないことは実に素晴らしいと思う。

近年の左翼思想の大半は、対抗主義の罠にはまりこんでいる。真の政治は国家やその機関から距離を取ることによってのみ可能だという主張を自明のものとして受け入れてしまっている――主体が国家機関や手続き（政党制議会政治など）に完全に身を浸してしまった瞬間に、真正な政治の次元は消えてなくなるというわけだ。（この立場からすると、ボリシェヴィキの勝利――ロシアで一九一七年十月に権力の座に就いた――もまた自らに対する裏切りにみえてしまう。）しかしそのような態度には責任を回避しようという側面が拭いがたくあるのではないか。権力への不参与に引きこもることもそれはそれで積極的な行為である。というのも結局誰か他の人がやらなければならないことはわかっているからだ。何より汚いのは、汚い仕事を他の人にやらせておきながら、その仕事がなされたのちに、無節操な日和見主義だと糾弾することである。（代表的な例として、エイモン・デ・ヴァレラはマイケル・コリンズにイギリスとの「汚い」交渉をやらせ、それがアイルランド自由国の成立に繋がったのだが、そこから利益を得ておきながら、あとになってコリンズを裏切者だと非難した。）真の政治的主体というのは、恐れることなく実権を握り、起きていることに対する責任を引き受け、言い訳（「不運な状況」やら「敵の策略」やら）に頼ったりはしないものだ。そこにレーニンの偉大さがある。権力の座に就いたのち、ボリシェヴィキが（「社会主義の建設」を実現するための状況が整っていないという）どうにも立ち行かない状況に陥ったことをわかっていながら、そこに居座り完全な袋小路をなんとか打開しようと試みたのである。

革命の真の領域があらわれるのは、盛り上がりが頂点に達したエクスタシーの瞬間（百万人の人々が中央広場で合唱している……）ではない。むしろ平常に戻ったとき、日常生活のなかで変化がどのように感じられるかに注目すべきなのだ。トロツキーがスターリンに負けたのもこのためである。レーニンの死後、ソヴィエト連邦の民衆は、十年間の地獄（第一次世界大戦、ロシア内戦）から言い尽くせない苦しみを抱えながらも徐々に抜け出しつつあり、人々はなんらかの平常状態に戻ることを望んでいた。スターリンはこれを提供し、トロツキーは永遠革命論によってさらなる社会変動と苦しみを約束しただけだったのである。

そうだとすれば今日のわたしたちに必要なのはおそらく、「国家から距離をとる」という主題のますます退屈な変奏ではなく、実直な公式哲学者、いまと違う国家のための戦いで自らの手を汚すことを恐れない哲学者である。同性愛について語るために、オスカー・ワイルドは「その名を口にできない愛」という詩句〔アルフレッド・ダグラス「二つの愛」の最終行〕を引用した――わたしたちにいま必要なのは、その名をあえて口にする左翼であり、恥ずかしがって文化のイチジクの葉でその核心を隠すような左翼ではない。そしてその名こそが、共産主義である。

1-8

グローバルな混乱

1　二百年を経て――マルクスは生きているのか、死んでいるのか、生ける屍なのか？

グローバル資本主義の現代にマルクスの仕事が意味を持ちつづけるかという問いには、厳密に弁証法的な仕方で答える必要がある。マルクスの政治経済学批判や資本主義の力学の素描がいまだ完全にアクチュアルであるだけではない。さらに一歩踏み込んで、グローバル資本主義下の今日においてようやく、ヘーゲル的に表現すれば、現実が概念に到達したと言わねばならない。しかしここに、まさしく弁証法的な反転が介入してくる。完全な現実化のまさにその瞬間に限界があらわになるはずであり、勝利の瞬間は敗北の瞬間でもあるのだ。外にある障害を克服すると、新たな脅威が内側から現れ、内在的な矛盾があらわになる。現実が概念にたどりついたとき、その概念自体が変容しなければならなくなるわけだ。ここにまさしく弁証法的なパラドクスが宿っている。マルクスは単純に間違っていたわけではなく、多くの場合正しかったが、その正しさは彼自身の予想を超えていたのだ。

例えばマルクスは、あらゆる個々のアイデンティティを溶解させる資本主義の力学が、民族や性的なアイデンティティにも影響を及ぼすことまでは想像できなかっただろう。性的な「一面性や特殊性はいよいよ保持しがたいものとなり」、性の営みに関しても、「確固としたもの、永遠のものと思われていたものはことごとく煙と消え、神聖なものはことごとく汚され」るため、資本主義は標準的な異性愛規範を不安定で流動的なアイデンティティおよび（または）指向の増幅に置き換える傾向にある。今日「マイノリティ」や「周縁化された人々」を持ち上げることこそが、マジョリティの支配的な立ち位置だ――リベラル派の政治的正しさ《ポリティカル・コレクトネス》の脅威を託《かこ》つオルタナ右翼ですら、脅かされたマイノリティの庇護者を自称するのである。あるいは、父権制がいまだ覇権を握っているかのように父権制批判をするあの人たち。彼らは百五十年以上前にマルクスとエンゲルスが『共産党宣言』の第一章に記した「ブルジョア階級は、権力を握ったところでは、封建的な、家父長的な、牧歌的な関係を一つ残らず破壊した（訳注1）」という言葉を無視している。子どもが両親を育児放棄や虐待で訴えることができる今日、言いかえれば、家族や親の身分そのものが法律上で自律的な個人が結ぶ一時的かつ解消可能な契約に格下げされている今日、父権的な家族観はどうなるのか。

　このような状況において、イデオロギーはどのように機能するだろうか。自分を一粒の種子と信じ込む男の古典的なジョークを思い出そう。精神病院に連れていかれたこの男に、医者は最善を尽くして種子ではなく一人の人間だと確信させる。完治し（種子ではなく人間だと納得し）退院を許可されると、彼はすぐに震えながら戻ってくる。玄関の前にニワトリがいて、自分が食べられてしまうのではないかと考えたのだ。医者は、「患者さん、あなたが種ではなく人間であることはよくわかっているはずです」と言う。患者はこう答える。「もちろんわかっています。でもニワトリはわかっているのでしょうか」。ちょうど同じことがマルクスの商品フェティシズムの理論――これは今日、マルクスの時代よりもずっとアクチュアルになっている――にも言える。「商品フェティシズム」とは、現実の生産過程の核心に作用している幻想だ。『資本論』の商品フェティシズムに関する節の冒頭を見よ。「商品は、一見、自明な平凡なものに見える。しかし商品の分析は、商品とは非常にへんてこなもので形而上学的な小理屈や神学的な小言でいっぱいなものだということを示す(1)」。

マルクスは、よくある「マルクス主義的」な手法とは異なり、批判的分析によって「日常的な」現実のプロセスから商品――神秘的な神学的実体にみえるもの――がいかにして出現するかを明らかにすべきだとは言わない。むしろその逆で、批判的分析の責務は、一見したところ日常的な物体にすぎないもののなかにある「形而上学的な小理屈や神学的な小言」を掘り起こすことだと主張する。商品フェティシズム（商品は固有な形而上学的力を持つ魔法の物体であるというわれわれの信念）はわたしたちの心のなか、現実の（誤った）知覚に存するのではなく、わたしたちの社会的現実そのものに見出されるのだ。わたしたちは真実を知っているのかもしれないが、知らないかのように行動する――現実の生活においては、先ほどのジョークのニワトリのように行動するわけだ。

ニールス・ボーアは、アインシュタインの「神はサイコロを振らない」という言葉に正しい返答をしているが（「神に何をすべきか命じるなかれ！」）、彼はフェティシズム的な信仰の否認がイデオロギーにおいていかに作用するか、その完璧な実例も提供してくれる。蹄鉄がボーアの家の玄関にかかっているのを見て、驚いた訪問者は蹄鉄が幸運をもたらすなどという迷信は信じないと言った。ボーアは、「わたしも信じないよ。蹄鉄を置いているのは、信じなくても作用すると言われたからなんだ」と言い返した。イデオロギーは、われわれのシニカルな時代において、このように作用する。信じる必要はないのだ。これが今日におけるイデオロギーの機能の仕方である。民主主義や正義を真に受けている人などおらず、その腐敗に誰もが気がついているが、実践はする（すなわち、信じているように見せる）。なぜならわたしたちは、民主主義や正義は信じていなくても機能すると想定しているからだ。

おそらくだからこそ、生活世界の中心的なカテゴリーとして「文化」が注目されつつあるのだろう。宗教に関していえば、われわれはもはやそれを「本当に信じ」てはおらず、帰属する共同体の「生活様式」に払う敬意の一環として、宗教的儀式や風習（のいくつか）をなぞっているにすぎない（信仰を持たないユダヤ人が、「伝統に敬意を払って」食べ物のおきてに従うように）。「本当には信じておらず、わたしの文化の一部であるにすぎない」というのは、わたしたちの時代に特徴的な転移された信仰の支配的な様式であるように思える。「文化」は、わたしたちが本当には信じず、真には受けずに実践するあらゆる事柄に与えられた呼び名である。だからこそわたしたちは原理主義的な信仰者を「野蛮人」、反文化、文化への脅威として退ける――彼らはあろうことか本気で信仰を抱いているのだ。わたしたちの生きるシニカルな時代に、マルクスをびっくりさせるようなことはないだろう。

したがってマルクスの理論は、いまも生きているという単純な話ではない。マルクスは生ける屍であり、その亡霊はわたしたちにずっと取り憑いている。マルクスを生き永らえさせる唯一の方法は、彼の洞察の中で当時よりも今日においてより一層真実である部分、とりわけ解放にむけた闘争は普遍的であるべきだという考えに焦点を当てることである。今日主張されるべき普遍性は、何らかの形のヒューマニズムではなく、（階級）闘争の普遍性である。グローバル資本をグローバルな抵抗によって迎え撃つ必要性がかつてなく高まっている。したがって、階級闘争とそれ以外の闘争（反レイシズム、フェミニズムなど）――様々な集団が平和理に共存することを目指し、その最終的な表出がアイデンティティ・ポリティクスとなるような闘争――との差異を主張するべきだ。階級闘争には、アイデンティティ・ポリティクスはない。敵対する階級は打ち倒さねばならず、わたしたち自身はまさにこの動きのなかでひとつの階級としては消滅しなければならない。ファシズムの簡明な最良の定義は、アイデンティティ・ポリティクスを階級闘争の領域に拡張することだ。ファシズムの基本的な概念に、階級協調というものがある。それぞれの階級はおのおの特定のアイデンティティとして認められる必要があり、そうすることで尊厳は守られ、階級間の対立を避けられるというわけだ。階級間の敵対はここで、異なった人種間の対立と同じように扱われている。階級はなかば自然な現実として受け入れられ、捨て去るべきものとはみなされない。

マルクスが生ける屍という地位にあることは、マルクス主義の遺産に対して批判的でなければならないということでもある――聖域をつくってはいけないのだ。ここでは二つの相関する例を考えるのがよい。標準的なマルクス主義の定説において、資本主義から共産主義への移行は二つの段階、「低次の段階」と「高次の段階」を通じて進行する。低次の段階（「社会主義」と呼ばれることもある）においては、価値法則は維持されている。

個々の生産者は、彼が社会にあたえたのときっかり同じだけのものを——あの諸控除をすませたあと——とりもどす。彼が社会にあたえたものとは、彼の個人的労働量である。たとえば、社会的労働日は、個人的労働時間の総和からなる。個々の生産者たちの個人的労働時間は、社会的労働日のうち彼が給付した部分、すなわち社会的労働日のうちの彼の持ち分である。個々の生産者は、（共同の基金のための彼の労働を控除したのち）これこれの量の労働を給付したという証書を社会から受けとり、そしてこの証書をもって消費手段の社会的な貯えのなかから、それとちょうど等しい量の労働がついやされている消費手段をひきだす。個々の生産者は、ある形態で社会にあたえたのと同じ労働量を、べつの形態でとりもどすのである。……共産主義社会のより高次の段階において、すなわち諸個人が分業に奴隷的に従属することがなくなり、それとともに精神的労働と肉体的労働との対立もなくなったのち、また、労働がたんに生活のための手段であるだけでなく、生活にとってまっさきに必要なこととなったのち、また、諸個人の全面的な発展につれてかれらの生産諸力も成長し、協同組合的な富がそのすべての泉から溢れるばかりに湧きでるようになったのち——そのときはじめて、ブルジョア的権利の狭い地平は完全に踏みこえられ、そして社会はその旗にこう書くことができる。各人はその能力に応じて、各人にはその必要に応じて！(2)

この区別に対する一般的な批判は、「低次の段階」までならどうにか想像し実現することもできるかもしれないが、「高次の段階」（完全な共産主義）は危険なユートピアだというものだ。この批判は、実際に存在する社会主義体制が、細かい下位区分のどの段階にあるのかという際限のない論争に巻き込まれていることを考えると、正しいように思える。例えば、後期ソヴィエト連邦ではある時点で、われわれはすでに単なる「社会主義」は超えているが、まだ完全に「共産主義」には入っていないという意見が支配的だった。「高次の段階のなかの低次の段階」にいるというわけだ。しかしここで意外な事実が待ち構えている。多くの社会主義国に、「低次の段階」を飛び越えて、われわれは物質的に貧しいにもかかわらず（あるいはより深い水準でいえば、まさにそれゆえに）直接共産主義に達したと宣言したいという欲求がある。一九五〇年代の大躍進政策の際、中国の共産党員は、この国は社会主義をとばして直接共産主義にいたるべきだと結論した。彼らはマルクスの有名な定式を口にした。「能力に応じて働き、必要に応じて受け取る！」。共同体を指導する党幹部は、一人ひとりの農民の能力を把握しており、それに応じて計画をたて彼らの仕事を指定する。また、幹部は農民が生存のために本当のところなにが必要なのかも把握しており、それに応じて食料や他の生活必需品の分配を決める。こうして軍国化した極度の貧困という状況が現実化した共産主義となるのだが、当然のことながら、そうした解釈が崇高な理念を歪めていると指摘するだけで終わりにしてはいけない――この解釈が元の崇高な理念の内に可能性として眠っていることに気づかなくてはならないのだ。こうして次のような逆説が生じる。

「戦時共産主義」における貧困の共有からスタートし、その後事態が好転してくると「社会主義」に進展／後退して、理想的にはということだがみなが貢献度合いに応じた支払いを受けるようになり、そして……そして、最終的に（今日の中国がそうであるように）資本主義にもどり、共産主義とは資本主義から資本主義へむかう道のりの寄り道のことであるという古い格言を証明することになる。こうした混乱が示しているのは、真にユートピアなのは、価値法則があくまで「正当な」仕方で維持され全労働者がしかるべき対価を得ることができる「低次の段階」のユートピアだということだ――これは、「正当な」社会的交換という夢、通貨－フェティッシュがフェティッシュ化されざるただの商品券に取って代わられるという実現不可能な夢である。そして今日われわれも似た地点にいる。迫り来る（環境の、デジタルの、社会の）破局の脅威によって、われわれは「正当な」資本主義という社会主義の夢を捨て、より徹底的な「共産主義」の方策を構想することを余儀なくされているのだ。

では共産主義をどのようにイメージすべきだろうか。『資本論』第三巻において、マルクスは初期に考えていた、必然と自由、必要と労働の対立が消え去る状態としての共産主義というユートピア的ヴィジョンを捨て、いかなる社会においても、必然の王国（*Reich der Notwendigkeit*）と自由の王国（*Reich der Freiheit*）の区別は残りつづけると主張した。自由な遊びの活動の領域は、社会の継続的な再生産に必要な労働の領域によって恒常的にささえられる必要があるというのだ。

自由の王国は、窮乏や外的な合目的性に迫られて労働するということがなくなったときに、はじめて始まるのである。つまり、それは、当然のこととして、本来の物質的生産の領域のかなたにあるのである。未開人は、自分の欲望を充たすために、自分の生活を維持し再生産するために、自然と格闘しなければならないが、同じように文明人もそうしなければならないのであり、しかもどんな社会形態のなかでも、考えられるかぎりのどんな生産様式のもとでも、そうしなければならないのである。彼の発達につれて、この自然必然の王国は拡大される。というのは、欲望が拡大されるからである。しかしまた同時に、この欲望を充たす生産力も拡大される。自由はこの領域のなかではただ次のことにありうるだけである。すなわち、社会化された人間、結合された生産者たちが、盲目的な力によって支配されるように自分たちと自然との物質代謝によって支配されることをやめて、この物質代謝を合理的に規制し自分たちの共同的統制のもとに置くということ、つまり、力の最小の消費によって、自分たちの人間性に最もふさわしく最も適合した条件のもとでこの物質代謝を行うということである。しかし、これはやはりまだ必然の王国である。この王国のかなたで、自己目的として認められる人間の力の発展が、真の自由の王国が、始まるのであるが、しかし、それはただかの必然の王国をその基礎としてその上にのみ花を開くことができるのである。労働日の短縮こそは根本条件である。(3)

こうした考え方は退けなければならない。なぜ疑わしいかといえば、それがわかりきった常識的な考え方だからである。リスクを冒してでもこの二つの領域の関係を逆転させなければならない。

わたしたちは労働の訓練を通じてのみ真の自由を回復することができるのであり、自発的な消費者としてのわれわれは生来の性向という必然にとらわれているのだ。アウシュヴィッツの入り口に掲げられた悪名高い言葉「労働は自由への道」はこの意味で正しい――これはわれわれがナチズムに近づいているということではなく、ナチがただこの標語を残酷なアイロニーを伴って簒奪したというだけの話だ。

今日共産主義者であるとは、こうしたラディカルな結論を、マルクス主義理論のもっとも厄介な主張である国家権力の「死滅」という概念に関しても、ためらわずに導きだすということだ。われわれには政府が必要だろうか。この問いはひどく曖昧である。政府（国家権力）はそれ自体疎外ないし抑圧の一形態なのだから政府を廃止して何かしら直接民主制の社会を作るべきだという、ラディカル左翼の理念から出てきた問いだとも考えられる。あるいは、そこまでラディカルではないリベラルな方向性で考えることもできる。今日の複雑な社会では統制をになう何らかの機関が必要ではあるが、われわれはそれを厳しい管理の下に置き、（金ではないにせよ）票を投じた人々の利益に奉仕させる必要がある、と。いずれの見方も誤っており危険である。

社会を透明に組織し、政治的「疎外」（国家の諸機関、政治活動の制度化された規則、法的秩序、警察など）を排するべきだという理念に関して言うならば、現実に存在する社会主義の終焉を経験することの根本は、社会が「下位システム」の複雑なネットワークであるという事実を甘んじて受け入れることではないだろうか。それだからこそ社会生活は一定の「疎外」によって構成されるのであり、したがって完全に透明な社会というのは全体主義に向かう可能性を孕んだユートピアなのだ。今日における「直接民主主義」の実践――スラム街から「ポスト工業化社会」のデジタル文化まで（コンピュータ・ハッカーたちの新しい「部族的」共同体についての説明を読んでいると、しばしば評議会民主主義の論理を思い出さないだろうか）――がすべて何らかの国家機関に頼らざるをえないのも不思議ではない。言いかえれば、「直接民主主義」を持続させるには「疎外された」組織のしっかりとした仕組みが不可欠なのだ。電気や水はどこから来るのか、誰が法の支配を保証するのか、健康管理を誰に頼めばいいのか、等々。共同体が自己統治の度合いを強めれば強めるほど、そのネットワークは滑らかかつ不可視に機能する必要がある。おそらくわたしたちは解放闘争の目標を、疎外を克服することではなく、正当な疎外を促進することに変更すべきなのではないか。「疎外されていない」共同体の空間をささえる「疎外された」（不可視の）社会機構はどうすればスムーズに機能させられるのか、というように。

ではより穏便に代表制権力という伝統的なリベラリズムの概念を採用する方がよいのか。市民はみずからの権力（の一部）を、あくまで厳しい条件のもとで国家に委譲する。権力は法による制約を受け、その運用には厳密な条件が課される。なぜならあくまで人民が主権の究極的な源泉なのであり、彼らが望めば権力を無効にすることができるからだ。要するに、権力をもつ国家とは、格上の当事者（国民）がいつでも取り消したり変更したりできる契約の格下の当事者であって、その取り消しや変更は基本的に、誰でもゴミや健康管理を請け負ってくれる業者を変更できるのと同じように、可能なのである。しかし、実際の国家権力組織をよく見てみると、はっきり言葉にされてはいないが取り違えようのないメッセージが発せられている。「われわれに課した制限については忘れろ――最終的には、お前たちをどうにだってできるんだぞ!」。この過剰さは権力の純粋性を損なう偶発的な付属物ではなく、必要な構成要素である――これがなければ、恣意的な全能性による恐ろしさをもたなければ、国家権力は真の権力でなくなり、権威を失うことになるからだ。

つまり、わたしたちは世事をうまく運ぶために国家を必要とし、残念ではあるがやむを得ない代償としてその権威主義的な裏面を受け入れているのではない――わたしたちはまさにこの権威主義的な裏面を、もしかしたら他の何にも増して、必要としているのかもしれないのである。キルケゴールが述べたように、キリスト教を信じるべき妥当な理由に納得したからキリストを信じるというのは冒涜だ。キリスト教を信じるべき理由を理解するためには、すでに信じていなければならない。愛についても同様である。ある女性の容姿が理由でその女性を愛すると言うことはできない。容姿を美しいと思うためには、すでに愛していなければならない。そしてこれと同じことは父権から国家まであらゆる権威に言える。

基本的な問題はこうだ。マジョリティの受動性のあらたな様態を創りだすにはどうすればよいか。政治生活の不可避な疎外にどのようにして対処すべきか。ここでいう疎外は一番強い意味で理解する必要がある。リベラリズムにも左翼の直接民主主義支持者にも見過ごされている、現実の権力機能を構成する過剰さとして。

2　なぜ副次的矛盾が重要なのか——毛沢東主義の視点

　今日のごたごたをざっと見渡すだけで、わたしたちが複合的な社会闘争に巻き込まれていることは明らかである。リベラル体制と新たなポピュリズムの対立、環境保護の闘争、フェミニズムや性的解放のための闘争、民族や宗教の闘争、普遍的な人権のための闘争、わたしたちの生活のデジタル管理に対抗する闘争。これらの闘争すべてを、どれかひとつ（経済の闘争、フェミニズムの闘争、反レイシズムの闘争）を「真の」闘争と単純に特権化することなくまとめるにはどうすればよいか。それは他のあらゆる闘争にとって重要な手がかりとなる。半世紀前、毛沢東主義《マオイズム》の波が最高潮に達したころ、毛沢東の「主要な」矛盾と「副次的な」矛盾（一九三七年に書かれた論文「矛盾論」の用語）の区別は政治の議論において広く用いられていた。この区別は蘇らせる価値があるように思われる。

　毛沢東が「矛盾」について語るとき、この語を彼は対立物の闘争、社会的・自然的な敵対関係という単純な意味で用いており、ヘーゲルが体系化した厳密に弁証法的な意味では使っていない。毛沢東の矛盾論は四つの点にわけてまとめることができる。まず、ある特定の矛盾がひとつの事物を主だって規定し、それを当のそのものにする。それは事物の誤りや失敗、機能不全ではなく、ある意味で物にかたちを与える特徴そのものである——もしこの矛盾が消えたら、物はアイデンティティを失ってしまう。古典的なマルクス主義の例でいえば、これまでの歴史を通じて、あらゆる社会を規定する主要な「矛盾」は階級闘争であった。第二に、矛盾は単一ではなく、他の（単一ないし複数の）矛盾に影響される。毛沢東自身が使っている例を出すと、資本主義社会では、プロレタリアとブルジョアの矛盾には他の「副次的な」矛盾が付随しており、それは例えば帝国主義者と植民地の間の矛盾である。第三に、この副次的な矛盾は主要な矛盾に依存するのだが（植民地は資本主義のもとでしか存在しない）、その主要な矛盾はつねに優位にあるわけではなく、矛盾は重要度の位置を入れ替えることがある。例えばある国が占領されている場合、賄賂で占領者と協力して特権的な地位を保つよう懐柔されるのは支配階級なのだから、占領者との闘争が優先事項となる。同じことは人種差別《レイシズム》に対する闘争についても言える。人種による対立関係や搾取がある状況では、実際に労働者のためになる闘争を行う唯一の方法は、人種差別との闘いに注力することである（だからこそ、今日のオルタナ右翼ポピュリズムのように白人労働者階級に訴えることは、階級闘争に背くことになるのだ）。四点目として、主要な矛盾そのものも変化することがある。今日においてはおそらく、環境保護をめぐる闘争がわれわれの社会の「主要な矛盾」だと主張することが可能である、というのもそれは人類全体の生存への脅威に対処するものなのだから。もちろん、わたしたちの「主要な矛盾」はいまだグローバル資本主義システムの敵対関係であると主張することもできる。なぜなら環境問題は、資本主義の利潤への渇望に駆りたてられた自然資源の過剰な搾取の結果だからだ。しかし、わたしたちの環境の惨状が資本主義の拡張のひとつの結果にすぎないとそう簡単に言ってしまえるとも思えない――資本主義以前にも人間が関係する環境危機は存在したし、繁栄を極めるポスト資本主義社会が同じ行き詰まりに直面してもおかしくないからだ。

まとめれば、主要な矛盾がかならずひとつあるのだが、矛盾はその重要度を入れ替えることがあるのである。結果として、複雑に連なった矛盾を扱う場合には、そのうち主要な矛盾はどれかを突き止める必要があるのだが、同時にいかなる矛盾も静止したままでいるわけではないことも忘れてはならない――時が経過するなかで矛盾は相互に入れ替わるのだ。矛盾のこの複数性は、単なる偶然的、経験的事実なのではない。それはむしろ（単一の）矛盾という観念そのものを規定する。あらゆる矛盾は「少なくとも一つ」（の他の矛盾）の存在に依存しているのであり、その「生命」は他の矛盾との相互作用のうちに宿るのだ。もし矛盾がひとつだけで孤立しているとしたら、それは「矛盾」（対立物間の闘争）ではなく、安定した対立である。「階級闘争」は、性別間の関係、生産過程における自然との闘争、異なる文化や人種の間の緊張関係などを多重決定するなかで存在している。

古びてどうにもならないほど時代遅れに見えるかもしれないこの考察が、今日新たなアクチュアリティを獲得している。わたしの第一の「毛沢東主義」的主張は、今日の個々の闘争において適切な意見を持つために、その一つ一つをほかの闘争との複雑な相互作用のなかに位置づける必要があるということである。ここでの重要な原則は、今日の流行に反して、「二元的な」対立の形式にこだわり、一見多様な立場に見えるものを「二元的」な対立の組み合わせに書き換えることだ。今日わたしたちには三つの主たる立場（リベラル中道派ヘゲモニー、右派ポピュリズム、新左翼）があるのではなく、二つの対立項――右派ポピュリズム対リベラル中道派体制――があり、そしてこの二つ（既存の資本主義秩序の二つの面）がともに左派からの異議申し立てを受けているのである。

まずは単純な例から見てみよう。マケドニアである――名前がどうしたというのか。少し前にマケドニアとギリシャの両政府は、「マケドニア」という国名の問題の解決案について合意を交わした。「北マケドニア」に変更しようというのである。この解決案は即座に両国の急進派から非難された。ギリシャ側は「マケドニア」は古くからあるギリシャの地名だと主張し、マケドニア側は「北」部地区とまとめられたことを侮辱だと感じた、というのも彼らは「マケドニア人」と名乗る唯一の民族だからである。この解決案は、不完全ではあるにしろ、長くつづいた無意味な闘争を理性的な妥協によって決着させることができるのではないかという希望を垣間見せた。しかしそれは別の「矛盾」にとらえられてしまう。巨大権力間の闘争である（一方にアメリカとEUが、他方にロシアがいた）。西側は両者に、妥協案を受け入れただちにマケドニアがEUとNATOに加入できるようにせよという圧力をかけた。それに対してロシアは、まったく同じ理由で（バルカン地方での影響力を失う危険を察知して）反対し、両国の熱狂的な保守ナショナリズム勢力を支援した。この時われわれはどちら側の肩を持てばよいのか。わたしは断固として妥協側を支持すべきだと思う。なぜなら単純に、それがこの問題に対する唯一の現実的な解決策だから だ――ロシアが反対しているのは単に地政学的な利害のためにすぎず、代案も提示していない。

したがってこの点でロシアを支持することは、マケドニアとギリシャの関係という固有の問題の理性的解決を、国際的な地政学的利害の犠牲に供することを意味するのである。

お次はファーウェイの最高財務責任者で創業者の娘でもある孟晩舟が、ヴァンクーヴァーで逮捕されたことについて考えてみよう。彼女はイランに対するアメリカの制裁に違反した罪を問われアメリカへの送還を求められており、有罪だと認められた場合には最大三十年間収監される可能性がある。ここでは何が真実なのか。やり口はともかく、大企業ならどこでも密かに法律を犯しているというのはいかにもありそうなことではある。しかしあまりにも明らかなのは、これは「副次的な矛盾」にすぎず、実際には別の戦いが行われているということだ。問題はイランとの取引ではなく、デジタル・ハードウェアおよびソフトウェアの生産における覇権を目指す巨大な戦いなのだ。ファーウェイが象徴しているのは、もはやフォックスコン・チャイナでも、他所で開発された機械を組み立てる半奴隷的な労働の場所でもない中国、ソフトウェアやハードウェアが発案される場所としての中国である。中国はデジタル市場において、ソニーの日本やサムソンの韓国よりもはるかに強力になる可能性を秘めている。われわれのメディアでは中国内のファーウェイの工場での過酷な労働環境に関する報道が多くなされているし、ファーウェイに対して制裁を行えば実際にこうした労働者の助けになるのではないかという提案まである――しかし同じくらい恐ろしい（あるいはもっとひどい）環境がフォックスコンの工場で見つかっても、不買運動を呼びかける者はいなかった。

具体的な事例はこれくらいでいいだろう――オルタナ右翼の堕落形態である下品な人種差別や

性差別と、政治的正しさ《ポリティカリー・コレクト》で凝り固まった取り締まりを行う道徳主義との「矛盾」になると、事態は一層複雑だ。解放に向けた漸進的な闘争という観点からすると、この「矛盾」を主要な矛盾とは考えず、そのなかに転位し歪んだかたちで絡まっている階級闘争を解きほぐすことが決定的に重要だ。ファシズムのイデオロギーと同じように、右派ポピュリズムによる〈敵〉という形象（金融エリートと侵入してくる移民の組み合わせ）は社会階層の両極を結び合わせ、そうすることで階級闘争をぼやけさせてしまう。反対側でもほぼ同じで、政治的に正しい反人種差別、反性差別は、その最終的な標的が白人労働者階級による人種差別および性差別であることをほとんど隠していないため、これまた階級闘争を中和してしまう。だからポリティカル・コレクトネスを「文化マルクス主義」と呼ぶのは誤りなのだ。ポリティカル・コレクトネスはその偽りのラディカルさにおいて、むしろマルクス主義の構想から「ブルジョワ的」自由主義を守る最後の砦であり、「主要な矛盾」である階級闘争をうやむやにしたり別のものに置き換えてしまったりする。

　普遍的人権を求める闘争にいたって、事態はさらに複雑になる。ここでの「矛盾」は、そうした権利を支持する人と、以下のような警告を発する人との間にある。普遍的人権は通常、真に普遍的なわけではなく、じつは西洋の価値観（個人が集団に優越する等）を特権視しておりそれゆえイデオロギー的新植民地主義の一形態である――人権のためと言うことが、イラクからリビアまで多くの軍事介入を正当化するのに役立ったのも不思議ではないというわけだ。普遍的人権の支持者の反論は、それを拒否すると多くの場合、権威主義的支配や抑圧のその土地ごとの形態もそれぞれの生活様式の構成要素なのだという形で正当化することになってしまうというものだ。

ここではどのように判断すべきなのか。間をとるような折衷案ではいけない。ここでは普遍的人権に軍配を上げるべきであり、それにはひじょうにしっかりとした理由がある。普遍性の次元というのは、多様な生活様式が共存できる媒介としての役割を果たすべきであること、人権の普遍性という西洋の概念は、それ自身の限界を可視化する自己批判的な面を含んでいることである。普遍的人権という標準的な西洋の概念がその特殊性にもとづく偏りを批判される場合、この批判そのものが何らかのより真正な普遍性の概念を想定せざるをえず、偽の普遍性の歪みがあらわになる。しかし何らかの普遍性はつねに存在しているのであり、互いに異なった、究極的には両立しえない生活様式が共存するという慎ましいヴィジョンでさえ、この普遍性に頼らざるをえないのである。要するにこのことが意味するのは、「主要な矛盾」は異なった生活様式間の対立という矛盾ではなく、個々の生活様式（「文化」、享楽の組織化）の内部における特殊性と普遍性の主張との「矛盾」だということだ――専門用語を使うなら、それぞれの特殊な生活様式は定義上「語用論的矛盾」にとらわれており、ある生活様式が正当であるという主張は、他の生活様式が存在することではなくそれ自身の一貫性の欠如によって根拠を奪われるのである。

副次的な矛盾の重要性をあらわす究極の事例は、二〇一九年の欧州議会選挙である――そこから学び取るべき教訓はあるだろうか。時に見世物めいていたあれこれ（イギリスにおける主要二政党の惨敗）に目を曇らされ、本当に驚くべき大きなことは何も起こっていないという基本的な事実を無視してはならない。確かにポピュリズムの新右翼は躍進したが、それが浸透したというわけではまったくない。マントラのように繰り返されている、人々は変化を求めているという言い草は、ひどいまやかしだ——仮にそうだとして、一体どんな変化だというのか。それは基本的に「何かが変わればすべてを同じままにしておける」という古い標語の変奏なのだ。

ヨーロッパ人の自己認識は全体として、革命（急激な変化）を試みることは失うものがあまりに多すぎてできないというものであり、だからこそマジョリティは（金融エリートや「移民の脅威」などを敵視し）平和と穏やかな生活を約束してくれる政党に投票しがちである。そしてこれが二〇一九年の欧州議会選挙における敗者のなかに、特にフランスとドイツで、左派ポピュリズムが含まれていた理由でもある。マジョリティは政治への動員を望んでいないのだ。右派ポピュリズムはこのメッセージをはるかによく理解している。実際のところ彼らが提示しているのは、活発な民主主義ではなく、人民の利益（になると彼らが提唱するもの）のために働く強力な権威主義政権なのだ。これはまた、元ギリシャ金融大臣のヤニス・ヴァルファキスのＤＩＥＭ（ヨーロッパの民主主義運動）の致命的な限界でもあった。そのイデオロギーの核にあったのは、多くの一般大衆を動員し、支配エリート層のヘゲモニーを打ち破ることで彼らに声を与えるという希望だったのだ。

数年前、ヴィリー・ブラントの友人からある小話を聞いた。ベルリンの壁崩壊後、ミハイル・ゴルバチョフは——この時にはすでに一介の私人だったのだが——ブラント宅への訪問を望んでおり、事前の知らせなくベルリンの彼の家の玄関先に現れた。しかしブラント（あるいは使用人）はベルが鳴るのを無視し、ドアを開けることすら拒否したのだ。ブラントはのちに友人に対して、この応対はゴルバチョフへの怒りの表明だったと説明している。ソヴィエト連邦の解体を許すことで、ゴルバチョフは西洋の社会民主主義の基盤を破壊してしまった。東欧共産主義国家との恒常的な比較こそが、社会民主主義福祉国家に耐えよという圧力を西側にかけつづけていたのであり、ひとたび共産主義の脅威が消えると、西側では搾取がよりあからさまで過酷になり、福祉国家も解体し始めてしまった、と。

単純化されてはいるが、この発想には真実が含まれている。共産主義体制の崩壊の最終的な帰結は、社会民主主義の崩壊（あるいはむしろ、引き伸ばされた解体）だったのだ。悪しき「全体主義」左翼の崩壊が善き「民主主義」左翼の空間を開くはずだというナイーヴな期待は、残念ながら間違いだった。ヨーロッパにおける政治空間の新たな分割線が、勝ったり負けたりの中道左派政党対中道右派政党という旧来の対立を、次第に塗り替えつつある。その分割線は、リベラル中道派政党（資本主義肯定で文化的にリベラル、つまり妊娠中絶合法化やゲイの権利などに肯定的）とポピュリズム右派運動の間に出現している。逆説的なことに、新たなポピュリストは文化的には保守なのだが、彼らが政権に就くと、一般に社会民主主義的だと考えられているが実際の社会民主主義政党には実行する勇気がない政策を提案し、実現してしまうこともよくある。

二〇一九年のヨーロッパ選挙における緑の党の躍進でさえ、この定式に当てはまる。この現象を環境問題に対する真の目覚めの兆しだと捉えてはいけない。それは代わりの投票先だったのだ。ヨーロッパの体制主流派による現在支配的な政治が機能していないことはよくわかっており、それに対するナショナリズム・ポピュリズム的な反応は受け入れがたいが、しかし社会民主主義やさらにラディカルな左翼に投票する気はないという人たちすべてに望まれた投票先だった。実際には行動しないが良心の呵責は感じずにいたい人が投票したのである。つまり、今日のヨーロッパの緑の党をみてまず目に入ってくるのは、穏健な風潮の蔓延である。大枠においてそれは「いつも通りの政治」というアプローチに収まっている。彼らの目指す先は、緑色の顔をした資本主義にすぎない。われわれはいまだ、緑の党とハードコアな左翼との連合によってのみ可能となる、切に望まれる革新化からはほど遠いのである。

しかし今日の窮状において本当に危険にさらされているのは、政治的行為主体としての社会民主主義政党の運命ではなく、ペーター・スローターダイクのいう「客観的」社会民主主義の運命である。社会民主主義が真に勝利するのは、その基本的な要求（無償教育や医療など）が、あらゆる主要政党に認められ国家機関自体の機能に刻み込まれたプログラムの一部となるときである。今日の傾向はむしろ逆だ。マーガレット・サッチャーは自分の一番の成功はなんだったと思うかと尋ねられ、「新労働党だ」と返した。敵対する労働党員でさえ彼女の経済政策を採用したことを言っているわけだ。

現存の革新左派は即座にこう返す。社会民主主義が消えつつあるのは新自由主義的な経済政策を採ったせいであり、解決策は……何だろう。問題はここから始まるのである。革新左派には実行可能な代替案がない。そしてヨーロッパの社会民主主義の消滅はより複雑なプロセスなのだ。まず注意すべきなのは、フィンランド、スロバキア、デンマーク、スペインの近年の選挙における成功である。第二に、ヨーロッパ基準で考えると、バーニー・サンダースのようなアメリカの「民主社会主義者」は、過激派ではなく穏健な社会民主主義者である。ここ数十年の間、標準的な革新左派は社会民主主義に対して、見下した猜疑の眼差しを向けてきた。社会民主主義が左派の唯一の選択肢となったいまでは、最終的には失敗するのがわかっていても、それを支持すべきである——この失敗は人々にとって重要な学びの経験となるはずだ。しかし今日、古いスタイルの社会民主主義が体制によってますます脅威とみなされるようになっている。その伝統的な要求はもはや受け入れられないのだ。この新たな状況には、新たな戦略が必要である。ここから左派が得られる教訓はこうだ。大がかりな大衆の動員という夢を捨て、日常生活の変化に注力せよ。「革命」の真の成功は次の日になって、物事が正常に戻ってからでないとわからない。普通の人々の日常生活において、その変化はどのように感じられるのだろうか。

話をイギリスに戻すと、ブレグジットの混乱は例外的な出来事ではなく、ヨーロッパ中に走っている緊張状態が深刻なかたちで爆発したということにすぎない。イギリスの状況が示しているのは、毛沢東流に表現すると、副次的な矛盾が重要だということだ。コービンの過ちは「ブレグジットか否か」という選択がたいして重要でないかのようにふるまい、(気持ちはブレグジット側にあったのに) 御都合主義的に両側を行ったり来たりしたことだ。どちらの票も失わないようにしようとして、両方を失ってしまったのだ。しかし副次的な矛盾は重要である。はっきりとした態度をとることが大切だったのだ。これはより一般的にいえば、ヨーロッパの左派が慎重に避けている困難な問いである。その問いとはこうだ。ナショナリズム的なポピュリズムの誘惑に屈せずに、ヨーロッパの新たな左派のヴィジョンを練り上げるにはどうしたらよいのか。

3　ノマド的プロレタリアート

ジャン゠クロード・ミルネールは「後期ラカンに関する政治的考察」において、ラカンの「ジョイス・サントーム」を引用している。「歴史に参与するのは追放された者だけだ。人間は身体を所有するため、その身体によって他者は彼を所有する。……ジョイスは正しい。歴史とは流離《さすらい》にほかならず、それについては移住というかたちでしか語れない」。ラカンはここで「流離」（目的地なく彷徨うこと）と「移住」（約束の地を追い求めるユダヤ人のように、最終目的地を頭に浮かべて彷徨う場合）の対比を語っている。「流離」は歴史の現実界、法なき彷徨いであり、この流離は移住に変わったとき初めて語られる歴史の一部になる。ミルネールはこの対比を今日の移民に当てはめる。移民が彷徨い最終的に行きつく場所は、彼らが選んだ目的地ではない。体験を移住の物語として組み立てることのこの不可能性は、移住する難民を現実なるものに、その意味で耐えがたいものにする。移民の身体（多くの場合かれらが所有する唯一のもの）は困惑を誘い、われわれの平安を乱す――わたしたちはその身体を潜在的な脅威、食料と世話を要求しわれわれの土地を汚すものとみなすのである。だからこそ、

［移民］に憎悪が向けられ、人道主義的な憐れみが必要になる。この憐れみは、西洋の政治システムがもし自らの現実の構造を認めるならば明確になるはずの唯一の論理的帰結――移民の身体の抹消――を避けるためのものだ。言葉のうえでの憐れみと事実としての残酷さの中間項として、高潔な魂は隔離という徳を発見した。一九七〇年代初頭から、ラカンは隔離をすぐれて社会的な事実だと考え、人種差別はそのプロセス全体の副次的な事例にすぎないとした。(4)

この彷徨う侵入者たちはプロレタリアートとどんな関係があるのだろうか。いくつかの左派集団においては、家を持たない難民の爆発的な増加にともなって「ノマド的プロレタリアート」という概念が生み出されている。基本的な考えかたとして、今日のグローバルな世界では、主要な敵対関係（「第一矛盾」）はいまや資本家の支配階級と労働者の間にはなく、「文明化」した（公の秩序や基本的人権などがある）世界のドームの下で安全に暮らしている人と、排斥され剥き出しの生を余儀なくされている人の間にある。「ノマド的プロレタリアート」は単純にこのドームの外側にいるのでもなく、中間的な領域にいる。彼らの前近代的な生活形態は実体としてはすでにグローバル資本主義の衝撃によって破壊されているが、かといってグローバル秩序のドームのなかに組み込まれているわけでもなく、そうして彼らは中間地帯の冥府をさまようわけだ。「ノマド的プロレタリアート」は厳密にマルクス的な意味ではプロレタリアートではない。逆説的なことに、先進国のドームに入るとき、彼らのほとんどが理想としているのは「標準的な」搾取を受けるプロレタリアートになることなのである。最近メキシコとアメリカの国境を越えてアメリカに入ろうとするサルヴァドールの難民が、テレビカメラに向かってこう言っていた。「トランプさん、お願いです、入れてください、あなたの国で勤勉ないい労働者になりたいだけなんです」。

厳密な意味でのプロレタリアート（搾取される労働者）とノマド的プロレタリアート（未満の存在）の区別は、より包括的な今日のプロレタリアートというカテゴリーによって曖昧になりうるだろうか。厳密にマルクス主義的な立場からすれば、答えは強く、ノーだ。マルクスにとってプロレタリアートは「貧しい者」であるだけでなく、生産過程でになう役割を通じてあらゆる実質的な内実を剥奪された主体にされてしまう人々だ。そうした存在としての彼らは同時に生産過程による規律訓練を受け、未来の権力の担い手となる（「プロレタリアート独裁」）。生産過程の外部にいる人々――それゆえ社会の全体性のなかに場所をもたない人々――をマルクスは「ルンペンプロレタリアート」とし、彼らに解放への潜在力を認めることはなかった。むしろマルクスは彼らに対して不信感を抱き、基本的に（ナポレオン三世などの）反動勢力によって動員され腐敗する勢力だとみなしたのだった。

十月革命の成功とともに事態は複雑になる。ボリシェヴィキが力を発揮した農村では、人口の大半が小規模農家である（ボリシェヴィキは彼らに土地を約束することで権力を得たのだった）のみならず、内戦中の武力蜂起の結果として何百万もの人々が、古典的なルンペンプロレタリアートではなく家のないノマドになった。彼らはまだプロレタリアート（労働力という「無」に還元された存在）にはなりきれておらず、文字通りプロレタリアート未満（「無未満」）の存在なのだ。彼らのずっしりとした存在感はアンドレイ・プラトーノフの作品の中心的な主題であり、彼はそうした人たちの生活様式を仔細に記述することで、ユニークな「貧しい生活の唯物論的な存在論」[5]を練り上げた。「貧しい生活の存在論」という観点からみると、サミュエル・ベケットとプラトーノフの類似には深い意味がある。というのも「貧しい生活」の経験は、ベケットの偉大な小説三部作『モロイ』、『マロウンは死ぬ』、『名づけえぬもの』の核心であるように思われるからだ。『マロウンは死ぬ』は細部にかぎらず全体にわたる主題が、ドイツ占領期およびその直後のフランスの顛末に明確に関係している。ナチとその協力者による支配、恐怖、抑圧。協力者への復讐。祖国に戻り立ち直ってゆく亡命者が受ける処遇。なぜこの小説にここまでの力が宿ったかといえば、この三つの領域を凝縮し、追放され家を失った個人、警察、精神科、行政による処置の網目のなかに迷い込んでしまった個人の、息の詰まるようなひとまとまりの経験に仕立てあげたからだ。

プラトーノフとベケットの違いはといえば、ベケットが家のない難民を国家機関のなすがままにされる個人ととらえその経験を描きだすのに対し、プラトーノフは革命後の状況における追放されたノマド集団に焦点を当て、そこでは新たな共産主義権力が彼らを共産主義の闘争に動員しようとする。彼の作品はいずれも「いかにして共産主義を構築すべきかという共通の政治的課題から出発する。それは共産主義とは何を意味するのか、共産主義の思想はいかにして革命後の社会の具体的な状況や現実に応えるのかという問いでもある」。この問題に対するプラトーノフの答えは逆説的で、反体制を標榜し共産主義を拒否すればいいというありがちなものではない。結果は否定的なものである。彼の物語はすべて失敗の物語なのだ。共産主義のプロジェクトと追放されたノマド集団との「総合」は空白のままに終わる。プロレタリアートとプロレタリアート未満の団結は起こらない。

『チェヴェングール』(一九二六―二八年)では、孤児のサーシャ・ドヴァーノフが革命の年に共産主義者となり、ボリシェヴィキに加入し、党の用命で村の革命の支援に向かう。長旅の途中でドヴァーノフは「とある村に共産主義」を発見する。それは貧しい農民が築き上げたものだった。チェヴェングール村の共産主義では、都市計画や農業に関する様々なばかげた実験が行われており、暴力と飢えが蔓延している。流浪の有機的知識人が、流浪する大衆、階級、共同体に加わり、さまよう彼らに動物、植物、自然風景がつきそう。『ジャン』(一九三六年、英訳では『魂』)の主人公ナザール・チャガターエフは、トルキスタンの故郷の町に、失われたノマド国家ジャンを見つけ、社会主義体制を建設するという党の用命で帰郷する。『ジャン』はプラトーノフが作家使節団のメンバーとしてトルキスタンを二日間旅したのちに書かれた。このころトルキスタンでは内戦が終わったばかりで、伝統的な遊牧《ノマド》の生活様式を廃止しようとするキャンペーンが始まっていた。使節団の仕事は、地方の共同体で順調に進んでいる「文明化」のプロセスを題材として、無難な社会主義リアリズムの物語を書くことだった。プラトーノフの『ジャン』の中核をなす課題を見ると、この指令に従っているように感じられるかもしれない。実際アジアの砂漠にくらす遊牧民を社会主義に導くという「赤いモーセ」なる人物の物語なわけだから。しかしチャガターエフは任務が終わるとモスクワに戻ってしまい、砂漠の共産主義の未来については疑問のまま残されることになる。……プラトーノフの最も有名な作品『土台穴』（一九三〇年）は、第一次五カ年計画を背景として書かれた。この物語は主人公のヴォーシェフと小さな田舎町の住人との一連のやりとりを軸に進んでいくのだが、彼らは巨大な労働者住宅の建造に携わっている。ヴォーシェフは様々な階級集団の代表に異議を唱え、ソクラテス的な真実の探求を行うが、このプロジェクトはどんどん壮大な計画となっていき、最終的に何ももたらすことなく終わりを迎える。

しかしこれは同時に、革命は実生活に外から規範を押しつける暴力的な試みであるという昔ながらの保守自由主義的な革命批判とも限りなく違うものである。第一に、プラトーノフが表現しているのは、共産主義を求めて戦いにコミットする人物の立場からみた絶望である（一九二〇年代には彼はきわめて実務的、技術的なレベルでも遊牧民の集団と積極的に関わっており、灌漑事業を計画、組織したりしていた）。第二に、プラトーノフは伝統的な社会生活の手触りとそれを変えようとする急進的な革命の試みの衝突を（エドマンド・バークによるフランス革命批判のようなやり方で）描いているわけではない。彼が目を向けているのは伝統的な生活様式ではなく、その生活が近代化の過程で取り返しのつかないほどに破壊されてしまった持たざるノマドたちなのだ。要するに、プラトーノフが描く根本的な亀裂は「自然発生的な」プロレタリアートの群衆と組織化された共産主義勢力とのあいだにあるのではなく、プロレタリアートの群衆そのものの二つの側面のあいだに、二つの社会的「無」のあいだにある。これはつまり、資本主義によって生み出された近代的労働者の厳密なプロレタリアートとしての「無」と、内部の否定性としてすらシステムに組み込まれない労働者の「無未満」とのあいだということだ。後者の様態については、チェヴェングールでの以下の短いやりとりを見るとはっきりする。「「誰が君たちを連れてきたんだい」とチェプルーヌイはプロコーフィに尋ねた。……「プロレタリアートと他のやつらだよ」とプロコーフィは言った。チェプルーヌイは動揺して、「他のやつらってのは何だよ。また豚野郎の残党か」……。「他のやつらは他のやつらさ。誰でもない。プロレタリアートよりもずっとひどい」」。以下はこの社会的に「無未満」の人々についての記述である。

プラトーノフの主人公たちは様々な国や文化を背景としているが、それでも一つの同じカテゴリーを代表している。プロレタリアートだ。「国際的」で「非ロシア的」な面々の背後にある観念とは、ひとつの階級をなす標準的な多国籍プロレタリアートという観念である。チェヴングールにおける階級を剥奪されたノマドたちの「非ロシア性」については重要な説明がなされている。「これが本当の国際的プロレタリアートだ。見ろ――あいつらはロシア人じゃない、アメリカ人じゃない、タタール人じゃない――あいつらは何者でもないんだ！きみに生きた国際性を見せてやるよ」。まさにこの多国籍の、反植民地主義的とすらいえる視点があるからこそ、プラトーノフはプロレトクリトの強硬派のなかでは極めて支配的だった白人工場労働者階級のイメージを脱構築できたのである。……彼はいまだ出会ったことがない類の同胞、階級的な理解や体裁をもたず、革命にとっては価値のない人々と会う。この人たちは、意味もなく、自尊心もなく、迫りくる世界規模での勝利のかたわらで暮らす名もなき他者のような存在だった。こうした他者は年齢すらはっきりせず、わかるのは彼らが貧しく、望まないにもかかわらず成長する身体を持ち、あらゆる人と相容れないということだけだ。……プラトーノフはこうした周縁的で脱階級的な放浪者を、「名も知られぬ手製の人々」、「数に入れられず」、「間違えやすい」、「プローチエ」――ロバート・チャンドラーによる英訳では「他の者たち」――と名指している。ロシア語の「プローチエ」は「それ以外」、「残り物」を指すこともできる単語である。こうして他者は人民の残り物となるのだ。彼らはマルクス主義理論に存在するいかなる階級カテゴリーにも属さない。なぜなら彼らは貧しすぎ、通常の社会生活から切り離されているからだ。……したがってこの他者とは、その不定形で周縁的な地位のせいで顧みられない存在でありながら、不可算な多様体の一部ではある人を指す――散らばり放浪《ノマディック》する人々の一部であり、人類の変異体であり、死と生のあいだ、社会的なものと生物的なもののあいだにはまりこんだ存在である。

引用箇所の最後の一文が明らかにしているように、プローチエを生産力の原型、すなわち国家の代表システムが抑圧する生きた生産力の現れとしてもちあげることは、断じて避けなければならない。プローチエはドゥルーズ的なマルチチュードではなく、むしろ非生産的な受動性にとらわれた「生ける死者」であり、基本的に能動的であろうという意志自体も奪われている。だから、わたしたちはプローチエに別の訳語をあえて提案してみる必要がある。それは隣人だ。この語の聖書的な重みを十分に背負い、「他者」でありながらまさにそのような存在として、どれほど離れていてもつねにあまりに近すぎる存在。近すぎるというのは、彼らが明確なアイデンティティ、社会のなかでの位置を持たないために、彼らに対してわたしたちが的確な距離を取れないからである。キリスト教の標語である「汝を愛するように隣人を愛せ」はここでその十全な意味を獲得する。真の社会的な愛とは、説明不能な無未満の存在への愛なのだ。ただしこの愛はさまざまな形態を取りえ、ボリシェヴィキは確かに彼らを愛し、助け、救おうとしたが、ラカンのいう「大学のディスクール」のモデルにしたがった。プローチエは対象aであり、ボリシェヴィキは彼らを啓蒙し近代的な主体に変えることに全力を注いだのだ。プラトーノフの作品の核心にある対立はそれゆえ、敵同士の対立ではなく、恋人同士の口論のようなものである。ボリシェヴィキは家のない他者を助け、文明化したいと考え、（プラトーノフの描く）その他者は心から共産主義の理想に賛同しそのために戦ったが、すべてがうまくいかないのである。「プラトーノフの小説における他者はつねに「より自覚的な」同胞、党の指導者や知識人によって操作されているのだが、その操作は決まって成功しない――他者を労働者の集団に統合し、労働と工業生産の集団化にもとづく規格化された社会性を確立するのはほぼ不可能である」。

しかしプラトーノフが敏感に気づいていたのは、このずれが単なる自覚的な革命勢力と怠惰な群衆とのずれではないことだった。ボリシェヴィキが社会変革を操作するという側面に焦点を当てるのに対し、共産主義ユートピアの核心は根本的に新しいことの発生を期待する〈他者〉の夢のなかにそのまま存在している。共産主義に何よりも近いのは〈他者〉の不動性、具体的な操作にとらわれまいとする彼らの抵抗である。つまりは「貧しい脱階級的な者たちの、組織化された労働者、党議員、知識人とは異なり根本的に新しいことをなすために今いる場所に留まるつもりがある者たちの、特殊な立ち位置なのだ。彼らの人生は言ってみれば待つ状態にとどまり続ける人生であり、問題はここでどのような政治が打ち立てられるかである」。プラトーノフ流の名高い言語の変形もまた、公認の党の言語と他者の「原始的」な話し言葉との対立という文脈に位置づけられる。

プラトーノフは、革命のスローガン、マルクス主義的政治経済の語彙、ボリシェヴィキや党官僚の言い回し、およびそれらを文盲の農民や労働者が吸収することでできた言語からなる、新たなソヴィエトの言語の歴史的な展開を深く考えていた。歴史的な調査によれば、革命後ほとんどの国民にとって、とくに田舎では、党の言語は異質で理解できず、そのため「おそらく彼ら自身があらたな語彙を吸収しはじめ……しばしば見慣れない文語調の語彙を取り違えたり、より理解しやすくはあるがばかげたものに再構成してしまったりした」。こうして、“deistvyushchaya armia”――「行動する軍隊」――が、“devstvyushchaya armia”――「処女の軍隊」――になってしまう。なぜなら「行動する」と「処女性」はロシア語では同じに聞こえるからだ。“militsioner”（「民兵」）は、“litsimer”（「偽善者」）になる。

この独特で異種混合的な入り交じりは、音の類似を「無意味」に活用して予想外の真実のきらめきを生み出すのだが（抑圧的体制においては、警察官は偽善者であるし、革命家は処女のように、ある種の純粋さで、自己中心的な動機にはとらわれずに行動すると考えられている）、これはラカンの言うララング、すなわち、言語の構造を超えてその言語を歪めてしまうあらゆる社会的、性的対立関係が浸透した言語の、典型的な実例ではないだろうか。このララングは、プラトーノフが（ほぼ）対称的な二つの装置を用いることで生じる。

［まず］彼は抽象的でイデオロギー的な定義を、平凡な人間、人民のなかにいる人間を使って解釈する。つづいて逆の操作を施し、もっとも単純で明快な日常語や日常表現に……ひと組のイデオロギー的連想を過剰に付与する。結果として元の表現は「あまりに奇抜でわけがわからなくなり、しまいには最初の意味も失う」ことになる。

この意味の喪失の政治的含意はどのようなものだろうか。二つのレベル――公式のボリシェヴィキの言葉と〈他者〉の日常の言葉――は相互に浸透しあうものではあるが、それでも永遠に対立的でありつづけるということである。革命の活動が両者を結びあわせようとすればするほど、対立も明らかになる。この結合の頓挫は、経験的で偶然的なものではない。二つのレベルはそもそも根本的に異なる空間に属しているのである。したがってソヴィエト・マルクス主義の「伏流」、公式のソヴィエト・マルクス主義＝レーニン主義によって押さえつけられたもう一つの路線を褒めそやすという罠も回避しなければならない。それは党が「上から」行う支配の役割を否定し、労働者による「下から」の直接的な自己組織化を信頼する（ボグダーノフがそうだったように）という路線だ。この路線では、スターリニズムの基礎を用意してしまったレーニンの方法とは異なる、圧政的でないソ連の発展への希望が示される。実際のところ、この第二の路線は公式のレーニン主義的マルクス主義の一種の「症候」であった。それは公式のソヴィエト・イデオロギーに「抑圧」されてはいたが、しかしまさにそのような形で公式のマルクス主義に寄生しつづけている——つまりそれ自体で自立してはいないのである。要するにここで避けるべき罠は、〈他者〉の「貧しい生活」をある種の真正な共同生活として称揚し、そこからわれわれの不幸な資本主義の現代に対するオルタナティヴが出てくると考えることだ。〈他者〉の貧しい生活に「真正な」ものは何もない。その機能は純粋な否定であり、それは共産主義もふくめた諸々の社会的プロジェクトの失敗を表している（その失敗に実体を与えてさえいる）のである。

悲しいことにこの失敗は構造上必然であるため、今日の労働者階級と今日の「プロレタリアート未満」（難民、移民）とを融合させるという同型のプロジェクト——すなわち、「ノマド的プロレタリアート」が革命による変化の潜在的な源泉であるという考え——もまた失敗することになる。ここでもまたプラトーノフの教訓に学ばなければならない。対立関係は、地方の保守的な人種差別主義者の下層階級と移民との間にあるだけではない。「生活様式」全体の違いがあまりにも大きすぎて、すべての被搾取者の連帯といったことをそう簡単には信じられないのである。おそらくプロレタリアートとプロレタリアート未満の「他の者たち」の対立は、ある意味で同一民族共同体内での階級対立よりも一層乗り越えがたいものだ。〈〈他者〉を「われわれの」プロレタリアートに〉「包摂する」ことが何より当たり前のことに思え、抑圧されたすべての人々の普遍性がすぐそこにあるように思えたその瞬間に、それは手からすり抜けていってしまうのだ。言い換えれば、「プロレタリアート未満」の〈他者〉が包摂、統合されえないのは、彼らの生活世界がわれわれとあまりにも違い異質だからではなく、完全にその内部にいるから、われわれの生活世界自体が抱える対立の産物だからである。

だからといって、当然ではあるが、マルクス主義的プロレタリアートという地位が西洋の先進地域にしかありえないというわけではない。インドを訪れた際、わたしはカーストの最下層の人々（「不可触民」）である乾式トイレ掃除人の運動の代表者と会い、彼らが何を達成しようとしているかについてすばらしく簡潔な答えをもらった。「わたしたちはいまのままでいたくない」。だからこそアイデンティティ・ポリティクスではなく、彼ら固有の仕事に対して認識や敬意を求めるのでもなく、ただ彼らのアイデンティティを余分で不可能なものにする社会変革のみを求めるのである。

かくしてここで、定式を大幅に変更したいという誘惑が生じる。今日のグローバル資本主義において問題となる集団は、いつか実現しうる根本的社会変革の来たるべき拠点としての、プロレタリアート的「無」に包摂されることを拒むノマド的な「無未満」なのではない。問題となる集団は、ますます（地方の）プロレタリアートそのものとなっている。彼らはノマド的な「無未満」に直面すると突如、自分たちの「無」（ゼロレベル、既存の社会秩序における「場所がないという場所」）がそれでも確固とした無であり、既存の社会秩序のなかに場所を占め、そのことに付随するさまざまな特権（教育、医療など）を持っていることに気がつく。だから「地方の」プロレタリアートがノマド的「無未満」に出会ったとき、彼らの反応が自分たちの文化的アイデンティティの再発見となることも不思議ではないのだ。これをヘーゲル的な思弁的用語で表現するならば、「地方の」プロレタリアートは自分たちの「無」がそれでもあれこれの特殊な特権に支えられていることを発見し、この発見が彼らを、当然のことではあるが、ラディカルな解放の行為に対して消極的にする――自らを縛る鎖以外にも失うものがあることを発見するのである。

シナゴーグに集まって過ちを告白するユダヤ人についてのよく知られたジョークがある。まず有力者のラビが言う。「お許しください、神よ。わたしは何でもない人間《ナッシング》です、あなたのご配慮に値しない人間です」。その次に、裕福な商人が言う。「お許しください、神よ、わたしは価値のない何でもない人間《ナッシング》です」。すると貧しい一般のユダヤ人が進み出て言う。「お許しください、神よ、わたしも何でもない人間《ナッシング》です」。裕福な商人はラビの耳元で言う。「このみすぼらしいやつは何様のつもりなんでしょうかね、自分も何でもない人間《ナッシング》だと言えるとでも思ってるんでしょうか」。このジョークには深い洞察がふくまれている。「無になる《ナッシング》」には否定性の努力が、すなわちみずからを特殊な決定の網目に沈み込んだ状態から引き剝がす至上の努力が必要である。このように主体を空虚、無へと引き上げるサルトル的な営みは、真にラカン的な（あるいはヘーゲル的な）立場ではない。ラカンが示しているのは、そうするためには「無未満」として機能する特殊な要素に支えを見出す必要があるということである――それにラカンが与えた名が、対象a、欲望の対象＝原因だ。政治の例を考えてみよう。（他者に対する抑圧の雛形としての）〈白人男性〉という特殊なアイデンティティの肯定を政治的に正しく《ポリティカリー・コレクト》禁止すると、このアイデンティティは罪の自白として現れるようになり、それによって白人男性に中心的な位置が付与されることになる。彼らの特殊なアイデンティティの肯定を禁止すること自体が彼らを普遍的－中立的な媒介物にし、他者の抑圧に関する真実もこの地点を経由して認識されるようになるのである。そしてだからこそ白人リベラルは進んでみずからを鞭打つことに勤しむ。彼らの活動の真の目的は他者を助けることではなく、自己批判によってもたらされる「快楽」（*Lustgewinn*）を、道徳的に他の人々より優れているという感覚を手に入れることだ。白人アイデンティティの自己否定の問題は、それが行き過ぎてしまうことではなく、十分なところまで行かないことである。言葉にされた内容がどれほどラディカルに見えても、その表明はあくまで特権的な普遍性の位置からなされる。だからたしかに彼らは自分を「無」だと宣言するのだが、（特殊な）何かであることの放棄自体が道徳的な優越感の剰余享楽に支えられているのである。上で引用したユダヤ人のジョークが反復されるようすは容易に想像することができる。たとえば黒人の男が「俺も何でもない《ナッシング》人間だよ」と言うと、白人の男が隣にいる（白）人の耳元でこう囁く。「自分も何でもない《ナッシング》人間だなんて、一体こいつは何様のつもりなんだろう」。しかしここでは想像から現実へ移るのも簡単だ。十数年前、ニューヨークで行われた政治的に正しい左翼が多数派の会議で、「批判的思想家」の大物二人が交互に自罰行為にいそしみ、われわれの悪事の元凶だとユダヤ・キリストの伝統を責め立て、「ヨーロッパ中心主義」などに容赦ない判定を下した。そのとき、予想もしないことに、黒人の活動家が議論に加わり、黒人ムスリムによる運動の限界について批判的な発言をした。これを聞いて白人の「批判的思想家」二人は当惑したような視線を交わしたのだが、意図されていたのは「自分も無価値な何でもない《ナッシング》人間だと主張するなんて、こいつは一体何様のつもりなんだろう」というようなことだ。そして似たことが、「われわれの」プロレタリアートによるノマド的プロレタリアートへの反応にもありがちではないか。「われわれが真の無なのだ――自分も無だと主張するあいつらはいったい何様なのか」。

　プラトーノフに戻ろう。このように抽象的なレベルでは、彼は〈他者〉をプロレタリアートへと）包摂することの問題を提起しているのであり、今日わたしたちも同じ問題に直面している。それは難民や移民の問題（彼らはグローバル資本主義秩序に包摂されうるか）であるだけでなく、バリバールが今日の資本主義の基本的な傾向であるとした「全体的包摂」という、より形式的な次元の問題でもある。[6] この用語が指示する範囲は、いわゆる「文化資本主義」現象（文化領域のいやます商品化）のみならず、何より資本の論理のもとへ、労働者自身と彼らの再生産のプロセスが完全に包摂される現象にまで及んでいる。

　マルクスの説明では、「資本」は究極的には（生産）労働に還元できる、つまり別の階級に領有されることで別の形態をとった労働に他ならないとされたが、人的資本の理論による説明では、労働――より正確には「労働能力」（*Arbeitsvermögen*）――は資本に還元できる、あるいは信用、投資、利益率の資本主義的な操作の観点から分析できるとされる。もちろんこれが「自己起業家」、すなわち「自分自身の起業家」としての個人というイデオロギーの基盤にあるものである(7)。

ここでの課題は「既存製品の市場の拡大を記述することではなく、むしろ市場の範囲を伝統的な意味での「生産領域」の限界を超えて押し拡げることであり、永続的な「超過剰余価値」のあらたな源泉を追加していくことである。この超過剰余価値は価値形成に、限界を超えて組み込むことができる。なぜなら資本は労働や生産という「客観的な」側面と、消費や使用という「主観的な」側面の両方で価値形成されるからだ(8)」。

だからこれは、単に労働力の生産性を上げるという話ではなく、労働力自体をそのまま資本投資の新たな領域と考えるということなのだ。「主観的な」生活のあらゆる側面(健康、教育、性生活、精神状態……)が、労働者の生産性だけでなく、さらなる剰余価値を生み出しうる投資領域としても重要なのである。医療サービスが資本の利益に資するのは、労働者をより生産的にすることによってだけではない。医療サービス自体が信じられないほど強力な投資領域であり、それは資本にとってのみならず(医療サービスは国防よりもはるかに強力な、アメリカ経済の最強部門である)、労働者自身にとってもそうなのだ(彼らは健康保険への支払いを自分の未来への投資だとみなす)。同じことは教育にも言える。それは生産的労働の準備になるというだけではない。それ自体が、機関投資家にとっても、自分の未来に投資する個人にとっても、利益の大きい投資領域である。どうやらこうして商品化は、全面化するだけでなく、一種の自己言及ループにはまりこむ。究極的な「（資本主義的）富の源泉」、剰余価値の源泉としての労働力は、それじたいで資本主義的投資の契機となるのである。このループがもっとも明確に現れているのは、「自己起業家」としての労働者、自分の（貧弱な）剰余資源（多くの場合、借金で得た資源）の投資先を自由に決める――教育、健康、不動産……――資本家としての労働者という理想像である。このプロセスに限界はあるのだろうか。バリバールは論文の最後の段落でこの問いに取り組むのだが、奇妙なことに彼はラカンへの言及に手を出し、（「性別化の式」における）ラカンの〈非－全体〉の論理を取り上げている。

これをわたしは（「形式的」包摂および「実質的」包摂にならって）全体的包摂と呼ぶ。なぜならそれは一切の外部を残さないからだ（「自然のまま」の生活の余地はない）。つまり、外部に残されたものは残り物として、さらなる組み入れのための領域として現れざるをえない。しかし本当だろうか。もちろんそれ自体が、倫理的で政治的なたいへんな問いである。商品化に限界はあるのか。内部にも外部にもそれを阻むものはあるのか。ラカン派の人ならこう言いたくなるかもしれない。そうした全体化はおしなべて「現界」に属する不可能性の要素を含んでいる。それは〈非－全体〉（pas tout）であらざるをえないのだ。もしそれが事実ならば、異質なもの、全体的包摂に本来備わっている残り物が、さまざまな形で現れるはずだ。あるものは病理やアナーキスム的抵抗のように個人主義的なものとして、またあるものは共同の、場合によっては公共のものとして。つまりそれは新自由主義的な政策を実行する際の

困難、例えば一度法制化された健康保険制度を廃止することの困難としてあらわになる。(9)

ここでバリバールが述べていることは、ラカン派の人間からするとひじょうに奇妙である。彼はラカンの性別化の式の二つの側面を圧縮し(あるいは単に混同し)、例外を〈非−全体〉と解釈している。包摂の全体性が〈非−全体〉であるのは、資本に包摂されることを拒む例外があるからだというのだ。しかしラカンは、〈非−全体〉と例外とを厳密に対比している。あらゆる普遍性が例外にもとづくのに対し、例外がないとき、その集合は〈非−全体〉となり全体化できないのである。(政治的正しさによる公にされた言葉の管理の興味深い例外は、ラップの歌詞である。そこでは何でも口にすることができ、レイプやら殺人やらを賛美しても構わない。なぜこのような例外が成り立つのか。理由は簡単に推測できる。黒人は被害者の特権的なイメージと考えられており、ラップは黒人の若者の悲惨さの表現なのだ。だからラップの歌詞の野蛮さは、黒人の苦しみと苛立ちの真正な表現として、あらかじめ免罪されているのである。)この対比は包摂の主題にもあてはまる。例外を、すなわち(普遍的な)包摂に抗いその意味で「抵抗の場」たる者を探し求めるのはやめ、例外なき包摂を認めた上で、〈非−全体〉に賭けるべきなのだ。バリバールが論及する個人の生の包摂を、普遍的な資本主義的包摂の個別事例と考えてしまうことはできない。それはあくまで自己関係的な性質(労働力そのものが資本になる)によって剰余価値の生産を二倍にするという事例なのだ。

マルクスの政治経済学批判には、例外を経由して導きだされる普遍性の例がおもに二つある。通貨と労働力だ。商品の領域を全体化するには、あらゆる商品の等価物として機能するがそれ自体としては使用価値をもたない特殊な商品に頼らなければならない。商品交換の領域を全体化するには、個々の生産者が商品を市場で売るだけでなく、同時に（その使用価値が剰余価値を生み出す商品としての）労働力も市場で商品として売られる必要がある。そしておそらくこれには第三の例がある。この商品が、剰余価値を生み出しながら、剰余価値をもたらす資本投資の対象ともなるとき、ここには二つの種類の剰余価値がある。労働力の生産物によって生み出される「通常の」剰余価値と、労働力そのものを生産することによって生み出される剰余価値である。これは〈絶対者〉がつねに自己分裂を伴いその意味で〈非－全体〉となるというヘーゲルの洞察を示すよい例だ。つまり労働力の生産自体を資本投資の領域とすることで、資本のもとでの包摂は全体的になる――しかし、まさにそのことによって包摂は〈非－全体〉となり、全体化されえず、労働力自体の自己言及的な要素である資本投資が、この領域全体に不均衡をもたらすずれを導き入れるのである。例えば、教育への巨額の投資は実際のところどんな成果を生んでいるのだろうか。多くの実証研究が示すところによれば、高等教育のほとんどは実際には資本の再生産の役に立たない――ビジネススクールですら、現実には有能な経営者になるための訓練にはほとんどならないのである。結果として、メディアは経済的成功のために教育が決定的に重要だというメッセージを大量に発してくるものの、大学での勉強のほとんどはビジネス目的としては意味がない。だからこそ国家機関およびビジネス組織はいつだって、人文学は何の役にも立たない、大学は実生活の（つまり資本の）ニーズに応えるようにするべきなのにと嘆く。しかしまさにこのことが、わたしたちの巨大な教育システムを価値あるものにしているのではないか。明確に規定された目的には奉仕せず、ただ「無駄な」文化を増やし、思考や芸術への感性を洗練させるだけの教育……。こうしてわれわれは逆説的な状況にいることに気がつく。教育までもが投資領域としていよいよ資本に包摂されつつあるとされているまさにこの瞬間、その包摂が現実にどうなっているかといえば、巨額の金が自分自身を目的とする知識や芸術の涵養に注ぎ込まれているのだ。かくして何百何千人もの人が、これっぽちも資本の役に立たない（職につながらない）高等教育を受けることになる。しかしわれわれはこの無意味な金融資源の浪費を防ぐのではなく、この結果を「自由の王国」が拡大していることの意外なしるしとして言祝ぐべきではないか。

おそらくこのずれは希望の源として機能しうるし、ひょっとしたらラディカルな変化の可能性を開くかもしれない。資本の論理を脅かすのは、統合されざる外部の残りものではなく内部の矛盾なのであり、包摂が全体的になったときにこそこの矛盾が開かれるのだ。

4　右派ポピュリズムに対する左派の応答は本当に“Me Too”でよいのか

パイプの絵の下に「これはパイプではありません」という言葉を付したマグリットの有名なパイプの絵画を、わたしたちは誰でも知っている。このパラドクスの驚くべき変形が、近年のイスラエル政治の紆余曲折に見られる。

二〇一九年三月十九日火曜日、あるキャンペーンCMがイスラエルで公開された。右派の法務大臣アイェレット・シャクドが、高級香水のモデルのごとくゆったりと歩く。その香水瓶のラベルには「ファシズム」と書いてあり、シャクドが自分にそれを吹きかけるなか、ナレーションの「司法の改革。司法積極主義の縮減。裁判官の指名。管理。権力分立。最高裁判所の抑制」という声が聞こえる。最後は大臣が第四の壁を破ってカメラに（すなわち視聴者に）直接「わたしにとっては民主主義の香り」と語りかける。(10) このCMの（いささかぎこちない）皮肉はわかりやすい。シャクドを批判する左派リベラルは、彼女の政策（および法務省が施行する法案）のファシズム的な要素（と彼らが感じるもの）をもってシャクドを攻撃する。そうした批判者への応答として、彼女は「ファシスト」という言葉をアイロニカルに身に帯びるが、ナレーションが数え上げる実際の政策は民主主義的なものなのだ。

イスラエルで行われている選挙運動で、シャクドは右翼の側からネタニヤフを倒そうとしているわけだが、ネタニヤフも最近のインスタグラムでの発言で同じ道をたどっている。アラブ人を含めたイスラエル市民は全員が平等な権利を持っていると述べた上で、こうつけ加えたのだ。「イスラエルは全市民の国家ではない」（イスラエルはユダヤ人の民族国家であると宣言し議論を呼んだ二〇一八年成立の法律を念頭に置いた言葉である）[11]。だから真実に近づくためには、シャクドのCMでの立場を単純に反転させてみればいい。シャクドは「民主主義」という名の香水を振りかけ、ナレーションは彼女の業績を数え上げる――二級市民をつくる人種隔離システム、法的にあいまいな位置に置かれた百万人以上のパレスチナ人、一般市民への爆撃。そのとき通りがかりの人（シャクド本人ではない）が、「わたしにとってはファシズムの香り」と口にするのである。

とはいえ、シャクドとネタニヤフは実際にはファシストなのだと主張するのは安易にすぎる――真相はもうすこし複雑だ。この二人はあくまで民主主義的な議会の規則を尊重しながらポピュリズムのゲームを行っているのであり、今日のポピュリズムの論理は民主主義的ファシズムだと規定することもできる。この場合民主主義は「われわれの側」に、われわれの民族集団に限定されており、他の人々は人民の敵である（トランプはこの古いスターリニズムの用語を復活させ好んで使っている。彼はこれを四大友人の一人から学んだのだろう――金正恩でもムハンマド・ビン・サルマーンでもジャイール・ボルソナーロでもなく、プーチンから）。

このことによって今日の人種差別的ポピュリズムはとても危険なものになっている。自分たちは普通の人々が現実に抱える不安を代表しているのだと言い張るにとどまらず、民主主義的な正当化まで得てしまうからだ。今日「民主主義の香りがするファシズム」はこのように機能するのである。シャクドは正しい。今日の人種差別的ポピュリズムがこれほどトラウマを残すのは、それがファシズム的だからではなく、ある意味で真に民主主義的だから、民主主義の機能の仕方の新しい様式を示しているからだ——これを批判しようとすると、民主主義そのものに本来潜在している危険な部分を批判しなければならなくなる。ならば左翼は同じ成功を成し遂げるために、これを真似てしまえばいいのだろうか。実際いきあたりばったりの左派政治における最近のトレンドは、MeToo運動の奇妙な一変種である。左派は右派ポピュリズムの興盛から学ぶべきだ——WeTooならポピュリズムのゲームを戦うことができる、と。わたしたちは繰り返し、左派ポピュリズムは実際に勝利しておりうまくいっていると言われてきた。しかしどこで、どのようにうまくいっているというのか。ラテンアメリカからスペインのポデモス党まで、左派ポピュリズムが無視できない勢力となっているあらゆる場所で、それは致命的な限界に躓いている。コービンの労働党については、その政策をまともな意味でポピュリズムとは呼べない（さらに言えば、真に試される場所ではコービン労働党はまだ力を獲得していない）。右派のポピュリズム熱（ナイジェル・ファラージからボリス・ジョンソンまで）と対照的に、今日の労働党の政策は理性的で現実的な論証の成果である——出された政策に賛成できないことがあるかもしれないが、論証の筋道はつねに明確なのだ。コービンほど感情の爆発から遠い政治家をほかに思い浮かべることができるだろうか（誤解のないように言うが、わたしにとってはこのことが、コービンが偉大な政治家たる理由である）。

この事実からしても、左派ポピュリストが、現実的かつ理性的で冷静な論証か熱情的な対決かという図式に依拠していることには問題がある――後者の衝突には制限をかけると左派ポピュリストも言ってはいるのだが。いわく、自分たちはあくまで民主主義の枠組みに留まる、敵対関係はすべての陣営が民主主義の基本的な規則をまもる闘技型の争いに移し替える必要がある、と。しかし、こうした規則をもはやすべての陣営が受け入れるわけではないとしたら、どうなるだろうか。数年前、わたしが『南ドイツ新聞』の読者からの難民危機に関する質問に答えていたとき、圧倒的に注目を集めた質問は、まさに民主主義に関する、ただし右派ピュピュリズム的なひねりが加えられたものだった。アンゲラ・メルケルが名高い声明で何百何千人もの移民をドイツに招きましたが、彼女は民主主義においてどう正当化されるのですか。民主主義的な協議も経ずドイツ人の暮らしにこれほど大きな変化をもたらす権利が、どうして彼女に与えられるというのですか。この話を出したのは、もちろん反移民ポピュリストを支持するためではなく、民主主義による正当化の限界を明確に示すためである。同じことは難民に対する国境の大幅な開放を支持する人たちに関しても言える。われわれの民主主義は国民国家の民主主義なのだから、開放支持者の要求は民主主義を一時停止させることになってしまうということに彼らは気づいているのか。そのようなあまりに大きな変更が、国民との民主的協議を経ないまま国家に影響を与えることなど許されてよいのか。（彼らは当然、難民にも投票権が与えられるべきだと答えるだろう――しかしこれでは明らかに不十分である。なぜならこれは難民を国家の政治システムに迎え入れた後でのみ可能な方策だからだ。）すこし前にジョージ・ソロスがテレビに出て、ヨーロッパは追加で百万人の難民を受け入れるべきだという意見を唱えていた。それは彼のもっともすばらしい人道主義的な部分なのだが、ひとつ引っかかることがあった。億万長者の彼に一体どんな権利があって、ヨーロッパの住民がどう考えるかという問いを提起することすらないまま、それほど大掛かりな移住を奨励するというのか。ユヴァル・ハラリの指摘によれば、ドイツへの移民をめぐる目下進行中の問題は、すでにわれわれに民主主義の限界を突きつけている。ドイツ人の過半数は移民受け入れを拒否するはずだという確信をもって移民に関する国民投票を求めている反移民ポピュリストに、どう対抗すればよいのか。それなら解決策は投票権を移民にも与えることになるのだろうか。移民のうち誰に与えるのか。すでにドイツにいる者に与えるのか、ドイツへの移住を望む者に与えるのか。

こうした考えの果てに世界規模での選挙というアイディアもあるが、それは単純かつ厳密な理由で成立しない。世界レベルでの「基本事項に関する合意」など存在しないので、可能な方法は（全面戦争以外だと、ということだが）交渉のみだ。（だからこそ中東での衝突は選挙ではどうにもならず、戦争か交渉でしか解決できない。）そして交渉とは定義上、「やつら」対「われら」という敵対の論理を乗り越えることを必要とする。左派ポピュリストによれば、左派の敗北の主たる要因は、アンソニー・ギデンズ、ウルリッヒ・ベック、ユルゲン・ハーバマスといった名前に代表される、理性的論証と生気のない普遍主義の非闘争的なスタンスである。このポスト政治的な「第三の道」は、反移民の右派ポピュリストがうまく活用している「やつら」対「われら」の論理を効果的に打ち負かすことができない。結果としてこの右派ポピュリズムに勝つ方法は、左派ポピュリズムに訴え、ポピュリズムの基本的な枠組みを保持しつつ（「やつら」対「われら」）、腐敗したエリート対「国民」といった闘技的論理）そこに左派的な内容を入れていくこととなる。その場合、「やつら」は貧しい難民や移民ではなく、金融資本や技術家主義《テクノクラシー》の国家官僚などを指す。この左派ポピュリズムは、かつての労働者階級による反資本主義の枠組みを大きく超える。それは環境保全からフェミニズム、雇用の権利から無償教育や医療などにわたる多種多様な闘争を（スペインでポデモス党が行っているように）ひとつにまとめようと試みるのだ。

　理性的な歩み寄りによる現実的で冷静な政治に関して、最初に気づくべきことは、新自由主義のイデオロギーは（そのリベラル左派版でも同様に）「理性的」ではまったくないということである。それは極度に対立を好み、それを受け入れない者は危険な反民主主義の理想主義者として容赦なく排斥するのであり、その専門知はもっとも純粋なイデオロギーである。（新自由主義経済を是認する）「第三の道」左派の問題は、あまりに現実的・理性的すぎることではなく、真に理性的でなかったことだ——最初から相手の前提を認めてしまうという無節操な現実主義が染みこんでいるのである。今日の左派政治に必要なのは、対決の情熱（だけ）ではなく、真に冷静な合理性だ。冷めた分析と熱のこもった闘争は相反するわけではなく、むしろ互いを必要としているのだ。

　生気のない普遍主義に対抗する闘技的な政治化、熱情的な対決という図式は、そもそもあまりに形式的すぎ、背景に潜む大きな問いを無視してしまっている。左派はそもそもなぜ何十年も前に「やつら」対「われら」という闘技的なロジックを捨て去ったのか。資本主義の構造の深部に生じた変化、単純なポピュリズム的動員という手段では太刀打ちできない変化のためではなかったのか。左翼が敵対的対決を捨て去ったのは、それが資本主義との闘争に失敗したからであり、資本主義の世界的な勝利を受け入れてしまったからだ。ピーター・マンデルソンが言ったように、経済の観点からするとわたしたちはみなサッチャー主義者なのであり、左派に残されたのは個々の多様な闘争だけ――人権、フェミニズム、反レイシズム、そして何より多文化主義だけである。（興味深いことに、左派ポピュリズムの理論的父であるエルネスト・ラクラウは、最初はブレアの「第三の道」政策を――階級本質主義からの解放などと称して――熱狂的に歓迎しており、非敵対的な政治のやり方だと言って批判しだしたのは後になってからだった。）

ポデモス（スペインの左派ポピュリズム政党）は間違いなくポピュリズムの最良のかたちである。傲慢な政治的に正しい知的エリートが、一般の人々の「狭量さ」を軽蔑し、「自分たちの不利益になる投票をする馬鹿な連中だ」と考えるのとは異なって、ポデモスの組織の原則は「下から」の声を聞き、それを「上から」の声に対抗する形でまとめ上げ、そうすることであらゆる伝統的な右対左のモデルを超えていくことである。中心にある考え方は、解放を目指す政治の出発点は民衆がそれぞれの生活世界（居住地区や職場など）で具体的に経験する苦痛や不正義であるべきで、来るべき共産主義やらこれこれの社会やらといった抽象的なヴィジョンであってはならないということだ。新しいデジタルメディアは新たな共同体のための空間を切り開くように見えるが、こうした新たな共同体と古い生活世界の共同体の違いは決定的に重要である。古い共同体は選択するものではない。わたしはそこに生まれ落ち、そこがわたしの社会化の空間を形成する。対して新しい（デジタルな）共同体は、わたしの関心に応じて定まる、つまりはわたしの選択にもとづく特定の領域にわたしを閉じ込める。古い「自然発生の」共同体が自由意志による選択に拠らないという事実は、古い共同体の欠陥であるどころか、むしろ新しいデジタル共同体とくらべて優れている点だ。というのも、古い共同体によって選択に拠らない既存の生活世界に入ることを強制されるからこそ、わたしは真の差異に出会う（そしてそれと付き合うことを学ばなければならなくなる）。対して、新しいデジタル共同体はわたしの選択にもとづくため、個人は何らかの仕方で共同体生活に先立って存在し、共同体を自由に選べるというイデオロギー的な神話を温存してしまうのである。この見方は間違いなく（ひじょうに大きな）一粒の真実を含んではいるが、問題は、はっきり言ってしまえば、ラクラウが好んで強調していたように社会が存在しないだけでなく、「人民」もまた存在しないということだ。

このテーゼを、社会体全体をつらぬく矛盾についての抽象的な理論的言明とは受け取らないでほしい。これはひじょうに具体的で、経験的とすらいえる事実の話なのだ。「人民」は社会の全体性の呼称として間違っている——今日のグローバル資本主義において、全体性は「抽象的」で、不可視であり、それを具体的な生活世界に位置づけることはできない。言い換えれば、今日のグローバル資本主義の世界において、ある特定の生活世界の一員となり、習慣や生き生きしたつながり、様々なかたちの結束といったものを持つという「具体的な経験」は、すでに何か「抽象的な」ものとなっている。ここで「抽象的」というのは、ある特殊な経験が、この具体的で特殊な世界を支配し統制する金融や社会などのプロセスの分厚いネットワークを覆い隠してしまうという意味だ。ポデモスがある時点で政権をとるとすれば、ここで問題に突き当たる。資本の力に制限をかけるために、具体的に（標準的なケインズの手品袋にとどまらない）どんな経済政策を実施するかという問題に。

ここにシリザ〔ギリシャ急進左派連合〕とポデモスの差があった。シリザは今日のグローバル秩序の〈現実界〉に触れていた。それは資本の支配を脅かしたのであり、だからこそシリザは容赦なく辱められなければならなかったのだ。シリザの勇敢さは、民主主義に則った政治闘争に勝ったのち、さらに一歩踏み込んで資本の再生産の滑らかな流れを乱したところにある。ギリシャ危機の教訓は、資本が、究極的には象徴的なフィクションであるにもかかわらず、わたしたちの〈現実界〉だということだ。つまり今日の抗議行動は複数の水準の組み合わせ（重なり合い）に支えられており、このことが抗議を強力なものにするのである。たとえば独裁体制に対し（「標準的な」議会）民主主義を求めて戦う、レイシズムやセクシズム、とりわけ移民や難民に向けられた憎悪と戦う、新自由主義に対し福祉国家を求めて戦う、政治や経済における腐敗（環境を汚染する企業など）と戦う、複数政党制のお決まりの儀式を超える民主主義の新たな形態（直接参加など）を求めて戦う、そして最終的には、グローバル資本主義システムそのものを疑問に付し、非資本主義社会という理想を生き延びさせる、というように。

ここでは二つの罠を同時に避ける必要がある。誤った革新主義も（「本当に大切なのは、リベラル議会制資本主義の廃止であり、ほかのあらゆる戦いは二次的だ」）、誤った漸進主義も（「いまは軍国独裁主義を倒し単なる民主主義を得るために戦っているのだから社会主義の夢は忘れなさい、それはいずれ――たぶん……」)。特定の闘争について考えるとき、鍵となる問いはこうだ。参加するにせよ、距離を置くにせよ、それがほかの闘争にどう影響するのか。一般則としては、圧政的で十分に民主主義的でない体制に対して二〇一一年の中東でのように反乱が始まると、ウケ狙いとしか言いようのないスローガンを掲げて群衆を動員することは容易となる――民主主義のため、とか、腐敗を正すため、とか。しかしその後で、わたしたちは次第により困難な選択に近づいていく。反乱がその直接の目的を達したとき、本当にわれわれを悩ませていたもの(不自由、屈辱、社会の腐敗、まともな生活が期待できないこと)は装いを変えて残存していることに気がつくのである。エジプトにおいて、抗議者たちは圧政を敷くムバラク体制の打倒に成功したが、腐敗は残り、まともな生活の展望はさらに遠のいた。独裁体制を転覆すると、貧しい人々への父権的な保護の最後の名残さえ消えてなくなることがあり、結果として新たに獲得した自由が、事実上どんな貧窮がいいかを選ぶ自由に縮減されてしまう――大多数の人々はただ貧しいままなだけでなく、今や自由なのだから貧困も自分たちの責任だと言われ、傷に侮辱を加えられることになる。そうした苦境にあっては、わたしたちの目標そのものに瑕疵があったことを、この目標に十分な効力がなかったことを――すなわち標準的な政治的民主主義は不自由の形式ともなりうることを、認めなければならない。政治的自由は容易に経済的隷属の法的枠組みとなり、恵まれない人々はみずからを「自由に」隷属状態に売り込んでいることになってしまう。こうしてわれわれは、単なる政治的民主主義以上のものを求めようと思うにいたる。当初、高潔な(民主主義的自由という)原則の十全な実現に失敗したのだと思われたことは、この原則そのものに備わっていた失敗だったと認めなければならない――これを理解することは政治教育の大きな一歩である。
ギリシャ危機が二〇一五年七月にたどった二重のUターンは、悲劇から喜劇への歩みというだけではなく、スタティス・クベラキスが述べたように、悲劇が喜劇にとことん反転しそのまま不条理劇へと転じる歩みだった――誰より思弁的なヘーゲル派哲学者にすら眩暈をもよおさせるほどの、あの極端から極端への尋常でない反転を形容する方法が他にあるだろうか。EU幹部との際限のない交渉で次から次へと屈辱を味わうことに嫌気がさしたシリザは、二〇一五年七月五日の日曜日に国民投票を行うことにし、ギリシャ国民にEUが提案する新たな緊縮措置を支持するか拒否するかと問いかけた。政府自体は「拒否」を支持すると明言していたが、結果は政府にとっても意外なものだった。驚くほど多くの、六十一パーセントを超える国民が、ヨーロッパの恐喝を「拒否」することを支持したのである。この結果は政府の勝利のはずなのだが、アレクシス・ツィプラス首相にとっても嫌な驚きだったのではないかという噂が流れ始めた。首相は密かに政府が負けることを望んでおり、敗北すれば体面を損なわずにEUの要求に屈することができると踏んでいたというのだ（「わたしたちは投票者の声を尊重しなければならない」）。しかし翌日の朝になると、ツィプラスはギリシャには交渉を再開する準備があると宣言し、数日後には、ギリシャは有権者が拒否したのとほぼ同じ（細かい点ではさらに厳しくなっているところもある）EU案を取り決めてしまった――要するに、ツィプラスは政府が国民投票に勝ったのではなく負けたかのように振る舞ったわけだ。ここでわたしたちはポピュリズムの真実に直面する。ポピュリズムには資本の〈現実〉と対決することができないということに。ポピュリズムが最高潮に達した瞬間（国民投票での勝利）、それが即座に降伏に、資本主義秩序に対する無力の告白に逆戻りしてしまう――この反転にあるのは単純な裏切りではなく、深い必然性のあらわれである。

シリザの悲しい運命はヨーロッパ左派の新たな状況を象徴している。かつての資本主義では、過酷な経済危機によりシステムの通常の再生産ができなくなると、何らかの権威主義的支配（大抵は軍事独裁）が十年程度敷かれ、経済状況が正常に戻り民主主義への復帰に耐えられるようになるのを待ったものだった――チリやアルゼンチン、韓国の例を思い出そう……。シリザの果たした役割の独特さとは、彼らがふつうは右翼独裁の専売特許であるこの役割を担うことを許された点だ。大変動と危機の時期に政権をとり、厳しい緊縮措置を実施するという仕事を成し遂げ、そして舞台を降り、新民主主義党という名の政党に取って代わられた。この政党こそ、そもそもギリシャを危機に陥れた張本人なのだが。

シリザ政権の成したことには功罪の両面がある。良いこともした（理性的な中道政権にも可能だったであろうマケドニアの名称変更をめぐる合意などがそれだ）。しかし全体としてみれば、結果は二重の大惨事だった。まず、緊縮策を実施するという仕事に手をつけてしまった――シリザの政綱はこれに反対するものだったのに。つむじ曲がりなEU官僚たちはシリザにそうさせておいた。どうせなら革新左派政党にやらせた方がよっぽどいい。そうすれば緊縮への抗議が最小限に抑えられるからだ。もし緊縮を実施したのが右派政権だったらシリザがどんな反対運動を行ったかは想像に任せるしかない。さらに悪いことには、緊縮措置を実施することで、シリザは事実上みずからの社会的な基盤を破壊してしまった。政党としての自分たちの出所であった市民社会団体の豊かな組織を壊してしまったのである——そうしてシリザはほかと変わらないただの一政党になってしまった。

シリザがEUとの交渉を引き継ぐことになったとき、選択肢が緊縮かEU離脱《グレグジット》かしかない状況では、敗北は明らかだった。緊縮措置を課す必要があると認めることは、自分たちの政綱の根本をなす信条に背くことを意味したが、そうかといってEUを離脱すれば生活水準がさらに三十パーセント下落し、社会生活が崩壊して（薬や食料の不足など）、緊急事態に陥っただろう。いまとなっては、ヨーロッパの金融エリートはグレグジットになったらなったで構わないと考えていたことがわかっている。ヴァルファキスの伝えるところでは、ヴォルフガング・ショイブル（当時のドイツ金融大臣）に対してグレグジットを脅威として語ったところ、ショイブルは即座に数十億ユーロを提示してギリシャのグレグジットを支援しようと言ったという。EUのエリートが容認できないのはグレグジットではなく、ギリシャがEUの内部に残り、かつそこで反抗しだすことだった。ポイントは明快だ。グレグジットによる崩壊が起きてくれれば、すべての左派にとって、ラディカルな経済措置をみだりに試みるべきではないという良い教訓となっただろう。体制側は、より過激な左翼に二、三十年に一度権力を握ってもらい、その道の先にどんな危険があるかを人々に警告してくれればいいと考えているのだ。

したがってすべてはこの選択を回避し第三の道を見つけ出すことにかかっている。シリザを支持したわたしたちは、無邪気にも、彼らはこの第三の道の計画を練ってあるのだと考えていたし、彼らとのあらゆる討論を通じてわたしは、彼らは自分たちが何をしているか理解しているから心配する必要はないと――シリザはドリーム・チームを擁していて、勝利するのだと確信していた。わたしでさえしばらく騙されてしまったのは、ＥＵがギリシャにかけた圧力の酷さを左派があれこれ批判していたにもかかわらず、ＥＵが予想外のことを何もしなかったからであり、ブリュッセルの行政官たちが狂いなく予想通りに行動したから――そこに驚くことが微塵もなかったからだ。

二〇一五年に議論を交わすなかで、わたしは大規模な公のイベントに夢中になるのはよくないと警鐘を鳴らしたことを覚えている――「シンタグマ広場に百万人の同志が集い、みんな一緒に拍手し歌っ」てどうのこうのという大騒ぎの件だ。本当に重要なのはその翌日の朝、集団的な恍惚の酔いが醒め、熱狂が具体的な政策に移し替えられなければならなくなったときに何が起きるかである。わたしはよく話の種にして馬鹿にしたものだが、一年に一度、過去のデモの記念日にカフェに集まり、過去のうっとりするような団結の瞬間を感傷的に懐古するデモ参加者のグループがいた――しかしそのとき携帯が鳴り、彼らは退屈な仕事に走って戻らなければならないのである。こんな光景は、今日容易に思い描くことができる。シリザのメンバーがカフェに集まり、二〇一五年の大規模抗議の比類ない精神を懐かしく振りかえっている最中、携帯が鳴ると、彼らは事務所に駆け戻って緊縮の仕事を続けなければならない。

シリザの失敗はわれわれをポピュリズムの決定的な限界に立ち返らせる。ラクラウは「敵」の形象をポピュリズムに内在するかたちで構築する必要性を執拗に語っていた――これはポピュリズムの弱点ではなく、強さの源泉なのだ、と。左派ポピュリズムが構築すべきなのは〈敵〉のあらたな形象であり、それは脅威をもたらす人種的〈他者〉（移民、ユダヤ人、ムスリム……）でなく、金融エリート、原理主義者、そのほか「おなじみの」進歩主義者たちなのだ。「敵」を構築しようというこの衝動もまた、ポピュリズムの致命的な限界のひとつである。今日、究極的な「敵」は具体的な社会的主体ではなく、ある意味でシステムそのものであり、容易には主体として特定できないシステムのある機能の仕方である。何年も前、アラン・バディウが書いていたのは、戦いの相手は資本主義ではなく具体的な行為主体だということだった――しかしそこにこそ問題がある。本当の標的は資本主義であるわけだから。今日、〈敵〉はネオ・ファシストで反移民のナショナリズムだとか、アメリカであればトランプだとか言うことは、一見すると簡単だ。しかしトランプの出現は究極的には自由民主主義のコンセンサスが頓挫した結果だという事実は残るのであり、だとすれば、もちろん自由民主主義と「反ファシズム」のあらたな連携の可能性を排除すべきではないとしても、このコンセンサスそのものを変えるべきだということは動かない。そうだとすると、アメリカの大統領選の前に行われた二つのインタビューで、わたしがクリントンよりもトランプを望むと述べたのは間違いだったのだろうか。否。その後に起きた出来事をみればわたしが正しかったことがわかる。トランプの勝利は既存体制を危機に陥れ、民主党の左翼が台頭する道を開いた。トランプの横暴がアメリカ左翼を起動させないとすれば、そのとき戦いは本当に敗れたことになる。

　左派ポピュリストが国家の主権、強い国民国家を、グローバル資本に対する防御手段として特権視しているように見えるのは、具体的な個々の敵に焦点を当てるからだ（ドイツの「起立」（左派運動体」ですら基本的にこの路線である）。こうして彼らのほとんどが（自動的に）ポピュリズムだけでなくナショナリズムをも肯定し、自分たちの闘争を国際的な金融資本への防衛とする。アメリカの左派ポピュリストにはすでに「国家社会主義」という用語を使っている人もいる。[12] もちろん彼らを隠れナチだと言うのは馬鹿げているし公平さに欠けるが、それでも、あらゆる革新的な解放のプロジェクトの鍵を握るのはインターナショナリズムだという点は譲れない。ヴァルファキスのＤＩＥＭ〔ヨーロッパの民主主義運動〕に対してどんな批判がなされようと、少なくともＤＩＥＭは、グローバル資本への抵抗はグローバルでなければならないこと、新たな形態の普遍主義でなければならないことを明確に見抜いている。もちろん様々な敵がいることは確かであり、陰謀というトピックを単純に無視すればいいという話ではない。何年も前にフレドリック・ジェイムソンは、今日のグローバル資本主義において、匿名の「資本主義の論理」なるものを参照することによっては説明できないことが起きると明晰に述べていた――例えば、二〇〇八年の金融崩壊は金融サークルによって綿密に計画された「陰謀」の結果だったことを今のわたしたちは知っている。しかし、社会分析の本当の責務は依然として、現代の資本主義がそうした「陰謀」が介入するための空間をいかにして開いてしまったのかを説明することなのだ。このことはまた、「強欲」を問題にし、資本家に社会的連帯、責任を示すよう訴えるという見当違いなことがなされる原因でもある。「強欲」（利益の追求）こそが資本主義の拡張を衝き動かすのであり、資本主義の眼目はまさに、個人の欲を行動に移すことが共通善に寄与するということにあるのだから。そういうわけで、繰り返しになるが、必要なのは個人の欲に焦点を当て、増大する不公平の問題に道徳の観点からアプローチすることではなく、システムが「欲深い」行動を許さず、それを誘いすらしないように変えることなのだ。

何らかの特別に強力な快楽の経済が、自分自身の「生活様式」との一体化に作用していること、それは象徴的に再言語化することのきわめて困難な〈現実界〉の核であることを、認めなければならない。第一次世界大戦の勃発にたいする社会民主主義者の愛国的な反応を見たレーニンの衝撃を思い出そう――人々は自らの生活様式のためなら苦しむことになっても構わないと考えており、それは「統合される」ことを望まない今日の難民についてもいえる。要するに二つの〈現実界〉があり（資本の現実界と、民族的一体化の現実界）、両者は象徴界のヘゲモニーの流動的な要素のなかに溶かし込むことができない。

（あえて）わかりやすい例を考えてみよう。有権者の大半が反移民ポピュリズムのプロパガンダに屈し、国民投票で難民に国境を閉ざし、すでに国内にいる移民の生活をも困難にするという選択をする民主主義国家を想像してほしい。次に、そうしたプロパガンダの存在にもかかわらず、有権者が国民投票で積極的に団結するという決意と難民を助ける意思とを示す国を想像してみよう。違いは客観的であるだけではない――すなわち、一方の国の有権者は反動的な人種差別的決断をし、もう一方の国の有権者は団結を正しく選んだというだけではない。違いは、二つの国で作用する政治的情熱の種類が異なっていたという意味において、「主観的」でもある。しかし恐れず断言すべきなのだが、一つ目の国の有権者は、どれほど偽りなく確信を持っているように見えるとしても、「心の奥底では」恥ずべきおこないをしているとわかっている――感情的になされる理由づけはすべて、決まりの悪さを覆い隠しているだけなのだ。対して二つ目の国民は、常にどこかで自分たちのおこないの解放的な効果に気づいている。リスクがある危ういことだったとしても、たしかに真の成果を成し遂げたのだ、と。この二つのおこないはともに、ある意味で不可能を成し遂げているが、それはまったく違う方法によっている。最初の例では、公共空間は破壊され、倫理的な水準は低下している。その瞬間まで公共空間では受け入れられない私的な汚い噂話にすぎなかったものが、公に語ってもいいこととなる——あけっぴろげに人種差別主義者やセクシストになっても、憎悪を説きパラノイアを広めても構わないことになってしまうのだ。そうした「解放」の今日における原型はもちろんドナルド・トランプであり、よく言われるように彼は「ほかの人が考えるだけにしていたことを公に口にする」のである。二つ目の例では、ほとんどの人が人をもっと信用しなかったことを恥じている。投票前には心の内では負けるはずだと思っていたので、有権者たちの倫理的な冷静さに驚かされる。こうした「奇跡」のためにこそ、生きる価値があるというものだ。

しかしそうした「奇跡」の礎は、どうすれば整えられるのだろうか。「われわれの」国の人々を、難民や移民の権利のために戦うよう仕向けるにはどうすればよいのだろうか。原理的には、答えは簡単だ。難民のための闘争がフェミニズムの闘争や環境保護の闘争などと結びつく新たなイデオロギー的空間を、どうにかして明確に表現することだ。しかしそうした安易な出口は修辞的なものに過ぎず、（当然のことながらイデオロギーに規定される）「経験」とぶつかってしまう。「経験」を取り消すのはそう簡単なことではないのである。より根深い問題は、今日の状況において、政策と「現実の人々」の生《なま》の経験との直接的な結びつきが想定されていないことだ。古典的マルクス主義の基本的な前提では、プロレタリアートを中心に据えることで人間は、もっとも深い理論的洞察がもっとも具体的な搾取と疎外の経験のなかに共鳴するものを見出すという唯一無二の状況にいたることができる――しかし、今日の複雑な状況において同様の戦略が可能かというとひどく疑わしい。左派ポピュリストは当然、だからこそ労働者を特権的な解放の主体として当てにするマルクス主義的態度は捨て去るべきだと考え、新たなヘゲモニーをなす「等価性の連鎖」を構築するという長く困難な作業に取り組むべきだと主張する。成功の保証はないのだが（フェミニズムの闘争、自由を求める闘争、移民の権利を求める闘争が合流し大きな一つの〈闘争〉となる保証などどこにもない）。しかしわたしが言いたいのは、この解決策ですら抽象的で形式的に過ぎるということだ。左派ポピュリストを見るとわたしは、不安がる患者にどうしたらいいか尋ねられて、「医者に診てもらいなさい！」と答える医者を思い浮かべる。本当の問題は手続きの形式――現実的な団結を探るか、闘技的に対決するか――ではなく、内容の方なのだ――すなわち、いかにしてグローバル資本に反撃するかということである。わたしたちにはグローバル資本主義のシステムに代わる何かがあるのか。今日では真の共産主義政権を想像することすら可能なのかどうか。現状では、大失敗（ベネズエラ）か、降伏（ギリシャ）か、管理下での資本主義への完全な回帰（中国、ベトナム）のいずれかだ。

ではそのとき、ポピュリズムの熱狂はどうなるのか。それは消滅するし、消滅しなければならない。ポピュリズムが権力を握ったら、選択肢は、人名で述べるなら、ニコラス・マドゥロ（生粋のポピュリズムから、社会の腐敗付きの権威主義バージョンに移行した）か、鄧小平（権威主義的資本主義の標準化、イデオロギー的には儒教への回帰）かのどちらかだ。緊急事態に盛り上がったポピュリズムは、定義上、長続きしない。それは外部の敵という形象を必要とする——ラクラウ自身による、なぜチャーチスト運動をポピュリズムに数えるべきかに関する厳密な分析を見てみよう。

その支配的な示導動機《ライトモティーフ》は、社会悪を、経済システムに内属する何かのうちにではなく、それと正反対のもののうちに位置づけるというパタンである。すなわち政治権力を牛耳る寄生的で空論ばかりの集団による権力の濫用——コベットの言葉では「古き腐敗」——のうちに。……「……統治階級についてもっとも強く指弾された特徴が怠惰と寄生性であったのは、この理由のためであった[13]」。

換言すれば、ポピュリストにとって問題の原因は、究極的にはシステムそのものではなくシステムを汚した侵入者（金融操作をする人であって資本家そのものではない云々）であり、構造そのものに刻まれた致命的な欠陥ではなく、構造の外で作用する要素だというわけだ。マルクス主義者にとっては反対に（フロイトにとってと同様）、病理的なもの（ある要素の逸脱的な不品行）は正常なものの症候であり、「病理」の噴出に脅かされている構造そのものの内部にある不調を指し示している。例えばマルクスにとって、経済危機は資本主義の「正常な」作用を理解する鍵だし、フロイトにとってヒステリーの発作のような病理的な現象は「正常な」主体の構成（とその機能を維持する隠れた対立構造）への鍵である。ポピュリズムがナショナリズムに傾きがちなのもそれが理由だ。ポピュリズムは人々に（外部の）敵に対する団結を呼びかけるが、マルクス主義は個々の共同体の内部に走る亀裂に注目し、わたしたちは皆この亀裂に影響を受けているのだから国際的な団結をしようと呼びかける。

受け入れがたい事実としてあるのは、「普通の人々」は「分かって」いないということだ。彼らは信頼できる洞察や経験を持っているわけではなく、他のあらゆる人と同じように混乱し方向感覚を失っている。講演後の討論でポデモスの支持者と短いやり取りをした際、ポデモスの要求（腐敗した権力構造の撤廃、人々の実際の利害関心や不安にもとづく真の民主主義）には社会をどのように再編成するかについての考えが入っていないというわたしの主張に、応答があったことを覚えている。彼曰く「だけどそれは批判にあたりませんよ。だってポデモスが望んでいるのは、別のシステムではなくて、民主主義システムが本来そうであると主張しているはずの形に実際になることに過ぎないんですから！」。要するにポデモスが望んでいるのは、症候抜きの現行システムなのだ。これに対してはこう言い返すべきである。最初はそれでいいが、早晩、症候（腐敗とか破産とか）がシステムの一部だと気づかざるを得なくなる。だからその症候を取り除こうと思ったら、システムそのものを変えなければいけないのだ、と。

今日さまざまな形の革新政治があるなかで、その一つは破局《カタストロフィー》を待望するというものだ。革新派の友人の多くがこっそりと告げてくるのは、大規模な環境の破局か、経済崩壊か、戦争くらいでしか、革新的な変化に向けて人を動かすことはできないということだ。しかし破局を待望するというこの態度こそがすでにひとつの破局であり、完全な敗北を認めることなのではないのか。この難問において適切な対策を見出すには、利害関心にもとづく政治の致命的な限界に気づく必要がある。ドイツの左翼党のような政党は、労働者階級の支持者の利害関心——医療や退職条件の改善、賃金の上昇など——をうまく代表しているが、これによって彼らは自動的に既存のシステムの範囲内に閉じ込められてしまい、それゆえ真の解放にはいたらない。利害関心はただそれに従えばいいというものではない。利害に還元できない点に関しては、利害を再定義する必要があるのだ。だからこそわれわれは、右派ポピュリストが政権に就くと、事実上労働者の利益になる法案を出すことがあるという逆説を、繰り返し目撃している——例えばポーランドで、ＰｉＳ（法と正義、右派ポピュリズムの第一党）はポーランドの現代史における最大規模の社会的移転を実施した。ＰｉＳはフランスでマリーヌ・ル・ペンがやると約束していることを実行したのである。それは反緊縮政策（いかなる左派政党も思いつかないほどの社会的移転）と、秩序および安全を確約して国家アイデンティティを保証し移民の脅威に対処する政策との組み合わせだった——一体誰がこの組み合わせを打ち負かせるというのか。一般大衆の二大不安に直に取り組んでいるこの政策を。この先に待ち受けているのは、公式の「左派」が緊縮政策を推し進め（多文化主義の権利を擁護しつつ）、ポピュリズム右派が反緊縮法案で貧民の援助を目指す（外国人嫌悪の民族主義アジェンダを遂行しつつ）という奇妙にねじれた状況だ——ヘーゲルのいう「逆さまの世界」（*die verkehrte Welt*）の最新のすがたである。これに対する分かりきったポピュリズム的な（それだけとは限らないが）反応はこうだ——われわれは「通常の」状態を取り戻すべきではないか。言い換えれば、左派もポピュリズム右派が立案している反緊縮措置を、付随する人種差別的、民族主義的偏見だけは取り除いて、推し進めるべきではないのか。「論理的」に聞こえるかもしれないが、これこそなし得ないことである。右派がこれをできるのは反緊縮措置に人種差別的、民族主義的イデオロギーが付随しているからに他ならないのであり、このイデオロギーの上塗りがあるからこそ反緊縮も受け入れられているのだ。

この論理は、偉大な右派の指導者だけが左派勢力との歴史的な合意を結ぶことができるという法則と、なんとなく似たところがある。ニクソンだけが中国との国交を樹立することができたし、ベトナムで和平協定を結ぶことができた。ド・ゴールだけがアルジェリアの独立を認めることができた。左派の指導者がそんなことをしたら自滅行為になっただろう。今日では逆の例もある。左派のシリザだけがギリシャで緊縮政策を実施できた——同じことを右派政権がやろうものなら抗議の嵐だったはずだ。これはより一般的なレベルでいえば、ヘゲモニー的な等価性の連鎖において、個々の要素の配置は他の要素の構成によって多重決定されているということを意味する。植民地保有国が革新的な反植民地闘争を認可するというのは、全体としてはむしろ保守的な方向性と一致するのであって、それよりずっと「自然」な連鎖の一要素として左派政治と組み合わさるということにはならない。

ポピュリズムは最終的には絶対にうまくいかない。右派版の場合、ポピュリズムは定義上まやかしになる。なぜならそれは敵の偽りの像を作り出すからだ——どのような意味で偽りかといえば、基本的な社会の敵対関係を覆い隠し（「資本」の代わりに「ユダヤ人」と言うなど）、そうすることでポピュリズムのレトリックが、名目上敵対関係にあるはずの金融エリートに奉仕してしまう。左派版の場合、ポピュリズムが偽りなのはより複雑なカント的意味においてである。敵対関係における〈敵〉の構築は、曖昧ながら妥当な相同関係によって、カントの図式論の役割を果たすということができる。それによってわれわれは理論的な洞察（抽象的な社会の諸矛盾への気づき）を実践政治の取り組みへと変換することができるからだ。バディウの「資本主義とは戦うことができない」という言葉は、このように読むべきである。われわれの戦いを「図式化」し、表立って資本主義の手先のように活動する具体的な行為者との戦いに変換するべきだと。しかし、マルクス主義の基本的な主張はまさに、そうした人格化によって実在の敵を仕立てるのは誤りだということだ——もし必要だとしても、それは構造上必要な幻想のようなものに過ぎない。だとすれば、マルクス主義政治は永遠に信奉者（と自分自身）を操り、ミスリーディングであることは承知のうえで事を運ぶべきだということになるのだろうか。マルクス主義の闘争はこの内在的な矛盾を運命づけられており、それはひとまず〈敵〉と戦いそのあとでシステム自体のより根本的な改革へ進むと主張することでは解決できない。左派ポピュリズムは政権をとった瞬間に〈敵〉と戦うことの限界に躓いてしまうのだ。

今日のような状況では、左派ポピュリズムの致命的な欠陥ははっきり目に見える。その弱点は支持者にとっては強みに見える部分、すなわち敵の像を作り上げ、それとの戦いに注力することである。今日必要なのは、何をおいても、自分たちの問題——環境破壊の脅威、グローバル資本主義による不安定化、心のデジタル化の罠――との向き合い方のポジティヴなヴィジョンである。別の言い方をすれば、必要なのは巨大な金融機関と戦うだけではなく、金融政治の新たなあり方を構想することであり、「それじゃあ、もし政権についたら財源はどうするの？」という質問に実行可能な答えを与えることだ。壁を壊し開かれた国境を求めて戦うだけでなく、難民を生むことのない新たな社会と経済のモデルを構想することだ。わたしたちのシステムはいまかつてなく深刻な危機に近づいているのであり、システムをひたすら嘆願攻めにしておけば、支障なく機能しつつ要求にも答えてくれるはずだと期待することは、もはやできなくなっているのだ。

したがって、今日の左派政権にとって重要なのは、敵対関係にばかり注意を払うのではなく、私企業の役割を規定し、私企業が活動できる条件をしっかりと提示することだ。わたしたちの社会が問題なく機能するために、私企業（の少なくとも良質な部分）が必要である以上、単にそれと敵対するのではなく、その役割のポジティヴなヴィジョンを提案すべきなのだ。もっともうまく機能していたときの社会民主主義はまさにそれをおこなっていた。

左派ポピュリズムのわかりきった反論はこうだ。でも左派ポピュリズムが新たな社会の細かいヴィジョンを出していないのは、むしろ強みではないんですか？　こういう開けっぴろげな態度が、ラディカルな民主主義の闘争の特徴である。前もって決められる処方箋などなく、つねに再編成が進行しており、短期目標も移り変わっていくというわけだ。繰り返しになるが、こうした口当たりの良い返答は安直すぎる。なぜならそれは、左派ポピュリズムの闘争の「開けっぴろげ」は逃げでしかなく、資本主義の鍵となる問題を避けているだけだという事実を覆い隠してしまうからだ。

革新的な変化が今日想像できないのならば、なぜ革新への闘争に固執するのか。わたしたちのグローバルな苦境がそうせよと命じるからだ。革新的な変化によってのみ、予想される環境破壊、遺伝子工学やわたしたちの生のデジタル管理による脅威などに対処することができる。この課題は、不可能だが、同じくらい必要でもある。何十年も昔、アイルランド議会での討論で、当時の首相ジェラルド・フィッツジェラルドがある提案を退ける際、「理論上はいいかもしれないが現実にはうまくいかない」という紋切り型の言い草を、ヘーゲル流に見事にひっくり返して見せた。彼は、「現実にはいいかもしれないが理論上は不十分だ」と反論したのだ。これは左派ポピュリズムにも当てはまる。それは全面的に肯定されるものではなく、短期の現実的な妥協として扱うべきだ。わたしたちはそれを応援すべきではある（少なくともポデモスの場合のように、それがうまく行っている場合には）。しかし一切の幻想を抱かず、最終的には頓挫することをわきまえ、その頓挫のなかから何か新しいものが出てくることを願っていなければならないのだ。

5　不自由が自由として経験されるとき

メディアが最近報じたところによれば、スティーヴ・バノンがブリュッセルに右派ポピュリズム団体を立ち上げ、いずれはヨーロッパ中のナショナリズム的ポピュリストをまとめ上げるつもりだという。「ザ・ムーヴメント」と呼ばれるこの団体は、政策案を調査、起草したり、世論調査を依頼したり、メッセージングやデータ・ターゲティングに関する専門技術を共有したりするらしい。すでに八十人を雇用しており、最終的な目標はヨーロッパの政治風景を一変させ、リベラル・コンセンサスを退場させて「自国第一」の反移民ナショナリズムに置き換えることである。アメリカ世論は、自国の選挙プロセスにロシアが介入したという考えに取り憑かれている――しかしプーチンが何者かをワシントンに送り込み、ブリュッセルでのバノンのように行動させると想像してみよう。ここでわたしたちは古いパラドクスに行き当たる。国家を超えたまとまりを築くためには、国際的連帯勢力よりも、非協調的な分離主義勢力の方がましなのだ。リベラリズムのヨーロッパがパニックに陥っているのも当然である。

二十一世紀初頭の今日、人権、民主主義、個人の自由といったリベラルの尊い遺産は「ファシズム」的なポピュリズムの爆発的な興隆に脅かされており、力を結集してこの脅威を遠ざけなければならないという意見に、われわれは日々さらされている。この意見は二つのレベルで断固拒否する必要がある。第一に、ポピュリズムは（ヨシュカ・フィッシャー〔ドイツの元外務大臣〕がドナルド・トランプについて書いたように）彗星のごとく地球に降ってきたわけではない。それはむしろ地表にできた裂け目、流れだす溶岩に近い――リベラル・コンセンサスが崩壊し、左派が実行可能なオルタナティヴを示せずにいることの結果なのだ。したがってポピュリズムと戦うための最初の一歩は、リベラルのプロジェクト自体の弱点に批判的な視線を投げかけることである――ポピュリズムはこの弱点の症状なのだから。

第二に、こちらの方が重要なのだが、真の危険は別のところにある。自由に対する最も恐ろしい脅威は、あからさまに権威主義的な権力からくるのではない。わたしたちの不自由そのものが自由として経験されるときにこそ発生するのだ。寛容や自由選択が至上の価値に高められたいま、社会管理と支配はもはや主体の自由の侵害として現れることができなくなった。むしろ自分は自由だという個人の経験として現れる（それによって維持される）必要があるのだ。明らかな不自由が真逆の装いをまとって現れるその形態は無数にある。国民皆保険を奪われても、新たな選択の自由（医療提供者を選ぶ自由）が与えられたと告げられる。長期雇用をあてにできなくなり、数年ごとに新しい不安定な仕事を探さざるを得なくなっても、自分を作り変え、自らの人格に潜む予想もしない創造力を発見する機会が与えられたのだと言われる。子供の教育に金を払わないといけなくなっても、「自分自身の企業家」となり、持てる（あるいは借りた）資産をなにに投資するか――教育に、健康に、旅行に――自由に選択できる資本家のようにふるまえと言われる。

われわれは次から次へと「自由選択」を押しつけられ決断を迫られるのだが、大抵の場合はそれに適した能力を持っておらず（あるいは十分な情報を持っておらず）、わたしたちはますます自由を、耐え難い不安をもたらす重荷として経験するようになっている。

さらに、いまやわれわれの活動（と不活動）のほとんどが何らかのデジタルクラウドに記録され、それが行動のみならず感情の状態までをも跡づけてつねにわれわれを評価している。自分が自由だという経験が最大化されたとき（何でも思い通りになるネットサーフィンをしているとき）、わたしたちは完全に「外在化」され、巧妙に操作されてしまう。デジタルネットワークは「個人的なことは政治的なことだ」という古いスローガンに新たな意味を付与するのだ。しかも問題になるのは私的な生活の管理だけではない。今日、交通から健康、電気から水にいたるまで、あらゆることが何らかのデジタルネットワークによって統制されている。だからこそウェブは今日わたしたちの最も重要なコモンズであり、その管理を求める闘争こそが今日最大の闘争なのだ。敵は私有化されたコモンズと国家の管理下におかれたコモンズの結合体、すなわち企業（グーグル、フェイスブック）と国家の治安機関（米国国家安全保障局）の結合体である。この事実だけで、代表制権力という伝統的な自由主義の概念は不十分なものとなってしまう。代表制においては本来、市民は自分たちの権力を部分的に国家に委譲するが、それには厳密な条件が課せられる（この権力は法による制約を受け、その行使の仕方はきわめて厳密な条件に限定されている。というのも主権の源泉はあくまで国民であり、そうと決めれば国民は権力を取り消すことができるからだ）。要するに、権力を握る国家は契約における劣位の当事者であり、その契約は優位にある当事者（国民）がいかなる時点においても取り消したり変更したりすることができる。それは基本的にわたしたちが食材を買うスーパーマーケットを替えられるのとかわらない。

メディアはわれわれの安全が脅かされているというニュースを絶え間なく報じている。中国はアメリカの貿易戦争への懲罰として台湾に侵攻するのか。アメリカはイランを攻撃するのか。EUはブレグジット（イギリスのEU離脱）の混乱ののち、無秩序と化すのか。しかしわたしには――少なくとも長い目で見ると――他のことがすべてちっぽけに見えるようなトピックがあるように思える。それはアメリカがファーウェイの拡大を抑え込もうと必死なことだ。なぜか。

われわれの社会の正常な機能と管理機構をつかさどるデジタルネットワークは、今日の権力をささえる技術的な網状組織の究極のすがたである。ショシャナ・ズボフは資本主義のこのあらたな段階を「監視資本主義」と名付けた。「情報と権利と力は、監視資本家に掌握されている。彼らにとってわたしたちは単なる「人という天然資源」にすぎない。わたしたちは、自己の経験という地図から自己決定権という当たり前の権利を消された先住民なのだ」[14][訳注ii]。わたしたちは素材であるのみならず、搾取されており、不公平な交換に巻き込まれている。だから「行動余剰」（剰余価値の役割を果たす）という用語は完全に正しい。ネットサーフィンしたり、買い物したり、テレビを見たりするとき、わたしたちは欲しいものを手に入れているが、より多くのものを与えている――自らをむき出しにし、自分たちの生活と習慣の詳細をデジタルな大〈他者〉に透かして見せているのだ。ここでの逆説はもちろん、わたしたちがこの不公平な交換を、すなわち実際にはわたしたちを奴隷にする活動を、自由の最大の行使として経験していることである――自由にネットサーフィンする以上の自由がどこにあるというのか。この自由を行使することによってわたしたちは、データを集めるデジタルな大〈他者〉が私物化する「剰余」を生み出しているわけだ……。

ここで話はファーウェイに戻ってくる。ファーウェイをめぐる戦いは、わたしたちの生活を管理する仕組みを誰が管理するかという戦いである。それはおそらく目下進行中の権力闘争のなかでももっとも重要なものだ。ファーウェイはただの私企業ではなく中国の国家安全部と完全に融合しており、その成長はかなりの部分が国家による資金援助と指導によるものであることを心に留めておく必要がある。国家によるデジタル化した管理がどのように作用するかを、今日の中国でわれわれはすでに目にしている。

昨年、航空旅行希望者が「社会信用」違反（税や罰金の不払い含む）を理由にチケットの購入を拒否されるケースは一七五〇万件に上った。中国共産党が人民の行動改善のためと称する批判も多いシステム下でのことだ。国家社会信用情報センターによれば、ほかに鉄道乗車券の購入拒否も五五〇万件に上っている。年次報告では、一二八人が税の不払いにより中国からの出国を阻まれた。中国共産党の説明によれば、「社会信用」にもとづく罰則と報償は、三十年にわたる経済改革が社会構造を揺るがして以降、急速に変動する社会の秩序を回復させるためのものである。このシステムは、習近平政権が、データ処理から遺伝子配列決定や顔認証にまでおよぶ技術を管理強化のために活用する施策の一環である。[15]

これがファーウェイの成長の政治的な現実である。だから実際、ファーウェイがわたしたち全員にとってセキュリティ上の脅威となっているという批判は正しいわけだ――しかし心に留めておくべきなのは、中国当局は、わたしたちの「民主主義」体制が公の目から隠れてこそこそやっていることを、より大っぴらに実行しているに過ぎないということである。インターネットへのアクセスを制限するロシアの新法から、ＥＵによる直近のウェブ規制に至るまで、わたしたちが目撃しているのはデジタルコモンズへのアクセスを制限し管理しようとする共通の試みなのだ。デジタルネットワークがマルクスの言う「コモンズ」、わたしたちの交流の基盤をなす社会の共有空間の、今日における主要なかたちであることはまず間違いない。自由をもとめる戦いは結局のところコモンズの管理をめぐる戦いであり、今日これはわたしたちの生活を統制するデジタル空間を誰が管理するかという戦いを意味する。だから「中国対西洋」などではない――ファーウェイと西洋のあいだで目下行われている闘争は二次的なものであり、わたしたちを支配しようとする者同士の党派間の争いにすぎない。真の闘争は、彼ら全員と、彼らに管理されているわたしたち普通の人々との間にあるのだ。コモンズをめぐるこの闘争を象徴する一つの名前がある。ジュリアン・アサンジである。それゆえ安易な中国バッシングは一切避けるべきだし、アサンジを擁護するのがいやな人は中国のデジタル管理の濫用についても黙っているべきだ。

リベラリズムとその巨大な敵である古典的マルクス主義は、いずれも国家を資本の再生産の要求にしたがう二次的な機構に格下げしようとする傾向がある。そのため両者はともに国家機関が経済のプロセスにおいて果たす積極的な役割を過小評価してしまう。今日（おそらくこれまで以上に）、資本主義をフェティッシュ化し、国家を支配する大きな悪いオオカミと捉えることはやめなければならない。国家機関は経済のプロセスのど真ん中で活発なはたらきをしており、資本の再生産の、法律やその他の（教育、環境……）条件を整えるに留まらないはるかに多くのことをしている。じつにさまざまな形で、国家は直接的な経済主体として作用している（倒産しかけの銀行を助け、選択的に産業の援助を行い、国防設備やほかの装備を発注する）——アメリカでは今日、生産の半分に国家が介在している（一世紀前には、この数字は五パーセントから十パーセントの間だった）。

すでに確認したように、わたしたちの社会の機能とその管理機構を支えているデジタルネットワークは、今日の権力を支える技術の網状組織の究極のすがたである——そしてこのことは、かつてトロツキーが語った、国家にとって鍵となるのは政治組織や秘密組織ではなく技術的なサービスにこそあるという考えに、新たな現実味を与えるのではないか。つまり、トロツキーにとって郵便や電気、鉄道などを管理下におくことが革命的な権力掌握の鍵をにぎる契機であったのと同じように、今日、国家と資本の力を打破しようと思ったら、デジタル網を「占拠」することが決定的に重要なのではないか。そして、トロツキーがこの「技術の問題」を解決するために、少数精鋭の「襲撃部隊、技術領域の専門家、エンジニアが率いる武装集団」を動員する必要があったのと同じように、ここ数十年の教訓は、大掛かりな草の根の抗議活動（スペインやギリシャで見られたような）や組織化された政治運動（練り上げられた政治的ヴィジョンを持つ政党）では不十分だということである——これに加えて、献身的な「技術者」（ハッカー、内部告発者……）による少数精鋭の攻撃部隊が、規律ある協力集団として組織される必要があるのだ。その任務は、デジタル網を「乗っ取り」、現在事実上の管理者となっている企業や国家機関の手からデジタル網をもぎ取ることである。

あるいは、一九六八年の重要な遺産を生かすべく当時の有名な言葉で言うとすれば、リベラリズムには革新左翼からの同胞の援助が必要だ。

6 われわれを救えるのは自閉症の子どもだけだ！

物事の自然ななりゆきとして完全に説明がつくにもかかわらず、今日のグローバルな窮状の兆候という予想外の意味をもってしまう出来事がときどき起こる。それは二〇一九年四月に、シアトル郊外で発生した。ハクトウワシが毎日、血の入った生物実験の容器などのゴミを、アッパーミドル階級の郊外居住者の家の庭に落としていくようになったのだ。そのゴミは、毎日二トンのゴミがあらたに運び込まれる近所の埋立地からきていた。ハクトウワシは埋立地で見つけた食べ物のジューシーな部分を選り分け、気に入らないゴミを周辺地域に捨てていたのだ。[16]「アメリカの国鳥が人々に、埋立地に捨てたゴミは消えてなくなるわけではないんだぞということを思い出させるというのは、どこか詩的な感じさえありました。言ってみればこの鳥は、普段は隠されている過度な消費の帰結を、本能のままに示しているわけです[17]」。わたしたちは単一の地球に暮らしているのだから、きれいに流したと思っていた糞が顔に投げ返されても不思議ではないわけだ。

似たようなことが摂氏五十度を超える気温の上昇についても言えるのではないだろうか。これはもはや大ニュースではない。アラブ首長国連邦から南イランにわたる三日月型の土地、インドのいくつかの地域、米国の死の谷では定期的に発生している上に、いまや見通しはさらに暗く、脅威がおよぶのは砂漠地域に限らないことをわれわれは知っている。ベトナムでは多くの農民が暑さに耐えかねて、日中は眠り夜働くことを決めた。世界で最も人口密度の高い地域――人口が密集し食物を大量に生産してもいる中国華北平原の北京から上海にいたる地域――は、地球温暖化がこのまま進めば住めなくなる。「湿球」温度（ＷＢＴ）として測定される暑さと湿度の組み合わせがひどいことになるからだ。ＷＢＴが三十五度に達すると、人間は汗によって身体を冷却できなくなり、健康な人が日陰に座っていても六時間以内に死んでしまう。

急速に明らかになりつつあることだが、移民と、移民の入国を防ぐために作られた壁は、地球温暖化のような環境不安とますます絡み合うようになっている。環境の破滅と難民の破滅とは「気候アパルトヘイト」と的確に名付けられた現象においていよいよ重なり合う。「旱魃や洪水、ハリケーンなどの過酷な気象現象の頻度が増すにつれ、世界の最貧の人々は飢餓か移住かの選択を余儀なくされる。富める者は猛暑、空腹、紛争を避けるために金を使い、残りの人たちが苦しむことになるという「気候アパルトヘイト」の筋書きに陥ってしまう可能性がある」と述べるのは、極度の貧困および人権担当の国連特別報告者フィリップ・アルストンだ。「おかしなことに、貧しい人々は世界の排気ガスのごくわずかしか排出していないのに、気候変動のあおりを一番に受け、しかも自らを守る能力にはもっとも乏しい[18]」。これに全面的なデジタル管理の見通しを加えれば、われわれの窮状の全貌が見えてくる。

破局が迫っているという警告に対する右派の反応でよくあるのは、それもまた、資本主義が一九九〇年代に勝利して以降に革命の情熱を維持しようと躍起になる革新左派の戦略のひとつだというものだ。左派にとって我慢ならないのは、これほどの問題があるにもかかわらず、わたしたちが比較的平和で繁栄した時代に暮らしているという事実である。かつてここまで戦争が少なかったことはなく、もっとも発展の遅れている国ですら貧困は減少しており、生活は変わることがなく、ましてほとんどの者にとってはよくなっていくだろう。革新的な変化の必要性をうたう革新左派が生き残るためには、新たな破滅的脅威を作りだし、みずからを縛る鎖しか失うものがない労働者という古いマルクス主義のヴィジョンを塗りかえるしかない。そのような破滅のヴィジョンのわかりやすい候補は、環境である——今日の環境保全運動は実のところ「メロン」運動なのだ（外側は緑で、内側は赤い）。最低限の信憑性を保つために、そうしたヴィジョンはとにもかくにも耳に入った悪いニュースにしがみつく。こっちでは氷河が溶けている、あっちではトルネードが発生している、よそには熱波が来ている——何もかもが迫り来る破局の兆候だと解釈してしまうわけだ。こうした批判に対するわたしたちの応答が、破局の予測を裏付けるデータを数え上げるだけであってはいけない。そのような左派批判に内在する矛盾を指摘する必要がある。地球温暖化否定派の代表格であるトランプが、アメリカに入国してくるラテン系移民の急増を理由に国家非常事態を宣言していたことを思い出そう。ヨーロッパでも、右派ポピュリストが描いていた文明全体の危機のイメージは、ムスリム難民の脅威に晒されているというものだった——このままでは十年かそこらでヨーロッパはイスラム地域のヨーロッパスタンになってしまう……

そして、いかにも陰謀論らしい発想で、わたしたちの生活様式の破壊を影で操る何者かがいるに違いないと彼らは考える。一九二〇年代のヨーロッパにおける共産主義革命の挫折を経て、共産主義の中枢はまず最初に西欧の道徳的基礎（宗教、民族アイデンティティ、家族観）を打破しなければならないと気づいたため、フランクフルト学派を創設した。その目的は、家族と権威を支配のための病的な道具だと宣言し、あらゆる民族アイデンティティを抑圧的だとして格下げすることである。今日、文化マルクス主義の様々な形態をまとって、その努力はついに成果を見せはじめている。わたしたちの社会は自分たちの罪だとされるもののために永遠の後ろめたさにとらわれており、とめどない移民の流入にさらされながら、空虚な快楽主義的個人主義と愛国心の欠如に迷い込んでいる。これが、政治的正しさ《ポリティカル・コレクトネス》や、ジェンダー理論や、MeToo運動の隠された基盤である――イスラム原理主義の支持と、われわれのキリスト教的価値観への政治的に正しい批判とは矛盾しない。この二つは同じコインの両面なのだ。結果として反移民ポピュリストは、彼らが批判する革新環境保護主義者とまったく同じ仕方で、躍起になって悪いニュースにしがみつく。こっちでは移民によるレイプ事件が、あっちでは移民同士の諍いが起きている、というように――すべてを迫り来る破局の兆候と解釈するわけだ。要するに、新たな右翼も自分たちなりの終末論的ヴィジョンを持っているのである。

ではあらゆる終末論的ヴィジョンを拒否するあの穏健な中道派の人たち（スティーヴン・ピンカーからサム・ハリスにいたる今日の「合理的楽観主義者」など）はどうだろうか。この人たちですら、彼らなりの終末論的ヴィジョンを持っている。彼らにとっては、逆説的かつ自己言及的なことに、終末論的な立場をとること自体が終末論的なのである。合理的楽観主義者にとって、わたしたちの幸福に対する最大の脅威は、右派のものにしろ左派のものにしろ終末論的なヴィジョンが引き起こす非合理なパニックの増大だというわけだ。ではこのパニックはどこから来るのか。なぜわたしたちは単純に幸福を享受することが許されないのか。標準的な左派の返答は明らかだ。権威主義的権力はわたしたちの貧窮を利用してしか増長できないので、権力者はわたしたちの幸福を妨害するのだ、と。『ピラミッド』でイスマイル・カダレはこの権力者による策謀をうまく描き出してみせる。この小説はクフ王が助言者たちに、先代たちのようにピラミッドを建てたくはないと告げる場面で始まる。こう言われて驚いた助言者たちは、ピラミッド建造は権威を保つために必要不可欠だと述べる。数世代前からの繁栄がエジプト国民の独立心を高めたため、民衆は王の権威に疑問を持ち抵抗しはじめているというのだ。クフがこの繁栄を破壊する必要性に気づくと、助言者たちは繁栄を徹底的に減じる様々な方法を精査する。エジプトを隣国との大規模な戦争に巻き込むとか、巨大な自然災害を人工的に引き起こすとか（ナイル川の通常の流れを乱して農業を崩壊させるなど）。しかしあまりにも危険だということですべて却下される（もしエジプトが戦争に負けたら王自身と直属の部下が権力を失うだとか、自然災害を活用すると権力者には事態をコントロールすることができないことが明らかになり混乱を生み出してしまうだとか）。そこで助言者は、国の資産を総動員し、エジプトの繁栄を食いつぶしてしまうほど巨大なピラミッドを建造するという発想に舞い戻る――国民のエネルギーを吸い取ってしまうことで統制を保とうというわけだ。この事業によって、国は二十年間にわたる非常事態となり、秘密警察はせっせとサボタージュを発見したり、スターリン主義型の逮捕、罪の公開自白、王直属の秘密警察による処刑を企てたりする。小説は、この王の賢明で創意に富んだ洞察が、のちの歴史において何度も実行に移されたという報告で幕を閉じる。最近の新たな事例として、アルバニアでは、大きなピラミッドひとつの代わりに、何千もの地下壕が同じ役割を果たした。
しかしこの説明はわたしたちの後期資本主義社会の説明として十分納得のいくものだろうか。特権者のドームの内側で暮らす者が、より高貴な大義のために苦しむよう命じられるのではなく、むしろ消費し楽しむよう命じられる――すなわち、自由な快楽的生への呼び声こそが、われわれをシステムに隷属させる。だから本当の問いはこうだ。自由な快楽への呼び声自体が、その真逆のものに転じ、自己破壊的で悲惨な暮らしを作り出してしまうのはなぜなのか。カルト映画『マトリックス』はこれにヒントを与えてくれる。映画の終わりの方で、マトリックスのエージェントであるスミスは、マトリックスでわたしたちが置かれた状況にいかにもフロイト的な説明をほどこす。

最初のマトリックスは完璧な人間の世界として設計されたことを知っていたかい。誰も苦しまない、皆が幸せな世界として。大失敗だったよ。そんなプログラムを受け入れる人はいなかった。[バッテリーとなる]人間が失われてしまったんだ。われわれには完璧な世界を記述するプログラミング言語が欠けていたのだと考えるやつもいた。しかしわたしが思うに、種としての人間は、苦痛や不幸があるからこそ現実だと考えるのさ。完璧な世界というのは、きみたちの原始的な脳がそこから目覚めようとしつづけていた夢だったんだ。だからマトリックスはいまの形に設計し直されたんだよ。きみたちの文明の絶頂にね。

エージェントのスミス（忘れないようにしよう。スミスは他の人たちと同じ人間ではなく、マトリックスそのものを直接ヴァーチャルに具現化した存在だ）は、この映画の世界で精神分析家の位置にいる。彼の教えによれば、乗り越えがたい障害を経験することは、わたしたち人間にとって何かを現実と知覚するための積極的条件である――現実とは、究極的には、抵抗するもののことなのだ。フロイトはこの次元を「死の欲動」と呼び、人間であることを規定する原初的なマゾヒズムの一種とした。わたしたちの内にある何かが過剰な快楽にいつまでも抵抗するのであり、わたしたちのもっとも強い享楽とはつねに何らかの形で痛みをともなう享楽なのだ。最新の左派イデオロギーの夢が間違っているのもこの点である。その夢とは、「完全自動の贅沢共産主義《ラグジュアリー・コミュニズム》」（ＦＡＬＣ）と呼ばれる「機械が重労働を担い、現在のような雇用は過去のものとなっている、ポスト労働社会を実現するチャンス」のことだ(19)。ここにあるのは、抽象的な思考が現実の状況の複雑さを無視している典型的な事例である。完全自動の社会には別の（より邪悪な）側面（デジタル管理や支配の新たな様式）があるのみならず、ここでわたしたちはさらに難解な疑問に突き当たる。人は「完全自動の贅沢共産主義」において、本当にただ平和で豊かな生活を享受することになるだろうか。それとも新しい暴力的な対立関係が出現するのだろうか。

一体何が起こっているのだろう。自分たちの生存が根本的に危ういという自覚を、わたしたちはいよいよ深めつつある。破滅的な地震、地球に落下する巨大な惑星、致命的な熱波、こんなのがきたらもうお終いだ。ギルバート・キース・チェスタトンは、「超自然《スーパーナチュラル》を取り払ったら、残るのは不自然《アンナチュラル》だ」と書いている。わたしたちはこの言葉に頷くべきだが、それはチェスタトンが意図した意味でではなく、逆の意味においてである。わたしたちは自然が「不自然」であることを、内的なリズムを欠く偶発的な災害のオンパレードであることを受け入れる必要がある。しかしこれに留まらない、さらに深刻なことが起こっている。

地球温暖化から学ぶべきは、人間が自由でいられるのは、地球上の生命に関する自然のパラメータ（気温、大気の組成、十分な水とエネルギーの供給など）が安定しているときだけだということだ。人間が「したいようにできる」のは、人間が周辺的な存在にとどまり、地球上での生命に関するパラメータに深刻な影響を与えない限りにおいてである。地球温暖化とともに感じられるようになるわたしたちの自由の制限は、自由と力の指数関数的な増大自体の——周囲の自然を変容させる能力が増大し、地球上の生命のごく基本的な地質学的パラメータを不安定にするまでに至ったことの——逆説的な帰結である。こうして「自然」は文字通り社会歴史的なカテゴリーとなる——『共産党宣言』の有名な一節を思い出そう。

生産の絶え間ない変革、あらゆる社会制度の止むことのない変動、永遠の不安定と動揺こそ、以前のあらゆる時代から際立ったブルジョア時代の特色である。固定し、錆びついた関係はすべて、それにともなう古式ゆかしい観念や思想とともに消滅する。新たに形成されるものも、固まる暇もなく、古くさいものになってゆく。確固としたもの、永遠のものと思われていたものはことごとく煙と消え、神聖なものはことごとく汚される。

事態はマルクスが想像していたであろうよりもはるか先に進んでいる――あらゆる特定のアイデンティティを溶解させてしまう資本主義の力学が、民族や性のアイデンティティにまで影響を与えるとは、マルクスも想像できなかったはずだ。性的実践において「一面性や特殊性はいよいよ保持しがたいものとなり」、「確固としたもの、永遠のものと思われていたものはことごとく煙と消え、神聖なものはことごとく汚され（訳注iii）」て、標準的で規範的な異性愛が、資本主義により、増殖し不安定に移り変わるアイデンティティおよび（または）指向へと置き換えられていくことになるとは。別のところでも、事はさらに進んでいる。今日の科学と技術が目指しているのはもはや自然現象を理解したり再現したりすることではなく、わたしたちを驚かせる新たな生活形態を生み出すことだ。目的はもはや単に（そのままの）自然を支配することではなく、わたしたちを含む通常の自然よりも新しく、大きく、強いものを生み出すことなのだ――典型は人工知能への執着であり、これは人間の脳よりも強力な脳を作り出すことを目指している。科学技術の努力を支えている夢は、逆戻りしないプロセスを引き起こすこと、指数関数的に自己複製しひとりでに進行していくプロセスを引き起こすことだ。それゆえ「第二の自然」という概念が今日かつてないほどに重要なのだが、それはこの概念がもつ二つの中心的な意味の両方にかかわる。第一に、文字通り、人工的に生み出された新たな自然として。自然の怪物、変形された牛や木、あるいはもっと肯定的な夢としては、遺伝子操作を施しわれわれに適合するよう「改良」された生体器官。第二に、わたしたち自身の活動の結果を自動化したものという、より一般的な意味での「第二の自然」。わたしたちの行為がわたしたちにも理解できない結果をもたらし、それ自体で生命をもつ怪物を生み出すこと。衝撃と畏怖をもたらすのは、わたしたち自身の行為の予測できない結果に対するこの恐怖であり、わたしたちがコントロールできない自然の力ではないのである。今日新たに出現しているのは、「第二の自然」のこの二つの意味――客観的な〈運命〉、自動化された社会的プロセスという意味の「第二の自然」と、人工的に作られた自然、自然の怪物という意味の「第二の自然」――が直接結びついてしまうことである。管理できなくなる恐れがあるのはいまや、経済および政治の発展の社会的プロセスだけでなく、自然のプロセスの新たな形態――予期せぬ核のカタストロフから、地球温暖化や遺伝子操作の見通せない帰結まで――である。ナノテクノロジーの実験の予測のつかない結果がどのようなものでありうるかを、想像してみることすら可能だろうか。新たな生命の形態が癌のように管理を逃れて自己増殖するさまを。

こうしてわたしたちは、自然そのものが煙と消えてしまうという新しい段階に入りつつある。遺伝子工学における科学の躍進の主たる帰結は、自然の終焉である。これに促されてわたしたちは、フロイトの著作のタイトル『文化への不満』に新たなひねりを加えたくなる。昨今の発達によって、不満は文化から自然そのものへと移行している。自然はもはや「自然的」ではなく、わたしたちの生の信頼に足る「濃密な」背景ではない。それはいまや壊れやすいメカニズムとして現れており、いつでも破局に向かってしまう可能性がある。ではこれをどのように防げばよいのだろうか。

おそらく、ある北欧のテレビシリーズが最初の手がかりになるだろう。『キリング』というこの素晴らしい作品の二人の主人公のうち、一方は自閉症のスウェーデン人刑事サラ・ランドで、彼女は一人で暮らしている。他人と深い関係を結ぶことはなく、バーで男をつかまえては行きずりのセックスに誘っている。社交技術に乏しく、他人に共感することが苦手で、感情を手なずけることもままならない彼女は、冷淡で、鈍感で、ぶっきらぼうに見えるが、本当はあらゆる面でじつに誠実かつ真っ直ぐだ。最終（第三）シーズンの最後で彼女がとる倫理的行動はあまりに衝撃的だったので、このドラマの熱心なファンでさえ当惑する人が多かった。サラ（ソフィエ・グロベルが快演している）はついに、政治家との強い繋がりをもつ会社経営者である連続殺人犯ラインハルトと対面する。二人きりの車のなかでラインハルトは残忍な殺人を淡々と告白するが、きみがわたしを起訴できるわけがないとあざけって言う。自らの無力さに絶望した彼女は、殺人犯を銃で殺してしまう。この非合法な行為は罪だろうか、倫理的な行動だろうか――それとも両方だろうか。これはきわめて女性的な、最良の「有害な男らしさ」である。倫理的な責務を果たすために法を破るのだ。

この種の倫理的にラディカルな女性の立ち位置には、なにか北欧的な要素があるに違いない。というのも、別のスウェーデンの少女が実人生において似たような行いをしているからだ。十五歳のグレタ・トゥーンベリ。地球温暖化に対し行動を起こす唯一の方法は市民的不服従だと気づいた彼女は、子供たちによる学校ストライキの波を巻き起こし、これはヨーロッパ中に広まった。グレタが自閉症だと診断されたことは、この点で意外な政治的意味を帯びる。それは良からぬ因子ではなく、むしろ彼女の力の源だ。自閉症の定義は「人との交流やコミュニケーションに支障があることと、思考や行動が限られた、あるいは反復的なパタンを取ることを特徴とする発達障害の一種」であり、これがまさに地球温暖化に立ち向かうときに必要なものなのだ。科学的な結果を見るようしつこく繰りかえし、科学のメッセージをうやむやにする修辞的な仕掛けを一切無視することが。

世界中の子どもたちがストライキをおこない、環境の危機に対するわたしたち（大人）の無知に抗議しているこの数ヶ月の状況にあって、わたしたちとしてはこれを無条件に支持し、子どもは「状況の複雑さを理解していない」などといった主張はすべて却下すべきだ。最もおぞましい反応はあるベルギーの政治家のものだった。子どもはストライキなんてせず、学校にいて学ぶべきだと言うのだ……いったい何を学ぶというのか。年長者たち（子供に教える人たち）がやったようにして未来のチャンスを潰す方法だろうか。二番目におぞましい反応は、アンゲラ・メルケルのものだ。グレタのような子どもには、あそこまで大きなストライキ運動を自分たちで組織することはできないとほのめかしたのだ――陰で糸を引く黒幕がいるに違いない、例えばプーチンのような……。

確かに子どもは「複雑さを理解していない」――政治家が、わたしたちが置かれた危機的状況をなんとか低く見積もろうとする、その複雑さを。どうやら子どもは科学者がわれわれに繰り返し告げていることを真剣に（つまりは、文字通りに）受けとる唯一の存在なのだ。グレタは、地球温暖化へのわれわれの典型的な反応を規定しているフェティシズム的な否認の論理に、完全に気がついている。大人は「いつも、電気を消すとか水を節約するとかごみを捨てないとかいうことを言います。わたしはどうしてと訊き、大人は気候変動の説明をします。それで、これはおかしいと思いました。もし本当に人間が気候を変えられるのなら、誰もがその話をするはずで、他のことなんて話さないはずです。でも実際にはそうではありませんでした」[20]。大人は何が起きているのかよく知っているが、しかし……彼らは決まって「しかしながら……」と付け加え、これによって知っていることに基づいた行動を封じてしまう。子供はただ単に知っているのだ。本当に「複雑」なのは王様の新しい服だけで、子供はただ王様が裸であることに気づいており、それに基づいて行動してくれと要求しているのである。

これは具体的には、何を意味しているのだろうか。一つには、許しがたいことに聞こえるかもしれないが、左派はトランプからも学ぶことを恐れるべきではない。トランプの方法とはどのようなものだったのか。多くの明晰なアナリストが指摘していたように、トランプは（すべてと言わずとも大抵の場合）成文律や規則を破ることはしないが、こうした法律や規則はかならず豊かに組み立てられた不文律や習慣に支えられており、それによって運用の仕方が規定されているという事実を最大限に活用する――彼はこの不文律の方を、めちゃくちゃに無視してしまうのである。こうしたやり口の直近の（そして今のところ最も極端な）事例は、トランプが国家非常事態を宣言したことだ。批判者にとって衝撃だったのは、戦争や自然災害の脅威といった大規模災害に限定した目的で作られたことが明白なこの措置を、でっちあげの脅威からアメリカの国土を守る境界の建造のために実施したことであった。しかし、この措置に批判的だったのは民主党員だけではなく、右派にもトランプの宣言が危険な前例を作ってしまうことを恐れる人たちがいた。未来の左派民主党大統領が、例えば地球温暖化を理由に、国家非常事態を宣言したらどうするのか、と。わたしが言いたいのは、左派の大統領がまさにこうした手段を使って迅速な特例措置を合法化すべきだということだ——地球温暖化は実際、（国家に限定されない）非常事態なのだ。宣言があろうがなかろうが、わたしたちは間違いなく非常事態下にいる。地球温暖化関連の最近のニュースを見るかぎり、温暖化はあきらかに悲観論者が予想していたよりもずっと速く進行している。このことを踏まえると、幾人かの評論家が第二次世界大戦との類似を指摘しているのは正しい——当時と似たような地球規模での動員が必要なのだ。

　そうした動員の必要性を無視するなら、わたしたちはある病院のジョークに出てくる患者と同じようにふるまうことになる。その患者は混雑した病室で横になり、看護師に「他のベッドの患者がずっと泣いたり呻いたりしているんですが、もう少し静かにしてくれるよう頼んでもらえませんか」と文句をいう。看護師は「他の患者さんのこともわかってあげてください。末期の患者さんなんです」と答える。患者は言い返す。「わかりましたよ。でもそれならどうして末期患者用の特別室にいれないんですか」。「いえ、ここが末期患者用の部屋なんですよ」。ラディカルな環境保護論者はわたしたち人類が末期患者だと言わんばかりに不満を言い過ぎだという「リアリスト」はみな、このジョークと同じことになっているのではないだろうか。彼らが無視しているのは、わたしたちが実際に末期患者であるということだ。

　ではその間の、大惨事が訪れるまでの時間には、何が起こるだろうか。現職の南アフリカ大統領シリル・ラマポーザは一九九〇年代初頭、新アフリカ民族会議政権の対白人戦略をカエルを茹でることにたとえていた。「それはカエルを生きたまま茹でるようなもので、温度をひじょうにゆっくりと上げていくことになる。カエルは変温動物なので温度がゆっくり上がると気づかないが、温度が急上昇すると水を飛び出す。要するに、マジョリティの黒人が通過させようとしている法律では、富や土地や経済力を白人から黒人へ、ゆっくりと、少しずつ移動させ、白人が南アフリカで得たものをすべて手放させるが、一度に多く取りすぎて抵抗や闘争を引き起こすようなことはしない」[21]。ラマポーザは南アフリカのもっとも裕福な実業家の一人で、五億ドル以上の資産を持っているのだから、富の再分配を考えるならば、彼も鍋に投げ入れてゆっくり茹でられるべきではないのだろうか。あるいはわれわれは、既存の支配階級の白人を黒人の支配階級に置き換えることさえできれば、黒人の過半数がいまと変わらず貧困に閉じ込められたままでもいいのだろうか。

しかし、ラマポーザの不吉な比喩には、よりおもしろい使い道がある。この比喩はわたしたちが（これまで先進国で）いかにして環境の脅威を経験してきたかを、ぴったり言い当てていないだろうか。地球温暖化の過程でわたしたちはもはや文字通り茹でられているが、同時に残酷な〈母なる自然〉も、水（と空気）をゆっくり熱していくというこのゲームをわれわれ人間とやっているように見える。地球温暖化のプロセスは緩慢かつ曖昧で、否定論者はそこにつけこんでくる――たとえば地域によっては一時的に極端に寒冷化することがあり、このおかげでトランプのようなブレない天才は、より温暖な気候が必要だと主張することができた。地球温暖化の影響で、メキシコ湾流が流路を変え、北西ヨーロッパに達しなくなり、フランスから北欧に新たな氷河期が来ることになるかもしれないというのだ。「地球温暖化プロジェクト」は、多くの人にそんなことが本当にあるのかと疑いを抱かせ、それに対処するのを拒否させるようにして実行されているかのようだ。もしかしたら事態は深刻なのかもしれないと思い出すきっかけとして、ときおり熱波や予想外のトルネードが襲ってくるが、そうした災害はただちに突発的な事故だと解釈されてしまう。こうして、われわれが脅威に気づいていたとしても、メディアは巧妙に、今のままの暮らしをただ続ければよく大きな変化は必要ないというメッセージを発する。ゴミをリサイクルしましょう、コーラの缶と新聞紙は別の袋に捨てましょう、それで十分です……

ラマポーザの比喩には、わたしたちの人間としての生存に同じくらい関係するさらに別の使い道もある。似たようなことが、わたしたちの生活に対するデジタル管理の脅威においても起こっていないだろうか。間違いなくわたしたちは、デジタル警察国家の時代に突入している。デジタル機械はあの手この手でわたしたちの私的な事実や行動を、健康から買い物の習慣、政治的意見から娯楽、仕事上の決定から性行為にいたるまで、すべて記録しているのだ。今日のスーパーコンピュータがあれば、この莫大な量のデータを各個人のファイルにきれいに仕分け整理し、すべてのデータに国家機関や私企業がアクセスできるようにすることが可能である。しかし事態を真に一変させてしまうのは、デジタル管理そのものではなく、脳科学者お気に入りのプロジェクトだ。デジタル機械がわたしたちの心を直接読み取れるようにする（もちろんわたしたちには知られずに）のである。

このプロセスを進めている人々――すなわち権力者――は、一連の戦略によって、水の温度がどんどん上昇していることに気づかないカエルの位置に、わたしたちを留め置こうとする。この脅威を空想だとして退ける人もいるだろう。まだずっと先のことだ。心を読む機械に管理されるなどというのは、リベラル左派の誇大妄想《パラノイア》にすぎない。またある人は、このプロセスの潜在的な（主に医療上の）効用を訴えるだろう。身体が完全に動かなくなってしまった人の心を機械が読み取ってくれるなら、その人の日常生活はだいぶ楽になるだろう。たとえば欲しい物をただはっきり思い浮かべるだけで、周囲の人に伝えることができるようになる。より一般的な話として、メディアはデジタル管理された社会になれば日々の生活がいかに楽になるかを繰り返し語っている。この点でわたしの好きな話は、デパートに入るときになされる目のスキャンに関するものだ。機械が目をスキャンすることによりわれわれの身元を特定し、銀行口座を照会して、購買力を確かめる。加えて店を出るとき自動で持っているものを記録するため、わたしたちは何もする必要がない。デパートはわたしたちにとって、ただ入り、欲しいものや必要なものを手に取り、立ち去るだけの場所になる。

地球温暖化にしろ急速に進むデジタル管理にしろ、変化が漸進的であるために、つかのまの非常事態を除けば日常生活ではその効果を無視することができる——そして、ある日突然、もう手遅れですべてを失ったことに気づくのだ。しかし、カエルを茹でることと地球温暖化やデジタル管理の間には違いもある。環境の脅威にしろデジタル管理の脅威にしろ、人間のほかに、人間以外の主体が、徐々に気温を上昇させたりデジタル管理を広げたりしているわけではない。わたしたちが自分たちでやっていることなのだ。気温を徐々に上昇させているのが自分たちだから、脅威を無視することができる。わたしたちは自分をゆっくりと茹でて死に向かわせるカエルなのだ。だとすれば何が起こるのか。おそらく何も起こらないのだろう。さらなる（願わくばあまり巨大でない）災害があってはじめて、わたしたちは目覚め、真の非常事態を宣言し、先に控えたわたしたち自身との戦いの準備をすることになる。共産主義はそうしてついに舞台に上がる。単純な議会選挙を通じてではもちろんなく、この世の終わりのような脅威が余儀なくする非常事態によって。この急進化への抵抗がひじょうに強固であることは、フィクションにおける直近の革新派の女性政治勢力、『ゲーム・オブ・スローンズ』のターガリエン家をみればわかる。このシリーズの最終シーズンは一般視聴者の激しい抗議を招き、最終的にはこのシーズン全体を取りさげ新たに撮りなおすよう求める請願がなされたのだ（百万人近くの怒れる視聴者がこれに署名した）。議論の激しさそのものが、イデオロギーの掛け金の高さを証明している。

不満は二、三の点をめぐって生じていた。ひどいシナリオ（シリーズを手早く終わらせよという圧力に屈して複雑な物語が単純化されてしまった）、ひどい心理描写（ターガリエンがマッド・クイーンになるのは彼女の人格の発展では説明できない）など。この論争における数少ない知性的な声はスティーヴン・キングのもので、彼曰く、不満はひどい終わり方ではなく終わることそのものが引き起こした――原理的にはどこまでも続くシリーズものの時代にあって、物語の終わりという発想そのものが耐えがたくなるというわけだ。確かにこのシリーズの足早な結末では、奇妙なロジックが現れている。心理の本当らしさこそ破綻させないが、テレビシリーズという形式の物語上の前提には違反してしまうロジックが。最終シーズンには、戦闘の準備と、戦闘後の哀悼と荒廃、そして完全に無意味な戦闘があるだけなのだ――わたしにとっては通常のゴシック的でメロドラマ的なプロットよりもはるかにリアルではあるのだが。

『ゲーム・オブ・スローンズ』の世界は(『ロード・オブ・ザ・リング』と同様)、空想的ではあるが神はいない。超自然の力はあるがそれも自然の一部で、高次の神やそれに仕える司祭はいない。この枠組みの中で、シーズン8のストーリーは一貫している。三つの戦いが連続して描かれるのである。最初は、人間対非人間の〈他者〉(夜の王率いる死者の軍団)の戦い、つづいて人間の主要な二集団間の戦い(悪役のラニスター家と、これに対抗してデナーリスおよびスターク家が率いる連合軍)、最後はデナーリスとスターク家の内部抗争。こういうわけでシーズン8の戦闘は、外部との対立から内部の分裂へという論理的な道筋をたどっている。非人間の死者の軍団の打倒から、ラニスター家の打倒とキングズランディングの破壊へ。そしてスターク家とデナーリスの最後の戦い――最終的に、悪しき独裁者から誠実に臣民をまもる従来型の「善良な」貴族(スターク家)と、新しいタイプの強力な指導者、恵まれない者のためにある種の進歩的なボナパルティストとしてふるまうデナーリスが戦う。かくしてこの最後の戦いのポイントは、簡潔に表現すればこうなる。圧政への反乱は、階級秩序は変えずにより思いやり深かった昔のありようを取り戻すことを目指して戦うべきなのか、それとも、必要とされる新たな秩序の探求へと発展するべきなのか。

不満を感じた視聴者は、この最後の戦いが気に入らなかった。当然のことだ。なぜなら最後の戦いは、ラディカルな変化の拒否と、ヘーゲル、シェリング、ワーグナーに見られるおなじみの反フェミニズムのモチーフとを結び合わせたものだからだ。『精神現象学』においてヘーゲルは、「共同体にとっての永遠のイロニー」としての女性性という悪名高い概念を導入する。女性は「そのたくらみをつうじて、統治にぞくする普遍的な目的を私的な目的に変化させ、統治の普遍的な活動をこの特定の個体がおこなう仕事に転換し、国家の普遍的な所有を顚倒させて、家族に帰する占有と装飾品としてしまうのだ」[22]。この一節はワーグナーの『ローエングリン』に出てくるオートルートという人物に完璧に当てはまる。ワーグナーにとって、権力欲に駆られ政治生活に介入してくる女ほど恐ろしく不快な存在はない。女が権力を求めるのは、男の野望とちがい、偏狭な家族の利益を増進するためだったり、ひどいときには、国家政治の普遍的な次元は理解できないのに個人的な気まぐれで動いたりする。F・W・J・シェリングの「それが活動し出すと、われわれを焼き尽くし破壊し去るであろうこと、しかしその同じ原理が、活動していないときには、われわれを担い支えているということ」[23]という言葉を思い出さないわけにはいかないだろう——適切な位置にいれば害がなく平和をもたらすはずの権力が、一段高次のレベル、自らの領分でないレベルに介入した瞬間に、真逆のものに、ほかの何よりも破壊的な狂騒に反転してしまう。家庭生活の閉じた輪の中では庇護の愛の力だった女性性が、公の国事のレベルで発揮されると卑しい狂乱に転じてしまうのだ。登場人物間のやりとりがもっとも下劣になるのは、デナーリスがジョンにこう告げるときである。あなたが女王としてのわたしを愛してくれないのなら、恐怖が支配することになるだろう、と——これは性的に満たされない女が破壊的な怒りを爆発させるという、目も当てられないほど下卑たモチーフである。

しかし――ここで酸っぱいりんごをかじろうではないか――デナーリスの大殺戮はどうなのだろう。キングズランディングで何千人という一般人を無慈悲に殺したことは、普遍的な自由にむけた必要不可欠な一歩として、本当に正当化されうるのだろうか。もちろんそれは許されない――しかしここで、シナリオを書いたのが二人の男性だったことを思い出す必要がある。マッド・クイーンとしてのデナーリスはまったくもって男の幻想であり、彼女が狂気に囚われたことは心理的に妥当とはいえないという批判者たちの指摘は正しかったのだ。怒り狂った表情でドラゴンに乗って飛び回り家や人々を焼き尽くすというデナーリスのイメージは、ただ単に強い政治的な女を恐れる父権主義イデオロギーのあらわれなのだ。

『ゲーム・オブ・スローンズ』で指導的立場にある女性たちの最終的な運命は、この枠組みにきれいに当てはまる。中心に位置するのは力をもつ二人の女サーセイとデナーリスの対立であり、この対立のメッセージは明確である。かりに善良な側が勝ったとしても、権力は女を堕落させるというわけだ。アリア（単独で夜の王を殺し、二人を救った）も（アメリカを植民地化しに行くかのように）西の西へと船出していなくなってしまう。（北の独立王国の女王として）残るのはサンサだが、彼女は今日の資本主義に愛されそうなタイプの女性だ。女性的なやわらかさと物分かりのよさに加え、いくらか人心操作の心得を兼ね備えることで、新時代の権力関係にぴったりの人物となっている。女をこのように周縁化することは、このエンディングにふくまれる一般的なリベラル保守の教えの鍵となる要素である。革命は道を踏みはずす運命にあり、かならず新たな圧政を生むことになるという教えだ。

同じことはクリストファー・ノーランのバットマン三部作の最終話『ダークナイト ライジング』にも言えるのではないだろうか。ベインは公には悪人ということになっているが、繰り返し示唆されるのは、バットマンでなくベインこそがこの映画の真のヒーローであり、歪曲されて悪人にされてしまっているということだ。ベインには、愛のためなら命を犠牲にし、不正義だと思うもののためにはどんなリスクも犯す覚悟があるのだが、この基本的な事実は表面上の、そしていささか滑稽な、破壊的悪の見かけによって覆い隠されてしまっている。そして『ブラックパンサー』でもまた、キルモンガーが本当のヒーローなのではないだろうか。彼は傷を癒しワカンダの不正の富のなかで生き延びるくらいなら、自由なまま死ぬことを望む——キルモンガーの最後の言葉がもたらす強い倫理的なインパクトは、彼がただの悪人だという考えをあっさり打ち砕くのだ。リベラル保守の教えは、デナーリスに対するジョンの以下の言葉がもっとも的確に表現している。

ドラゴンが存在するなんて考えたこともなかった。誰もそんなこと思わなかった。きみについていく人は、きみが不可能を実現したと知っている。だからみんな、きみなら他の不可能も実現できると信じるかもしれない。ずっと昔からの腐った世界とは違う世界を築けるはずだと。でもドラゴンをつかって城を溶かし街を燃やしてしまうなら同じことだ。やつらと変わらない。

結果として、ジョンは愛するがために殺す（昔からある男性優越主義の定式に則るなら、呪われた女を彼女自身から救いだす）。シリーズ中で唯一、いまだかつてない世界を、旧来の不正義に終止符を打つ新たな世界を求めて戦った社会的主体を。だから最終エピソードは好意的に受け止められたのも驚くに値しない。正義が勝ったのだ――どんな正義が？　すべての人物がそれぞれ適切な場所に配置され、既成の秩序を揺るがしたデナーリスは殺されて、最後に残ったドラゴンに永遠の世界へと運ばれていく。新たに王になるのはブランだ。不具で、なんでも知っており、何も望まない――最良の君主は権力を望まない者だというつまらない格言を思い出させる。この上なく政治的に正しいエンディングにおいては、障害を負った王が支配し、小人が補佐し、新らしい賢明なエリートが王を選出するのだ（気の利いた細部がある。王の選出をより民主的に行ってはどうかという提案が出ると笑いが起こるのである）。しかし見逃せないのは、デナーリスに最後まで忠実だった者は民族的に多様であるのに対し、新たな統治者たちは明らかに白人の北部人であるということだ。社会的地位や人種にかかわらずすべての人により大きな自由を求めた革新的な女王は消され、物事はもとの状態にもどり、人々の悲惨な状況に諦観が漂う（あたらしい統治議会が計画している最初の立法が軍隊と売春宿の復活であることを思い出してみればいい）。

そして、グレタはデナーリスなのではないだろうか。彼女は真の変化を望むあのマッド・クイーンなのではないだろうか。彼女の行動に対するわれわれの支配体制の応答は、『ゲーム・オブ・スローンズ』の終わりで統治議会が見せるシニカルな知恵と同じものではないだろうか。

7 どっちもひどい！

精神分析治療における「自由連想」の意味を学生に説明するとき、わたしは決まってよく知られたことわざの話をする。「汚れた風呂水といっしょに赤ん坊を捨てるな（無用なものといっしょに大事なものを捨てるな）」。精神分析医が患者に「自由連想」してもらうとき、すなわち、意識的な自我の制御を一旦止めて心に浮かんだことをなんでも話してくれと頼むとき、実際にはほぼ真逆のことを求めているのではないか。分析医は患者に「赤ん坊を（自我を）捨て」、「（自由連想の）風呂水」のみを残すよう求めている。そのとき実際に期待されているのはもちろん、この「風呂水」が正気で健康な自我の隠された真実を引き出すはずだということだ。水に含まれた汚れもまた赤ん坊から出てきたのであって、よそからやってきたわけではないことを忘れてはいけない！

同じことは多くの偽の環境保護論者にも言えるのではないか。クリーンでグリーンな居住地にある健全で「持続可能な」住宅に取り憑かれた彼らは、周囲の汚染された環境に大量にながれだす汚水は無視している。汚染を真剣に解決したいと思うなら、最初になすべきは汚染環境に注目し、他から切り離された「持続可能な」居住地が汚染物質を周辺に排出しているにすぎない状況を分析することだ。おそらくわたしたちが採用すべきなのは逆の、日本のやり方に倣ったアプローチである。できるかぎり多くの汚染物質と人口を大都市に集中させ、大都市を（比較的）きれいな水のなかの汚れた赤ん坊として機能させるのだ。

もう一つ別の例を出そう。アイルランドやペンシルヴェニアからオーストラリアまで、世界中のカトリック教会で起こっている小児性愛犯罪、わたしたちの社会の道徳の指針たることを自認する組織の構成員が犯した犯罪のあまりの多さを見ると、教会が小児性愛という汚水を捨て善良な司祭の健全集団を残すという安易な考えは、退けざるを得ない。こうした虐待が起きるのは、組織が性欲の病理学的現実にうまく対応しつつ存続していくためではなく、組織自体の再生産のために必要だからなのだ。

このことが意味するのは、あるシステムが自らの暗い側面と向き合うのを目の前にしたとき、わたしたちはただ善良な側を応援しているだけではだめだということだ。この良い面が悪い面を生んでしまったのはなぜ、どのようにしてなのか――いわば両方の面が悪化してしまったのはなぜなのかと問わなければならない。一九二〇年代後半、スターリンはあるジャーナリストに、右への偏向（ブハーリンとその一派）と、左への偏向（トロツキーとその一派）、どちらの方がよりひどいかと問われて、「どちらもひどい！」と言い返した。わたしたちの苦境をしめす悲しい証拠は、政治的選択を前にしてまだましな方でいいからどちらにつくか選べと言われるとき、しばしば「でもどっちもひどいんですよ！」という答えを出さざるをえないということだ。だからといって、当然のことながら、どちらの選択肢を選んでも同じことになるというわけではない。具体的な状況のなかで、例えばフランスの「イエロー・ベスト」の抗議活動を暫定的に支持したり、われわれの自由に対する原理主義者の脅威を封じるために（原理主義者が中絶の権利を制限しようとしたり、あからさまに人種差別的な政策を推し進めたりするときに）リベラルと戦略的な協定を結んだりすることはある。しかしこのことが示すのは、巨大メディアによってわれわれに押し付けられる選択肢のほとんどが偽の選択肢だということだ――それは真の選択肢を隠す機能を果たしてしまうのである。ここから導かれる悲しい教訓はこうだ。対立する一方がだめな場合に、もう一方がよいとは限らない。

ベネズエラの今日の状況を例にとってみよう。マドゥロがよいか、グアイドがよいか。どちらもひどい、ただし違った意味において。マドゥロが「ひどい」のは、彼の治世がベネズエラを完全な経済的失敗に導き、国民の多くを悲惨な貧困に追い込んだからであり、この失敗の原因を内外の敵による妨害工作のみに帰することはできないのである。マドゥロ体制が社会主義という概念に与えた消し去ることのできない損害を心に留めるだけで十分だ。これから何十年も、わたしたちは「社会主義なんかがいいの？　ベネズエラを見てごらんよ……」という主題の変奏を聞き続けなければならないのだ。しかし、グアイドもまた同じくらい「ひどい」。彼が暫定大統領となったとき、われわれが目にしたのは間違いなくアメリカが企てたクーデターであり、人民の自治による反乱ではなかった（これこそが「どちらもひどい」マドゥロとグアイドの二択に欠けた「よりよい」第三項なのだが）。

そしてわたしたちは、同じ論理を、西洋の民主主義を特徴づけるポピュリストと体制派リベラルの戦いにも臆せず当てはめなければならない。米国の政治に関していえば、「トランプとクリントン（あるいは今だとペローシ）、どっちの方がひどい？」に対する答えは、「どっちもひどい！」であるべきだということだ。トランプの方が「ひどい」、それは当たり前だ。彼は「富裕層のための社会主義」の担い手であり、洗練された政治生活の規範を意図的にそこない、マイノリティから権利を剥奪し、環境への脅威を無視している。しかし別の意味では、民主党体制もまた「ひどい」のだ。忘れてはいけないのは、トランプのポピュリズムのための場所を開いたのは、民主党体制自体の失敗だったということである。したがってトランプを倒すための最初の一歩は、民主党体制をラディカルに批判することなのだ。トランプや他のポピュリストが一般市民の恐怖や不満につけ込むことができるのはなぜなのか。それは人々が権力者に裏切られたと感じているからである。

より複雑な事例を見てみよう。西洋リベラルの普遍主義対（「反西洋中心主義的な」）特殊なアイデンティティの擁護。この選択でもまた、どちらの項もだめなのだ――なぜか。ノマド的プロレタリアートの章で引用したユダヤ人のジョークが、左派リベラルによる偽の「反人種差別《レイシズム》」の問題点を明らかにしてくれる。彼らはみなアイデンティティ・ポリティクスに情熱を傾け、黒人共同体による文化的アイデンティティの保持、強化の試みを支持する。黒人共同体が固有のアイデンティティを失い、白人の枠組みが規定するグローバルな世界に埋れてしまうことを心配する。そこは黒人がアプリオリに従属的な地位にある世界だからだ。しかし、白人リベラルの「反レイシズム」の人々が黒人共同体を援助する理由は、はるかに後ろ暗いものである。彼らが本当に恐れているのは、黒人が固有のアイデンティティを捨て去り、「何者でもない」存在であることを引き受け、覇権を握る白人の文化と政治が押しつけてきた普遍性とは異なる黒人自身の普遍性を打ち出してしまうことだ。これこそが「よりよい」選択であり、これに照らせば元の二つの選択肢（リベラル普遍主義か、周縁的で特殊なアイデンティティか）はいずれも「ひどい」。マルコムXはこれを見事に見抜いていた。黒人の具体的な起源やアイデンティティを探し求めるのではなく、X（民族的起源の欠如）を、白人に押しつけられたのとは異なった普遍性を主張するための唯一無二のチャンスとして受け入れたのだ。

　そして以下が最後の、これまでのものよりもはるかに問題含みな、「どっちもひどい」の例である。二〇一八年、あるビデオクリップがウェブ上で急速に拡散された。映っているのはワシントン州のリンカーン記念堂のそばでの緊迫した場面だ。「先住民族の行進」の最後に、年長のネイティヴ・アメリカンの男性が太鼓を規則正しく叩きながら団結の歌をうたい、警察の野蛮さや医療の利用しにくさ、特別保留地における気候変動の悪影響といった植民地主義の横暴に対して、「毅然と」抵抗しようと参加者に呼びかける。周りには主として白人の十代の男性がおり、何人かは「アメリカを再び偉大に《メイク・アメリカ・グレート・アゲイン》」キャップをかぶっている。そのなかに一人、太鼓奏者の顔から三十センチほどのところに、陰険なニタニタ笑いを浮かべて立っている者がいる。わたしたちはいまでは、この二人が誰なのかを知っている。ネイティヴ・アメリカンの方はネイサン・フィリップスというオマハ族の長老で、原住民の権利運動のベテランであり、ニタニタ笑いの若者はニック・サンドマンというカトリック系の高校の生徒である。

この対峙を映した動画はその知名度にふさわしいものだった。なぜならそれは、現代のイデオロギー的な状況を凝縮した目録のようなものになっているからだ。リベラルからの反応でよく見られたのは案の定、ニックの侮蔑的なニタニタ笑いに注目しそこにオルタナ右翼のレイシズムの純粋な表れを見出すものであり、それは不正義への抗議だけでなくマイノリティの文化の真正な表現をもあざ笑うものだとされた。この見解には完全に賛成だ。ニックのニタニタ笑いはわたしからすると、アメリカ精神の最悪の部分を象徴しており、動画を見たときわたしは個人的にニックの表情に嫌悪感を覚え、その後何日もかれの無知で野蛮な自己満足の表情が頭から離れなかった。（ニックは現在みずからの行動を正当化するべく、ただ緊迫を和らげようとしただけなのだと主張している。「抗議者に対して意図的にいやな顔をして見せていたわけではありません。笑顔になったのは、怒るつもりはないということを彼にわかって欲しかったからです……」。この反論のばからしさは思わず息をのむほどだ。あのニタニタ笑いが善意の表情だったというのなら、それはこの世でももっとも傲慢で横柄な善意であり、やんちゃな子供を組み伏せようとする父親の善意に近い。）

しかし――これは哲学者としてのわたしの職業上のゆがみではあるのだが――反対陣営にも批判的な視線を向けなければならないように思われる。メディアで報じられたように、フィリップスはネイティヴ・アメリカンの抗議運動のベテランであるだけでなく、ベトナム戦争の退役軍人《ベテラン》でもある。つまり彼にとって、真正な文化的ルーツを保持することは、今日もっとも強力な軍隊に属することの妨げにはならないということだ。ずっとネイティヴ・アメリカン文化の中にいたことで――そこに偽りがないことは確かだとしても――軍隊への加入はより容易になったということすら十分想像できる。「真正な」伝統文化の実践が、現代のもっとも野蛮な戦争に効率よく人を参加させられるという類似の例はたくさんある。(いくつかの情報源によれば、フィリップスは実際にはベトナムで従軍していなかったらしい——しかしこれが本当だとしても、自分はベトナム戦争の退役軍人だと見せることで、彼と米国軍の軍事行動はより一層重ねられることになる。フィリップスはこれを嫌うことなく、心から望んで公言しているのだ。)

近代日本における禅宗の歴史に通じている人であれば、日本の残忍な軍事拡張の時代(一九三〇年代から一九四〇年代)に仏教組織の大多数が積極的に戦争の遂行を支援し、表立って擁護すらしたことを知っている。例えば鈴木大拙はヒッピーの時期に禅をはやらせた立役者として有名だが、一九三〇年代に一連の文章を書き、禅の悟りの体験がいかに兵士を有能にするかを示そうとした——安定した〈自己〉などなく世界がただはかない現象の舞にすぎないとわかっていれば、人を殺すことはずっと簡単になるのだ。大拙自身の言葉でいえば、兵士が刀で敵を斬ろうとするとき、「実際のところ人を殺すのは、彼ではなく剣自体である。彼は人を傷つけたいという欲望は持っていないのだが、敵が現れみずから犠牲となる。あたかも剣が自動的に正義というはたらきを遂行するかのようであり、それは慈悲のはたらきでもある」。

正統派仏教は他者の苦しみに対する慈悲について、わたしたちが抱く通常のイメージからはあまりにかけ離れている。それはかつてブッダに「先生、わたしたちは他人に慈悲を持たなければならないのでしょうか」と尋ねた弟子の逸話をみれば明らかだ。しばらく考えたのち、ブッダはこう答えたのである。「他人などいない」。人間の〈我〉の実在を一切認めない仏教の立場からすれば、これが筋のとおった唯一の回答だ。自分が実在する〈我〉だと考える限りわたしたちは苦しむのだから、真に苦しみを克服するには、〈我〉が幸福への障害だと感じるものを取り除くのではなく、〈我〉そのものを取り除く必要がある。仏教がこのラディカルな立場をすぐに捨て去ったのも不思議ではない――それは大乗仏教への展開と合わなくなってしまったのである。仏教は主として、小乗と大乗にわかれる。前者はエリート主義的で要求水準が高く、ブッダの教えに忠実であろうとし、〈我〉という幻想を排して悟りを得るための個人の努力を重視する。大乗は小乗から分裂する形で出てきたもので、力点を他者への慈悲へと微妙にスライドさせている。中心となる人物は菩薩であり、この人物は悟りを得たのち、慈悲により物質的幻影の世界に戻ってきて、他の人々が悟りを開く手助けをする――つまり、一切衆生の苦しみを終わらせようと努めるのである。大乗仏教への移行の矛盾を指摘することは簡単で、しかもこの矛盾は決定的な帰結をもたらす。菩薩がいまだ輪廻に囚われているすべての人への慈悲のために幻影の情念の生に戻り、彼らが悟りを得て涅槃にいたる手助けをするのだとすると、素朴な疑問が浮かんでしまう。急進派の仏教徒が強調するように、涅槃に至ることがこの世界を離れて別の高次の現実に入ることを意味しないのなら――言い換えれば、現実はそのままに残り、涅槃で変化するのはあくまで個人の現実への態度にすぎないのなら――なぜ煩悩を抱える他者を救うために、通常の現実に戻る必要があるのか。教えによれば悟りを開いた状態でもこの世に留まり生きつづけるのだから、そのまま救済も行うことは可能なのではないか。こうなれば、大乗は必要ないということになる。悟りを開いた者が他の人を救う分には、小乗でも十分間に合うわけだ。別の言葉でいえば、菩薩という概念そのものが、涅槃の性質の神学的形而上学的誤解に基づいているのではないか。涅槃をこっそり形而上学的な高次の現実に作りかえているのではないか。大乗仏教徒が、仏教に宗教的なひねりを加え、元々ブッダにあった不可知論的な実質主義、宗教的な主題へのあからさまな無関心を捨て去った最初の人々であったことも、不思議ではないのである。

仏教の潜在的な暴力性を証明する必要があるというならば、以下が直近の事例である。

ミャンマー警察は、「仏教徒のビン・ラディン」として知られる扇動家の僧侶アシン・ウィラトゥの逮捕状を出した。ウィラトゥはヘイトに満ちたイスラム嫌悪の演説を繰り返し、ミャンマーのムスリム、特にロヒンジャの人々に対する宗教的な暴力を先導したとして、長いあいだ罪に問われていた。仏教は非暴力を奉じるが、ウィラトゥは「急進派仏教徒と呼ばれることに誇りを持っている」と公言しており、二〇一三年の説教でミャンマーのムスリムについて、「優しさと愛で心をみたすことはできても、狂犬のとなりで眠ることはできない」と述べていた。[24]

そうした暴力を排する真正な仏教の立場のもっとも的確な説明をここから引き出してみてもいいかもしれない。真に悟りを開いた人間とは、狂犬のとなりで眠ることのできる人物である、と。

この意味するところを、残酷な（あるいは人によっては明らかに「無神経な」）言い方で表現すれば、フィリップスに対してわたしは心からの共感と連帯の気持ちをもってはいるが、あのような

「真正な」儀式を行うのは馬鹿げていて、有効でないどころかむしろ逆効果ですらあると考える権利を、遠慮せずに主張したいと思う。もちろんわたしたちはサンドマンのような人々とは戦うべきだ。しかし儀式的な歌をうたいながら太鼓を叩くことが大事なのではない――そうした演奏の麻痺したリズムにほとんど催眠術にかかったように浸ってしまうならば、わたしたちの批判的、合理的思考は止まってしまうが、それこそ今日かつてなく必要なものなのだ。軍事帝国主義と戦うために、アニミストになる必要はないのである。

幸運なことに、われわれに与えられた選択肢が何もかも、どっちもひどいという類のものであるわけではない。有害な男性性についての直近の事例を考えてみればいい。スウェーデンから現れた自閉症のグレタが、地球温暖化に対抗して一連の学校ストライキを引き起こした件である。彼女の行動の教訓は、政治的なものにとどまらない。それが同時に示しているのは、男性性と女性性にかかわる一般的な種々の対立軸（秩序 vs カオス、理性 vs 感情、上下関係 vs 協力、対象との関係 vs 人間間の関係など）を退けるべきだということだ。それよりはるかに望ましいのは、秩序 vs カオスなら秩序 vs カオスの、二つの異なった組み合わせを語ることである。アンティゴネーからグレタ・トゥーンベリにいたるラインに見られる女性の「有害な男性性」は、腐敗した父権的権威の産物であるその男性バージョンとは別物である。後者が父の〈法〉に対する（その構成要素としての）例外（男性主人の不能が明らかになってしまったとき、それを否定しようとする暴力の発露）であるのに対し、女性の「有害な男性性」は正義の感覚に内在し、正義に忠実な行為なのだ。

8　理性《リーズン》／反逆《トリーズン》への決死の呼びかけ

ウクライナとロシアの国境から届いた最近のニュースは、わたしたちの暮らす世界がすでに戦争前の状況にあることを示唆している――だとしたらわれわれ一般人は何をすればよいのだろうか。グローバルな狂乱が迫りくるいまこのときに。おそらくまずは、そうした暗いニュースとさらに破滅的な別の系列のニュースを突き合わせてみるべきだろう。最近の科学報道で明らかにされていることだが、いまの世界の食料システムは崩壊している。世界百三十カ国の医科学会によれば、何十億人もの人々が食料不足か体重が足りないかという状況にあり、食料生産は地球を気候の危機に追い込んでいる。環境にやさしい食料をすべての人々に供給するためには、システムを根本的に変える必要があるわけだ。

しかしおかしくなっているのは世界の食料システムだけではない。最新の環境報告を見ればよくわかるが、われわれの苦境に対する科学の診断はひじょうに単純かつ明快である。温室効果ガスの排出を今後十二年の間に四十五パーセント削減しなければ、海岸沿いの都市は水浸しになり、食料は足りなくなる、等々。そして、またも、そのためには社会を迅速かつ根本的に変える必要があり、それはわたしたちの生活のあらゆる領域に大いに影響を及ぼすことになる。ではどうすればそれを成し遂げられるのか。炭素集約型燃料を迅速に減らすことに加えて、より劇的なアプローチが考えられる。ＳＲＭ（太陽放射管理）という、エアロゾルを継続的かつ大規模に大気中に散布し、太陽光を反射および吸収することで地球を冷却する方法である。しかしＳＲＭはひじょうにリスクが高い。穀物の生産量を減らしたり、水循環を修復できないほどに変えてしまう恐れがあり、言うまでもなくほかにも無数の「知られていないことを知られていないこと」（unknown unknowns）がある――地球の壊れやすい平衡状態がどのように機能しているか、それをこうした気候工学が乱せばいかなる予測不能な事態が生じうるかを、わたしたちは想像さえできない。それに、ＳＲＭがこれほど多くの企業に人気がある理由は簡単に推測できる。わたしたちの最大の問題を、骨の折れる社会改革ではなく、単純に技術によって解決してしまうというヴィジョンを与えてくれるからだ。われわれはいま真の行き詰まりにいる。何もしなければ破滅する運命にあり、何かをすれば必ず致命的なリスクを負う。誰がこの決定を下すのか。そもそもその資格が誰にあるというのだろうか[25]。この決定は、基本的に科学的な論拠に基づいてなされるべきであり、人々の利害関心に左右されるべきではない。環境変動の影響をすでに感じ、経験しているとしても、わたしたちの日常生活がまだ完全に壊れているわけではないからだ。

　地球温暖化のような現象で気づかされるのは、わたしたちの理論的、実践的な活動がどれほど普遍的だといっても、ある基本的なレベルにおいて、わたしたちも地球上の生物のひとつの種に過ぎないということだ。われわれの生存は、無意識のうちに当たり前のものとみなしている自然のパラメータに依存している。「自然」はそれゆえ文字通り社会歴史的な範疇となるが、これはマルクス主義的な高度な意味（「自然」の――そうみなされているものの――中身は常にわたしたちの自然理解の地平を構造化する歴史的条件によって多重決定されている）においてではない。それははるかにラディカルで字義通りの意味において社会歴史的となる。自然は人間の活動のたんなる安定した背景なのではなく、その活動は自然のごく基本的な構成要素にまで影響を及ぼすのだ。

気候工学の計画が示しているのは、一言でいえば、われわれが「人新世」にどっぷりはまり込んでいるということである。「人新世」とは、わたしたち人間がもはや容れ物としての地球に生産活動の影響を吸収してもらうことを期待できない、地球史上の新たな時代のことだ。地球はもはや、わたしたちの生産活動の手出しできない背景／地平ではない。それはわれわれが不注意で破壊し、変貌させ、居住不可能にしてしまうことがありえる、（もう）一つの有限な対象となりつつあるのだ。ここに人新世の逆説が宿っている。人間が種としての自らの限界に気づいたのは、人間が地球上の生命全体のバランスに影響を与えられるほど強くなった、まさにその時だったのだ。自然（地球）に対する影響が些細なものであるうちは――つまり永続的な自然を背景とするうちは、自然を支配し利用することを夢見ることができた。かくして逆説的なことに、自然の再生産は、人間の活動に影響を受けるようになればなるほど、人間には制御できなくなる。われわれの理解をすり抜けていくのは自然の隠された面だけでなく、何よりも、わたしたち自身の活動の見通すことのできない結果なのだ。

だから本当に、わたしたちは惨憺たる状況にある。これを単純に「民主的な」方法で解決することはできないのだ。（政府や企業だけでなく）人々が自分たちで決定すべきだという考えは思慮深く聞こえるかもしれないが、重要な問題を避けている。かりに人々の理解が企業の利害によって歪められないとしても、どのような条件が整えば、こうした繊細な問題に対して判断を下すことができるというのか。ともかくわたしたちにできるのは、少なくとも優先事項を整理し、地政学的な戦争ごっこをまさにその戦争の目的である地球そのものが脅威にさらされている最中に行うことの愚かしさを、認識することだ。

国民国家間競争の論理がきわめて危険なのは、環境との新たなかかわり方を確立するという喫緊の課題、ペーター・スローターダイクが「野生動物的〈文化〉の教化」と呼ぶ政治経済のラディカルな変革に、それが真っ向から対立するからである。今日にいたるまで、それぞれの文化はその構成員を規律訓練／教育し、国家権力というかたちをとって市民の平和を保証してきたのだが、異なる文化や国家同士の関係はつねに潜在的な戦争の危険にさらされており、いかなる平和状態も一次的な休戦状態にすぎなかった。国家を単位とする倫理は、みずからの命を国民国家のために喜んで犠牲にするという至上の英雄主義の行為までいってしまう。これはつまり、国家間の野蛮で狂気じみた関係は、国家内における倫理的な生の基盤となるということだ。今日の北朝鮮は核兵器や遠距離ミサイルを動じることなく開発しつづけているが、これこそ絶対的な国民国家主権の論理の究極の事例ではないだろうか。

しかし、わたしたちが〈宇宙船地球号〉の乗員だという事実を完全に受け入れた瞬間に喫緊の課題となるのは、文明そのものを文明化すること、あらゆる人間の共同体に全世界的な連帯と協力を課すことである。もっともこれは、宗教的、民族的なグループ間の「英雄的」な暴力や、自分自身〈や世界〉を特定の〈大義〉のためなら進んで犠牲にするという傾向の高まりによって、いよいよ困難になっているのだが。

かくして理性《リーズン》は、われわれを反逆《トリーズン》へと駆り立てる。〈大義〉に背を向け、現在行われている戦争ゲームに参加することを拒否するのだ。わたしたちの国家構成員の運命を本当に心配するのなら、われわれのモットーはこうあるべきだ。「アメリカ・ラスト、中国・ラスト、ロシア・ラスト……」。半世紀前、ブラックパンサー党の創設者であり理論家のヒューイ・ニュートンは、資本のグローバルな支配に対する地域〈国家〉の抵抗には限界があることを、はっきり見抜いていた。さらにそこから決定的な一歩を踏み出し、「脱植民地化」という用語を不適切だとして拒否した――単一国家の立ち位置からグローバル資本と戦うことは不可能なのだ。以下は一九七二年に行われた、フロイト派の精神分析家エリク・エリクソンとの並外れてすばらしい対話におけるニュートンの発言である。

われわれブラックパンサー党は、合衆国はもはやひとつ国家ではないとみなすに至った。それは国家とは別な何か、国家以上のもの、領土的境界を拡大してきただけでなく、ありとあらゆる支配力をも拡大してきたという意味で、われわれはそれを帝国《エンパイヤー》と名づけた。ところで、世界はかつてローマ帝国という帝国をもったことがあるが、そこでの統治条件はまったく異なっていた。ローマ帝国がアメリカ帝国と違うのは、探検や征服や支配の手段がまだまだ限られていて、そのために他の国々がローマ帝国とは関わりなく、それとは独立に存在しえたことにある。しかし、われわれが今日、「帝国」と言う時には、われわれはまさに文字通りの帝国を意味しているのだ。帝国は、世界中全ての大陸と全ての人間を支配する力をもつに至ったのである。

現在ではもはや、植民地も新植民地もない。そもそも、植民地化するということが可能ならば、植民地解放ということも植民地以前の状態に戻すということも可能であろう。ところが、領土が地球全体に広がり、いたるところで原料が搾取され労働が搾取されているという状態の中では、そして、地球全体の富がことごとく吸い上げられ帝国主義者の故国にある巨大な産業機械に供給されているという状態の中では、人民も経済もすっかり帝国主義者の帝国に組み込まれて「植民地状態を脱する」ことも、以前の存在条件に戻ることも不可能なのである。

植民地が植民地状態を脱することもできず、国家としての最初の存在に還ることもできないのであれば、もはや国家は存在しないも同然である。将来、存在するようになることも恐らくありますまい。したがって、革命的ナショナリズムやインターナショナリズムに適わしい国家がもしあるとすれば、われわれはそれを、そしてそれを目指すわれわれ自身を、新しい名前で呼ばねばならない(26)。

これはニュートンの頃よりもはるかに、今日のわたしたちの状況に近いのではないだろうか。ニュートンがこの新たな局面につけた名称——「革命的インターコミュナリズム」——に疑問を呈することはできるが、それでもその根底にある共産主義的洞察には完全に同意できる。「脱植民地化」やそのほかアイデンティティ・ポリティクスの様々なアイテムの泥沼にはまりこんでいる今日の左翼のうち、いったいどれほどの人が、ニュートンの診断にもとづいて行動できるだろうか。

大阪でのG20首脳会談の最後の会合（二〇一九年六月）とその関連イベントで見えてきたのは、現在浮かび上がりつつある〈新世界秩序〉の残念なすがたであった。トランプは金正恩と蜜月のやり取りをかわし、彼をホワイトハウスに招く。プーチンがムハンマド・ビン・サルマーンらとともに嬉しそうに手を叩く一方、メルケルとトゥスクという古いヨーロッパ的理性の二つの声は周辺化され、ほとんど無視されている。この「今」はきわめて寛容である。みなが互いを尊重し、女性の権利などという帝国主義的でヨーロッパ中心主義的な理念を相手に押し付けるようなことは誰もしていないのだから。この新しい精神がもっともうまくまとめられているのは、大阪サミットの直前に『ファイナンシャル・タイムズ』に載ったプーチンのインタビューである。そこでプーチンは、予想にたがわず「リベラルの理念」を罵り、それは「すでに役目を終えている」と主張している。「移民、国境開放、多文化主義に対する世論の反発」の波に乗って、プーチンがリベラリズムを骨抜きにしたことは、

アメリカ大統領ドナルド・トランプからハンガリーのオルバーン・ヴィクトル、イタリアのマッテオ・サルヴィーニにいたる反体制指導者や、イギリスのブレグジット騒動と共鳴して

いる。「［リベラルは］この数十年ずっとそうしようと試みてきたのに、人に何々をしろと単純に命令するということができません」とプーチン氏はいう。アンゲラ・メルケル首相が下した、おもに戦争で荒廃したシリアからくる百万人以上の難民をドイツに受け入れるという決定に、プーチン氏は「大いなる過ち」の烙印を押した。対してドナルド・トランプのことは、メキシコからの移民と薬物の流入を止めようとしていると賞賛する。「このリベラルの理念は、なさねばならぬことなど何もないという前提に立っています。移民は殺人、略奪、強姦をしても、移民としての権利は守られる必要があるからという理由で、罪に問わなくてよいということになっているのです」。プーチン氏はこう続けた。「犯罪はすべて罰せられなければなりません。リベラルの理念は陳腐化しています。国民の圧倒的多数の利害と合致しなくなっているのです(27)」。

ここに意外なことは何もない。プーチンに対する欧州理事会議長ドナルド・トゥスクの応答にしても同じことだ。「わたしが本当に陳腐だとおもうのは、権威主義であり、個人崇拝であり、独裁者の支配です」――これもまた危機の根本原因をかえりみない、気の抜けた空虚な信念の表明にすぎないのだ。リベラルの楽観主義者はあちらこちらのよい徴候に必死ですがりつくのだが（アメリカの若い世代が大幅に左派に転じている。トランプはクリントンよりも得票数が三百万票少なく、彼の勝利は実質的には選挙区内での操作の結果にすぎない。スロバキアのような国ではヨーロッパ的リベラル左翼が再び台頭している……）、世界の大勢に影響を与えるほどの力は持っていない。

プーチンのインタビューで唯一おもしろいのは、どうやらここは本音で喋っていると感じられる箇所なのだが、それは国を裏切ったスパイを決して許さないと厳粛に表明する部分である。「裏切りは考えうるかぎりもっとも重大な罪であり、裏切り者は罰せられなければなりません。ソールズベリー〔毒殺未遂〕事件のようなやり方をすると言っているわけではありませんが……裏切り者は罰せられなければならないのです」。この激しい言い方から明らかなのは、プーチンがスノーデンやアサンジに対して、個人的にはまったく好感を持っていないということである。彼らを助けたのは単に敵を困らせるためであり、いつか出現するだろうロシア版スノーデンやアサンジの運命については想像するほかない。西側の左派には、プーチンは社会的には保守派だが、それでもいまだにアメリカの世界支配に対する防壁となっており、この点では好感が持てると主張し続けている人がいるが、まったくもって驚くばかりである。

真の左派ならば、反逆（自分が属する国民国家に背くこと）がもっとも重大な罪だという主張に対しては、猛烈に反対する必要がある。むしろそうした反逆がもっとも倫理的に誠実な行為となる状況があるのだ。今日そうした反逆は、アサンジ、マニング、スノーデンといった名前によって具現されている。

9-16

西洋……

9　民主社会主義とその不満

アレクサンドリア・オカシオ＝コルテスが、他にもアメリカの国政の舞台に躍り出ようと待ち構えている人たちがいるなかで、民主党左派の顔であるバーニー・サンダースに合流した。こうなったいま、さまざまな反応があるにせよ、アメリカの二大政党の片方で「民主社会主義」という用語が（限定的ではあれ）受け入れられているのも当然の成り行きだ。共和党系メディアは案の定不安を煽っている。民主社会主義者は資本主義の廃止を考えているとか、ベネズエラ式の国家テロを取り入れるつもりだとか、貧困をもたらすとか。中道派の民主党員はより控えめに、民主社会主義の政策は、経済に意図せぬ破滅的な帰結をもたらすと警告する。国民皆保険の資金はほんとうに調達できるのか、というように。（ついでにここで、今日の民主社会主義者によるもっとも思い切った政策でさえ、半世紀前の穏健なヨーロッパの社会民主主義には遠く及ばないことを思い出しておこう――政治空間全体の重心が右に移動したことがよくわかる。）民主党のリベラル左派の側にすら、思いがけない嫌な動きがあった。オバマが支持する民主党の中間選挙候補者の長いリスト（八十名以上の名前が並んでいる）に、オカシオ＝コルテスの名前が見つからないのだ。ナンシー・ペローシの、「こう言わなければならない、わたしたちは資本主義者だ、事実としてそうなのだ」という言葉にならって、「左派の」エリザベス・ウォレンは、わたしは「骨の髄まで資本主義者である」と宣言した。

こうした動向のなかで最近の——そして道義的にもっとも問題がある——流行は、穏健な左派リベラル主流派から左翼へと寄った人を、反ユダヤ主義だと非難することである。最近まで「反ユダヤ主義」というレッテルは、イスラエル国や、パレスチナの人々に対するイスラエルの態度を批判する行為に対して使われるものだった。その使用範囲がいまではどんどん広がっており、イギリスのコービンからアメリカのオカシオ゠コルテスまで、「ラディカルすぎる」とみなされたあらゆる左派の人物を不適格認定するために使われている。自国（ポーランド、ハンガリー、バルト三国）内の反ユダヤ主義者は、ヨルダン川西岸地区でのイスラエルの政策をシオニズム的に支持する側にまわるなら許容される。けれど、ヨルダン川西岸地区のパレスチナ人に共感を示しながら、同時にヨーロッパでぶり返す反ユダヤ主義に警鐘を鳴らす左派は、つねに非難されることになるのだ。このような反ユダヤ主義のシオニストという奇妙な人物像が浮上していることは、わたしたちの腐敗の徴候のうちで最も心配なものの一つである。

しかしこうした外部の敵や攻撃は、結果的に民主社会主義者の闘争への意欲を強めるだけかもしれない。むしろはるかに致命的な限界が、民主社会主義の企図の中心に潜んでいる。今日の民主社会主義は過去数十年にわたってはびこっていたアカデミック革新主義者と比べればはるかに優れているのだが、その理由は単純に、何百何千という一般市民の不満を感じとり明確にしながら彼らを動かす、アクチュアルな政治運動を代表しているからである。問題が生じるのは、次のような単純な問いを立てるときだ。民主社会主義者は、実際のところ何を望んでいるのか。右派が批判しているのは、増税や医療改善といった一見無害な個々の提案のうらに、資本主義とその自由を破壊しようという暗い企図がひそんでいるのではないかというものである。わたしが恐れるのはそれとちょうど反対のことだ。福祉国家的な個々の立案の裏には何もないのではないか。大きな計画がなく、もっと社会正義を、というぼんやりとした考えがあるだけなのではないか。狙いはたんに、選挙の圧力によって重心を左に戻すというだけのことなのではないか。

しかし長期的に（といってもそれほど長くもないのだが）見て、これでいいのだろうか。地球温暖化から難民まで、デジタル管理から遺伝子操作まで、われわれが直面している課題を考えると、わたしたちの社会をグローバルに組織し直すところまでしなければならないのではないだろうか。どうなろうと確かなことが二つある。新型のレーニン主義的な共産主義政党がこれを行うことはないが、議会民主主義の一環としてこれが実現することもない。特定の政党がより多くの票を得て社会民主主義的な政策を実行すればいいという問題ではないのだ。

こうしてわたしたちは民主社会主義者の致命的な限界に行き当たる。一九八五年にフェリックス・ガタリとアントニオ・ネグリは、『自由の新たな空間』と題された本をフランス語で出版したが、その題名は英訳では『われわれのような共産主義者』に変更された。この変更の含意は、民主社会主義者のそれと同じだ。「怖がらなくていい、われわれは君たちと同じ普通の人間だよ、何の脅威にもならない、われわれが勝っても今のままの生活が続くだけだよ……」。この路線は、残念ながら、採用するわけにはいかない。わたしたちの生存のためには根本的な変化が必要であり、いまのままの生活が続くということはなく、わたしたちは生活の芯の部分から変わる必要があるのだ。

もちろんわたしたちは、民主社会主義を全力で支援すべきである。ラディカルな変化にぴったりのタイミングを待っていたら、その時はいつまで経っても訪れない。いまいるところから始めなければならないのだ。しかしこれは、幻想を排し、将来的には選挙ゲームや社会民主主義的政策だけではだめなことをよく自覚した上でやらなければならない。わたしたちは生き残りをかけた危険な旅の出発点に位置しているのだ。

こうなると最後に、トランプに対するわたしの「物議を醸す」立場について話さなければならない。トランプの大統領当選以来わたしは、友人や「友人」と自称する人から、まだクリントンよりトランプがいいと思っているのか、それともひどい間違いを犯していたと認めるのかと度々訊かれてきた。わたしの答えを当てるのは簡単だろう。意見は変わっていない、のみならず、最近の出来事はわたしの選択がまったく正しかったことを示していると思う。なぜか。アメリカ政治の基本事項に関する合意は、両側から壊されている。第一にトランプが右派ポピュリストの側から既存の秩序を破壊し、第二に左派系の民主党員（サンダースら）がそれを左側から破壊している。この二つの亀裂は対称的ではない。トランプとリベラル主流派の闘争はグローバル資本主義という同じ空間のなかでの文化－イデオロギー闘争であるのに対し、民主党左派はこのグローバル資本主義秩序そのものを問いはじめている。だから今日行われている唯一の真の闘争は、民主党の内部で生じているのだ。

トランプのせいでパニックに陥ったリベラルは、トランプの勝利こそ、真の左翼が出現するプロセスを起動させるという考えを受け入れない――反論は基本的に、ヒットラーが権力を握ったこととの比較である。多くのドイツ共産党員が、ナチの政権奪取を、革新左翼にとっての新たなチャンスであると歓迎した（「状況ははっきりした、民主主義の幻想は消え去り、われわれは真の敵と向き合っている」）。しかしよく知られているように、彼らの評価は破滅的な誤りだったのである。問題は、トランプでも事情は同じなのかということだ。トランプは反ファシズム人民戦線のような拡大戦線を組む必要があるほどの脅威なのか。「まともな」保守が主流のリベラル進歩派および（なんであれ残存している）革新左派と、共同戦線を組む必要があるほどの脅威なのか。そうした反トランプ戦線は危険な幻想だ。新左翼の降伏、リベラル体制への屈服に終わるのが関の山である。トランプの勝利がアメリカをファシズム国家にしてしまうと不安がるのは、馬鹿げた誇張だ。アメリカはじゅうぶん豊かな厚みのある多様な市民団体や政治組織をもっており、それが即座にファシズム的な強制的同一化（*Gleichschaltung*）を受けるとは考えられない（ル・ペンが勝利したらはるかに危険なことになりかねなかったフランスのような国とは違う）。アメリカで起こったのは、トランプの勝利が民主党内の一連の革新化の引き金となるということであり、この変化がわれわれにとって唯一の希望である。最近『テネシーアン』紙に掲載されたサリサ・プラブの論説は、ここで引用するにふさわしい――そのまっすぐな真実の記述に、涙が出そうになるくらいだ。

心の準備をしよう。民主党には近々内戦が起きる。今日の民主党は、中心にアイデンティティの危機とイデオロギー闘争を抱えている。第一に、民主党は富裕者の政党なのか、それとも一般人の政党なのか。長年民主党は、一般人のための政党であるかのように演じてみせる富裕層の政党だった。しかも民主党主流派は、それをあまりに小賢しい狡猾なやり方でおこなうのだ。「おれたちは人種やらジェンダーやらセクシュアリティやらで割りを食ってる人たちの味方だよ。だって、それならおれたちの財布も裕福な投票者の財布も痛まないでしょ」。しかし主要な経済問題では、労働者階級の平均的な民主党支持者を痛めつけるようなことをよくやる。国際貿易協定では、仕事を海外に移しアメリカの製造拠点を縮小させてしまったし、不法移民が労働者階級のアメリカ人の賃金を落ち込ませても見て見ぬふりをしている、等々。それでも彼らが中絶やトランスジェンダーの権利や人種差別について（これらがどうでもいいというわけではないのだが）喋りつづける限りは、なんとか支持者を繋ぎとめておくことができた。けれどそれも二〇一六年まで。これ以上はもう無理だ。民主党主流派は右往左往するか頑なままかどちらかだが、本当はジョー・バイデンおじさんが助けにきて〈寡頭制のアメリカを再び偉大に〉してくれればいいと思っている。仮面を剥ぎ取れば、その下から出てくるのはひどいものだ。ペンシルヴェニア州スクラントン党の仮面をかぶったダヴォス党。これが実際のところ多くの有権者を騙すことになる(1)。

そう、二〇一六年までは「うまくいっていた」のだ――トランプが現れるまでは。はっきりさせよう。民主党に内戦を引き起こしたのはトランプの出現だ――ちなみに、この「内戦」の正確な名称は、階級闘争である。そんなわけで、おじけづかず、むしろトランプがうっかり開いてしまったこの好機を活用しようではないか。トランプを真に打ち倒す唯一の方法は、左翼が民主党の内戦に勝つことなのだ。

10　ドナルド・トランプはビール瓶を抱えたカエルか

数十年前、ビールのチャーミングな広告がイギリスのテレビに流れた。前半はよく知られたおとぎ話のようなエピソードである。女の子が川のほとりを歩いていて、カエルを見つけ、優しく膝に乗せて、キスすると、言うまでもなく、醜いカエルが若く美しい男になるという奇跡が起きる。しかし話はまだ終わらない。その若者は物欲しそうな視線を女に向け、抱き寄せて、キスをする――すると彼女はビール瓶になり、男はそれを勝ち誇ったように掲げるのだ。女にとって、ここで起こったことは、（キスによって示された）彼女の愛情がカエルを美しい男に、十全たる男根的存在に変えたということである。対して男から見ると、女をフロイトのいう部分対象、彼の欲望の真の原因に変形したということになる。（ついでながら、多くの女性がわたしに語ったのは、彼女たちの経験はむしろ逆だということだった。美しく見えた男にキスをして親しく付き合ってみると、実際にはみすぼらしいカエルであることに気づいたというわけだ。）つまりここには、カエルを抱きかかえる女か、ビール瓶を手にもつ男か、どちらかしかいない――決して得られないのは、美しい男女の「自然な」カップルである。なぜか。この「理想のカップル」を可能にする（想像はできるがありえない）空想は、ビール瓶を抱きしめるカエルというおかしな形象だからである。

これと同じ品のない空想は、ドナルド・トランプの政治のモデルにもなる。トランプがシンガポールで金正恩と会談し、彼をホワイトハウスに招く意向を表明してからというもの、ある夢がわたしの頭から離れなくなった——マーティン・ルーサー・キングの夢のように高貴なものでなく、はるかに不気味な夢だ（実現するのはキングの夢よりずっと簡単である）。トランプは過去に軍事パレードへの愛着を表明しワシントンでの開催を提案していたが、アメリカ国民はそのアイディアが気に入らないようだから、新しい友人金正恩に手助けしてもらったらどうか。招待のお返しにトランプを招き、平壌の大きなスタジアムにショーを用意する。訓練の行き届いた大勢の北朝鮮人がカラフルな旗をふり、金正恩とトランプが笑顔を浮かべる巨大な像を作りだすのだ。これがトランプと金正恩のきずなの裏で共有された空想、カエルのようなトランプがビール缶のような金正恩を抱きしめるという空想ではないだろうか。（さらに不愉快な方向へ空想を進めれば、トランプがメラニアにキスし、彼女がビール缶に変わるのを大喜びで見つめる様子を想像することすら可能だ。）

同じ系統の別の事例をあげよう。二〇一八年六月に行われたCNNのインタビューで、スティーヴ・バノンはみずからの政治の理想像を、右派ポピュリズムと左派ポピュリズムが団結して古い政治体制に対抗することだと断言した。現在のイタリアにおける右派の北部同盟と左派ポピュリズムの五つ星運動の連立政権を、世界が見習うべき模範であり、政治が左派対右派の先へと進んでいる証拠だとして賞賛したのだ——ここでも再び、空想されるのは、カエルのようなオルタナ右翼がサンダース的運動を抱きしめビール瓶に変えてしまうところだ。この（政治的にも美的にも）不愉快なイメージのポイントは、もちろん、社会の基本的な対立関係をうやむやにしてしまうことであり、だからこそそれは破綻する運命にある――ただし最終的な破綻の前に数々の不幸を引き起こすだろうが。

サンダースとバノンが手を結ぶことなどありえないのは明らかだが、左派の戦略で鍵となるのは、敵の陣営内の分裂を容赦なく活用し、バノン支持者を応援して戦うことだ。長い話を縮めていえば、あらゆる反体制勢力の広範な連携なしには、左派の勝利はありえない。われわれの真の敵はグローバル資本主義体制であって、新しい右派ポピュリズムではないことを忘れてはいけない。右派ポピュリズムは体制の行き詰まりへの反応にすぎないのだ。このことを忘れてしまったら、左派は地図から消え去るのみである。すでにヨーロッパの多くの地域（ドイツ、フランスなど）で穏健社会民主主義左翼がそうなっており、スワヴォミール・シエラコウスキーの言葉を借りれば、「左翼政党が崩壊したいま、有権者に残された唯一の選択は、保守主義か右派ポピュリズムかしかない」。

だからこそわたしは、多くの友人を仰天させて（もっともその人たちは今では友人でなくなってしまったわけだが）、二〇一六年のアメリカ大統領選では、トランプが勝つ方が、クリントンが勝つよりも革新勢力の未来にとっていいと主張したのだ。当然トランプは危険で最低なやつだが、彼が当選すれば、可能性が開き、リベラル左派の側がこれまでよりもラディカルな位置に動くことがあるかもしれない。わたしが知って驚いたのは、デイヴィッド・リンチが同じ立場をとっていたことだ。二〇一八年六月のインタビューでリンチは（二〇一六年の民主党予備選ではバーニー・サンダースに投票していたのだが）こう言っている。トランプは「歴史上もっとも偉大な大統領の一人として名を残す可能性がある。なぜなら彼はぶっ壊してしまったからだ。この人物に知性的なやり方で対抗できる人はいない」。トランプ自身がいい仕事をすることはないとしても、他のアウトサイダーが活躍しうる空間を開いていると、リンチは考えているわけだ。「わたしたちのリーダーと呼ばれるやつらは、国を前に進めることはできないし、何かを成し遂げることもできない。子供同然なのさ。トランプはそのことをすっかり明らかにしてしまった」。

さらに考慮に入れておくべきは、昨今、政治が急激に美学化されていることだ。表面上（そしてこの表面が本質なのだが）、政治闘争は「現実の問題」よりもイメージや価値観、態度をめぐってなされる。(2) 例えば（これこそまさにそのものずばりの例なのだが）、「トランプ」はひとまとまりの経済的、イデオロギー的政策を代表しているだけでなく、同時に（反）美的現象、ある悪趣味なスタイルの人格化でもあるのだ——同じことはイギリスのボリス・ジョンソンにも当てはまる。まさにこの美的スタイルによって、トランプ（やイギリスのボリス・ジョンソン）は対極にある社会階層（富裕層と貧困層）の有権者を惹きつけることができる。有権者はトランプとこの美意識の水準で同一化する。トランプがもっとも低俗なときには、女性の「あそこ」をつかんだなどと自慢する。この下品な言葉はトランプの男性優位主義的な性差別をはっきり示すだけでなく、「アメリカ・ファースト」政治の比喩としても機能するようになった。なりふり構わずアメリカの利益を守ろうとするとき、トランプは（中国などの）他国のあそこ、一番弱いところをつかんで痛めつけ、自らの望みに従わせるのである。

目下行われているアメリカと中国の貿易戦争は、トランプがあそこをつかんだ直近の事例であり、わたしたちに恐怖を抱かせずにはおかない。わたしたちの日常の生活にどのような影響が及ぶのか。新たな世界規模の不況や、地政学的な混乱にまで至るだろうか。混迷を極める現状において進むべき方向を確かめるために、いくつかの基本的な事実を心に留めておく必要がある。

中国との貿易摩擦は、数年前に始まった戦争が絶頂に達しただけのことだ。その戦争はトランプがアメリカ最大の貿易相手の国々に開戦の一撃を打ち込むべく、EU、カナダ、メキシコから輸入される鋼とアルミニウムに関税を課すことを決めたとき始まったのだった。トランプはこれによって、彼独自のポピュリズム版階級闘争を行っていたのだ。表明された目標は、アメリカの労働者階級を（金属加工業者は伝統的な労働者階級を象徴するような存在だろう）「ずるい」ヨーロッパの競争相手から保護し、それによってアメリカ人の働き口を守ることだった。いままでは同じことを中国に対してやっているわけである。

トランプの突発的な決定は、単なる個人の気まぐれの表出ではない。それはグローバル経済システムにおける一つの時代の終わりに反応しているのだ。いまひとめぐりの景気循環が終わりに近づきつつある。この循環は一九七〇年代初頭、ヤニス・ヴァルファキスのいう「世界牛魔人《グローバル・ミノタウルス》」が誕生した頃に始まったのだが、これこそ一九七〇年代初頭から二〇〇八年までの世界経済を動かしていた怪物的な原動力だった。一九六〇年代が終わりを迎えるころ、アメリカ経済は黒字をヨーロッパとアジアに還流させつづけることができなくなっていた。アメリカの黒字は赤字に転じていたのである。一九七一年、アメリカ政府はこの凋落に大胆な戦略的措置で対応した。肥大化する国の赤字を抑えようとするのではなく、真逆に進むことに、赤字を増大させることにしたのである。では誰がこの赤字を穴埋めするのか。世界の他の国々だ！　どうやって？　資本を絶え間なく移動させ、二つの大洋の間を休むことなく行ったり来たりさせることで、アメリカの赤字を埋めるのである。

　この増大する輸入超過は、アメリカが生産を行わない略奪者になったことを示している。ここ数十年の間、アメリカは自国の消費のために他国から一日十億ドルを吸い取らなければならず、その意味で世界経済を回し続ける普遍的なケインズ主義的消費者である。（今日優勢なように見える反ケインズ派の経済イデオロギーはもうたくさんだ！）この貨幣の吸収は事実上、古代においてローマに支払われていた十分の一税（あるいは古代ギリシャ人がミノタウルスに捧げていた生贄）のようなものであり、複雑な経済の仕組みに基づいている。アメリカは安全で安定した中心として「信用」されているため、アラブの石油産出国から西欧や日本、さらに今日では中国にいたるまでの国々が、自国の余剰利益をアメリカに投資するのである。この「信用」は主としてイデオロギーと軍事にかかわっており、経済的なものではないため、アメリカにとってはいかにして自国の帝国としての役割を正当化するかが問題になる――そのためには恒常的な戦争の脅威があればよく、それを背景に「正常な」（「ならず者の」ではない）すべての国の庇護者を買って出るわけだ。

　しかし二〇〇八年以降、この世界システムは崩壊の一途をたどっている。オバマ政権時代、連邦準備制度理事会議長だったベン・バーナンキは、このシステムに新たな息吹を吹き込んだ。アメリカドルが世界通貨であることを徹底的に利用して、輸入資金を調達するために大量の紙幣を刷ったのである。トランプはこの問題に別の仕方で取り組んだ。グローバル・システムの繊細なバランスを無視し、アメリカから見て「不公平」と言いうる事柄に注目したのだ。たとえば、膨大な輸入品が自国の仕事を減らしている、というように。しかし彼が「不公平」だと非難するものは、アメリカに利益をもたらしてきたシステムの一部でもある。アメリカは商品を輸入し、その資金を借金と造幣で賄うことによって、世界に「略奪」を仕掛けているようなものだったのだから。

結果として、この貿易戦争でトランプはまやかしを使うことになる。アメリカをグローバル権力にはしておきたいが、そのためのごくわずかな費用ですら支払うことを拒否する。「アメリカ・ファースト」の原則に従い、ひたすら自国の利益を優先しながら、なおグローバル権力としてふるまい続けるのだ。中国やその貿易を難じるアメリカの言い分にいくらか筋が通っているように見えたとしても、それはばかばかしいくらい一方的である。アメリカはトランプが不公平だと非難する状況から利益を得ており、トランプは新しい状況でも利益を得つづけたがっている。それゆえ他国に残された唯一の道は、ある基本的な水準で団結し、アメリカが軍事力と金融力によって手に入れているグローバル権力としての中心的な役割を切り崩すことしかないのだ。これはアメリカと敵対する国の犯した罪が許されるべきだということではない。トランプが（二〇一九年三月に始まった）香港の民主派の抗議活動には関心がないと公言し、中国の国内問題だとして無視したことが典型だ。わたしたちは抗議活動を支援すべきだが、同時にそれが中国に対するアメリカの貿易戦争の口実として使われないよう気をつけておく必要がある——トランプはこの問題に関しては中国側だということを、常に心に留めておかなければならない。

それでも目下進行中の貿易戦争があくまで経済戦争にとどまっていることは喜んでおくべきだろうか。われわれの経済の支配者が取り決める停戦協定らしきものがこの貿易戦争を終わらせるという希望に、慰めを見出すべきだろうか。そんなことはありえない。すでに見られる地政学的な再編成は、いくらでも（少なくとも局所的な）現実の戦争に発展してしまう可能性がある。貿易戦争は、現実の戦争の原料なのだ。われわれの世界の状況は第一次世界大戦前のヨーロッパの状況にいよいよ似てきている——まだわたしたちのサラエヴォはどこなのか、戦争がどこで勃発するのかはわからない。ウクライナ、南シナ海、あるいは……

この破局を防ぐためには、トランプの戦い方と同じくらいなりふり構わずいく必要がある。この苦境を安定させるには、アメリカが率いるのではない新たな世界秩序を集団的に築く必要がある。トランプを倒すためには、「中国・ファースト」、「フランス・ファースト」などと言って彼を模倣するのではなく、世界全体で対抗し、彼を恥ずべき部外者として扱うのだ。左派は力を結集してこの好機をものにできるだろうか、それとも現状を擁護しつづけるだけだろうか。ビール瓶を抱えたカエルというトランプの空想に対する左派の答えは、カエルの足のフライを食べビールを飲むカップルでなければならない。

11　赤よりは死んだほうがまし！

このところ一連の出来事が立て続けに起こった。著名なリベラル民主派に届いた怪しい小包、ピッツバーグのシナゴーグでの銃撃、トランプ語法の先鋭化――トランプはアメリカの主要な公共メディアを国民の敵と呼び、共和党員が予備選に負けても不正のせいだから認めないとほのめかしている。こうした現象はすべて、アメリカの政治空間の共和党側で生じており、共和党の色が赤であるために、冷戦時代の古い反共産主義の標語「赤よりは死んだほうがまし！」が今日意外な新しい意味を帯びている。しかしここではより厳密に考えたほうがいい。わたしたちの政治空間にこうした下品さが噴出するなかで本当に起きていることは何なのか。ユヴァル・ハラリが言うには、

人が民主的な選挙の結果を受け容れる義務があると感じるのは、他のほとんどの投票者との間に基本的な絆がある場合に限られる。他の投票者の経験が私にとって異質のもので、彼らがこちらの気持ちを理解しておらず、こちらの死活にかかわる問題を気にもしていないと私が思っていたら、たとえ一〇〇対一という票数で負かされても、到底その結果を受け容れる

気にはなれない。民主的な選挙は普通、共通の宗教的信念や国家の神話のような共通の絆をあらかじめ持っている集団内でしか機能しない。選挙は基本事項についてすでに合意している人々の間での意見の相違を処理するための方法なのだ。(3)

基本事項に関するこの了解が揺らぐと、使用可能な唯一の手段(もちろんあからさまな戦争を除いてということだが)は交渉になる。中東の衝突が選挙では解決できず、戦争か交渉に頼るしかないのもそういうわけだ。そしてだからこそ、民主主義というものはおしなべて内側から制約を受ける。それが有効な範囲をひそかに限定するのである。何色であるにせよリベラルは、ローザ・ルクセンブルクがボリシェヴィキに放った批判をまねしたがる。「自由とは異なった思想を持つ者のための自由である」。さらにこれをぴりっとさせようと、ヴォルテールの金言も取り入れたがる。「あなたの言うことに同意はしないが、あなたがそれを言う権利は死んでも守る」。しかし、わたしたちの最近の(そしてそれほど最近でないものも)経験が示しているのは、異なった思想の持ち主の自由は、あくまで支配的な社会的取り決めの制約の範囲内でのみ許容されるということではないだろうか。今日このことが明らかになるのは、許容可能な範囲を定める社会的取り決めが分裂し、異なった見方がわれこそヘゲモニーだと言い争うときだ。何年か前に、ノーム・チョムスキーがヴォルテールの金言に極限まで忠実にしたがって物議を醸した。彼はホロコースト否定論者のジャン・フォリソンが本を出版する権利を擁護したのだ。チョムスキーの主張は、フォリソンの本に後書きとして掲載までされた。こうしたふるまいは今日、即座に反ユダヤ主義と認定されてしまうだろう。今日ではホロコーストの否定が犯罪とされているのみならず、有罪認定の条項が数値に及ぶことすらある――例えば十年ほど前に、ホロコーストの犠牲者を五百万人より少ない人数に見積もったら罰するべきだという意見が広まった。このリストにはほかの集団虐殺も加えられている。例えばフランスは、アルメニア人の大量虐殺を否定することを違法とした。法的には犯罪とされないとしても、事実上の犯罪認定を受けることもある。典型的なのはハイデガーの思想の末路だ。『黒ノート』が出版されて以後、一群のリベラルの批判者は、アカデミアにおいて彼の思想を違法とする活動を協同して行った。ナチのイデオロギーと直接的なつながりがあった以上、ハイデガーは哲学的にまともに議論される価値すらない。研究対象にすべきではないと考え、単純に無視すべきである。なぜなら、エマニュエル・フェイの言葉でいえば、ハイデガーはナチズムを支持していただけでなく、ハイデガー思想はナチズムを哲学に導入するものにほかならないからだ。

こうした法律外での犯罪認定というやり方は、今日のポリコレ版 MeToo において頂点に達している。その熱心な支持者は、コメディアンのルイ・C・Kにペニスを見せられてショックを受けた数人の裕福な女性のことばかり考えて、残酷なレイプを受けた何百人もの貧しい少女を気にかけていないように見えることがある。ハーヴィ・ワインスタインとルイ・C・Kは違うと主張する人に応えて、MeToo の活動家が主張したのは、そう言う人たちは男性の暴力がどう作用しどう経験されるのかわかっておらず、目の前でマスターベーションされることが女性にとって肉体関係の強要に劣らない暴力として経験されることがあるのだということだった。こうした主張が真実であることもあるにはあるが、この議論を支える論理——この件に関しては厳しい自由の制限があり、虐待の程度の差に関するちょっとした議論でも許容できないと考えられている——には明確な制限を設ける必要がある。このとき〔議論の〕自由は事実上、自分たちと同じように考える人の自由に限定されているのではないか。（ＰＣ〔政治的正しさ〕の）合意を全面的に受け入れ、議論をごく細かいことに限らなければならないだけでなく、議論が許される事柄の範囲もひじょうに狭いのだ。

そうだとすると、わたしは制約の完全な撤廃を求める頑固頭のリベラルなのだろうか。違う。禁止は必要だし、制限も設けるべきだ。ここではしっかり現実主義でいく必要がある。それは「本を燃やし始めれば、終いには人を燃やすことになる」といった月並みな文句を捨てるべきだということだ——人を燃やすことを防ぐ唯一の方法が本を〔人を燃やせと読者を焚きつける本を〕燃やすことだという状況があったらどうするのか。わたしはただ、明らかな事実を認めない偽善者が嫌いなだけなのだ。自由とはある意味で実際に、自分たちとおおむね同じように考える人の自由であるという事実を認めない偽善者が。「ヘイトスピーチ」の犯罪化を支持する人たちがこの逆説から逃れ出る道をでっち上げようとすることは予想がつく。彼らのおなじみの理屈のつけ方はこうだ。ヘイトスピーチは犯罪化するに値する。なぜならそれは事実上被害者から自由を奪い、被害者を辱めており、ヘイトスピーチを取り除くことは事実上、実際の自由の領域を広げることになるからである。その通り。しかしこのテーマについて公に議論することまで禁じるＰＣのやり方となると問題が生じる。恣意的な排除〔例えばルイ・Ｃ・Ｋの締め出し〕そのものについての議論が排除されてしまうからだ。

ルイ・C・Kを断罪したがる人たちの言い分は、イギリス労働党は反ユダヤ主義を容認していると非難する人たちの主張と同じものだ。自分は被害者だと公言している人の抗議が正しいか正しくないか判断するなんて、一体何様のつもりなのか。それを決めるのは被害者だ——彼らが傷ついたと感じるなら、それはそういうことなんだ……本当だろうか。反ユダヤ主義の場合を考えてみよう。わたしたちはイギリスにいるユダヤ人の申し立てを真剣に受け止めるべきだ。しかし彼らはヨルダン川西岸地区のパレスチナ人の申し立てを真剣に受け止める気があるのだろうか。それともパレスチナ人の場合は、被害者の言葉を信用する必要のない違った種類の申し立てだということになるのだろうか。この事例がまさに示す通り、自分が被害者だという主張は額面通りに受け取るべきで、つねに冷淡に分析されなければならない。ジル・ドゥルーズが数十年前に言ったように、狭い集団に固有の経験にもとづいた政治は、かならず反動的になる。

しかし、アメリカや他の国で基本事項に関する合意がどんどん失われつつあることは、かならずしも民族的、宗教的多様性の問題なのではなく、国家という政治体全体にまたがる問題である。それはポピュリズム的ナショナリズムとリベラル民主主義という社会的政治的生活の二つのヴィジョンの対峙である。この対峙する二者は階級闘争を反映しているのだが、その配置は逆転している。右派ポピュリストが自分たちを抑圧された労働者階級の声だとするのに対し、左派リベラルは新たなエリートの声なのだ。究極的には、交渉を通じてこの緊張状態を解消することは不可能だ。片方が勝つか、そうでなければフィールド全体が変わる必要がある。

こうして哲学者の言うわれわれの生活の「倫理的実体」に、亀裂が生じている。この亀裂は「通常の」民主主義には耐えられないほど強烈になりつつあり、徐々に一種の国内冷戦へと移行している。トランプの倒錯した「偉大さ」は、彼が実際に行動していることだ――自分の決定を推し進めるために、不文律を（さらには明文化された規則までをも）恐れることなく破ってしまう。わたしたちの公的生活は、明文化されない習慣の分厚い網目、すなわち、明示的な（明文化された）規則をどのように実行すべきかを教える規則によって統制されている。トランプは、明示的な法的規則は（ある程度）守るが、この規則をどのように実行すべきかを定める暗黙裡の不文律を無視する傾向にある――ブレット・カヴァノーの処遇もこれの直近の事例にすぎない。左派は単にトランプを難じるのではなく、彼から学び、同じことをする必要がある。状況が要請するならば、恥じることなく不可能を行い不文律を破るべきだ。不幸なことに、今日の左派は事が起こる前からあらゆるラディカルな行動に怯えている。政権に就いたとしてもつねに「これをやったら世間はどういう反応をするだろう。この行動はパニックを引き起こすのではないか」と心配している。結局のところこの怯えが意味しているのは、「敵は怒り狂って反発してくるだろうか」である。政治で行動するためにはこの怯えを克服し、リスクを引き受け、未知の領域へ踏み出さなければならない。

アンドリュー・クオモのような政治家は礼節を取り戻そうと必死に訴えているが、それでは不十分である。なぜなら、「野蛮な」ポピュリズムの台頭が、リベラル・コンセンサスの破綻によって開かれた隙間を埋めるものであるということを考慮に入れていないからだ。ではどうすれば良いのか。ここではサミュエル・ベケットを引用するのがいいだろう。小説『マロウンは死ぬ』にベケットはこう書いている。「どんなものでも分かれて結局自分自身となるのだ、たぶん」(訳注iv)。根本的な分裂とは、毛沢東が主張したように、〈一〉が〈二〉に分裂することではなく、名状しがたいものが〈一〉およびその他に分裂することだ。最近になってポピュリズムが噴出するまで、わたしたちの社会が分裂して生じる〈一〉はリベラル・コンセンサスであり、そこでは確立されながら明文化されてはいない民主主義的闘争の習慣をすべての人が共有し、みなが尊重していた。排除された「その他」は、両陣営のいわゆる過激派である――彼らは黙認されてはいるものの、政治的権力への参加は許されていなかった。オルタナ右翼ポピュリズムの台頭で、リベラル中道派のヘゲモニーは損なわれ、別様の政治的ロジックが（内容ではなく何よりもまずスタイルとして）メインストリームの中に入ってきた。

　そうした状況は永遠には続かない。新たなコンセンサスが必要であり、わたしたちの社会の政治生活は新たな〈一〉に分裂するべきであり、事前にこの〈一〉が何になるかを判断することはできない。その状況は実際に危険をともなう――ブラジルでボルソナーロが勝利したことが、ブラジルのみならずわれわれ全員にとってどんな帰結をもたらすかなど、誰が言い当てられるだろうか――しかし、怖気づいてパニックになるのではなく、勇気を持ってこの危機的な時期を好機として利用すべきだ。毛沢東を再び引用しよう。「天下大乱し、天下大治に至る」。

　左派が提示すべき〈一〉なるものとしての新たな共同空間とは、単純に、政治経済における近代ヨーロッパ最大の成果、社会民主主義福祉国家である。ペーター・スローターダイクによれば、われわれの現実は——少なくともヨーロッパでは——「客観的」社会民主主義でありそれと対立する「主観的」社会民主主義ではない。つまり政党の集まりとしての社会民主主義と「システムの定式」としての社会民主主義は区別する必要がある。後者は「政治的経済的秩序を正確に記述するものであり、この秩序は、税の国家、インフラの国家、法治国家、そしてとりわけ社会のための国家やセラピーの国家としての近代国家によって規定される」。「わたしたちはあちこちで、現象的な、または構造的な社会民主主義、すなわち明示的な、または潜在的な社会民主主義に出くわす。前者は政党としてあらわれ、後者は近代国家そのものの定義や機能、手続きに変更不可能な形で組み込まれている(4)」。

それならわれわれは単に古いものへ戻るべきだということなのか。違う。逆説的なことに今日の新たな状況にあっては、旧来の社会民主主義的な福祉国家を求めることが革命に近い行為となる。バーニー・サンダースとジェレミー・コービンの政策は、多くの場合、半世紀前の穏健社会民主主義と比べるとさほどラディカルではないのだが、それでも彼らは社会主義の過激派として非難されているわけだ。

ポピュリズム右派はナショナリストだが、国際的なネットワーク組織をつくるのは左派よりもはるかに得意である。だから新しい左派のプロジェクトが活性化するとしたら、ポピュリズムの国際主義に匹敵するグローバルな運動としての組織化に成功したときだけだ。サンダース、コービン、ヤニス・ヴァルファキスが結ぼうとしている連携は、この組織化にむけた最初の一歩である。リベラル体制の反発は激しいものになるだろう——コービンにかけられた反ユダヤ主義の嫌疑に対するキャンペーンは序の口で、今後この運動全体の信用をどうにかして落としてやろうとするキャンペーンが展開されることになるだろう。しかしほかに道はない――リスクは取らなければならないのだ。

この意味で、ドナルド・トランプという人物もひとつのフェティッシュだ。つまりリベラルが階級闘争と向き合う前に最後に目にするものなのである。だからこそリベラルは、これほどまでトランプに魅了されかつ怯える。階級というテーマを避けるために。ヘーゲルの標語「悪はあらゆる場所に悪を見る視線のなかに存在する」はここに完全に当てはまる。トランプを悪魔とみなすリベラルの視線それ自体もまた悪である。なぜならそれは、自らの失敗がいかにしてトランプ型の愛国ポピュリズムの空間を開いてしまったかに目を向けないからだ。もし本当に右派ポピュリズムを消し去りたいのならば、最初にやるべきことは横柄な反ポピュリズムをやめることだ。つまり、理性的な公共空間が崩壊しつつあるとか、有権者が理性的な自己利益ではなく憎悪や恐怖に煽られてどんどん感情的に行動（反応）するようになっているといった考え方をやめるのである。そのような考え方から得られる解決策は、アメとムチの組み合わせである。貧困を減じ、無償教育・医療を提供し――そして容赦なくヘイトスピーチと戦い、明確に犯罪化してしまうべきだ、というように。この考え方が見逃しているのは、トランプ支持者はある意味で至極合理的であるということだ。というのも彼らの行動は、彼ら自身の考える自己利益によって容易に説明できるからである。トランプ支持者は、体制が事実上無視していた現実の問題に反応しているのだ。問題は新たな「非合理」が噴出していることではない。本当の問題は、ポピュリズムの波に脅かされた（イデオロギー的）合理性の機能不全の方である。

だとしたら、トランプに負けてほしいと本当に望んでいるのは誰なのか。二〇一九年七月三十日に行われ白熱した民主党第一次討論会で、前コロラド州知事ジョン・ヒッケンルーパーは、民主党が万が一バーニー・サンダースの「国民皆医療保険」計画、緑のニューディール、そのほかラディカルな新政策を採用するようなことがあれば、「ドナルド・トランプに当選を配達するようなものだ」と警告した。これにつづく熱のこもったやりとりで、民主党内の二つの陣営の区別が明確になった。「穏健派」（党体制主流派を代表する人々であり、その顔となるのがジョー・バイデンだ）と、より「ラディカル」な民主社会主義者（バーニー・サンダース、おそらくエリザベス・ウォレンも、加えてトランプが「スクワッド」と呼んだ四人の若い米国議会議員、そのなかでいま最も人気なのはアレクサンドリア・オカシオ゠コルテスだ）。この戦いは間違いなく、いま世界のあらゆる場所で起こっている政治闘争のなかで、もっとも重要なものだろう。

穏健派が説得的な主張を行っているように見えるかもしれない。民主社会主義者はただただラディカルすぎて、有権者の過半数を説得できないのではないか。真の戦いとは、髪を覆うムスリムのイルハン・オマルなど決して支持することのない流動的で穏健な有権者の票を得るための戦いではないのか。トランプ自身、「スクワッド」をひどく攻撃し、そのことによって民主党全体がこの四人の女性と連帯するように仕向け、彼女らを党のシンボルに仕立て上げたとき、まさにその展開を期待していたのではないだろうか。民主党の穏健派からすると、重要なことはトランプを退場させ、彼が破壊してしまった正常なリベラル民主主義へゲモニーを取り戻すことのはずだ。

残念ながら、この戦略はすでに実験済みである。ヒラリー・クリントンがこれに従い、大半のメディアが、トランプが当選することはないのだから彼女が負けるはずはないと考えた。二人の元共和党大統領ブッシュ父子でさえ、ヒラリー・クリントンに投票すると言っていた。しかし彼女は負け、トランプが勝ったのだ。トランプの勝利は右側から体制を切り崩した――そろそろ左派も同じことをすべき時ではないのか。二〇一六年のトランプ同様、本格的な勝利のチャンスを迎えているのだ。

この展望こそが、体制全体を、それに対するトランプの擬似オルタナティヴもひっくるめて、パニックに陥れる。主流派のエコノミストは、サンダースが勝った場合アメリカの経済は崩壊すると予測する。主流派の政治アナリストは、全体主義的な国家社会主義の誕生を恐れる。穏健左派リベラルは、民主社会主義者の目標には共感を示しつつも、残念ながら彼らは現実に触れていないと警告する。そしてこの人たちがパニックに陥るのは正しいのだ。まったく新しい何かが、アメリカに出現しつつあるのだから。

民主党左派のひじょうに新鮮なところは、ポリティカル・コレクトネスや過剰なMeTooの淀んだ水域と手を切っていることである。反レイシズムやフェミニズムの戦いをしっかり支持しつつも、国民皆医療保険や環境危機などの社会問題に焦点を当てているのである。民主党の左派はアメリカを新たなベネズエラにしようと目論む狂った社会主義者などではなく、ただアメリカに古き良き真正なヨーロッパ型社会民主主義の風味を加えようとしているのだ。一目政策を見れば、彼らがヴィリー・ブラントやオロフ・パルメと同様、西洋の自由の脅威となるわけでないことは明らかだ。

しかしさらに重要なことは、これが急進化した若い世代の声にとどまらないということだ。はやくから目立っている顔触れ――四人の若い女性と一人の年老いた白人男性――が、これまでとは違う物語を語っている。そう、彼らがはっきり示しているのは、アメリカの若い世代の大多数が左右どちらの体制派にもうんざりしており、いまわれわれが直面している問題をわたしたちの知る資本主義が解決できるということには懐疑的であり、「社会主義」という語が彼らにはもはやタブーでないということである。しかし本当の奇跡は、若い世代がサンダースのような「年老いた白人男性」と、つまりふつうは共和党や、場合によってはトランプに投票するはずの年長世代の一般労働者を代表する議員たちと、力を合わせていることである。ここで起こっているのは、文化戦争やアイデンティティ・ポリティクスの支持者全員が不可能だと考えていたことだ。反レイシスト、フェミニスト、環境保護論者が、一般労働者の「保守的多数派《モラル・マジョリティ》」の人々と力を合わせているのだ。この用語がもし肯定的な意味を持つことがあるとすれば、オルタナ右翼でなくバーニー・サンダースこそが、モラル・マジョリティの真の声である。

だから、最終的に民主社会主義者が勝つとトランプの再選が確実になるなどということはない。実際に討論会の場からトランプにメッセージを配達しているのは、ヒッケンルーパーや他の穏健派たちである。彼らのメッセージはこうだ。われわれはあなたにとって敵かもしれないが、わたしたちはみんなバーニー・サンダースの敗北を望んでいる。だから心配しないでくれ、もしバーニーや誰か似たような人物が民主党候補になったら、われわれはその候補者を応援しない——心の内ではあなたに勝って欲しいと思っているんだ……

12 「天下大乱し、天下大治に至る」

大統領に就任してすぐ、ドナルド・トランプは三つの場所を訪れた。ブリュッセルでヨーロッパの首脳と会い、ロンドンで当時の首相テレサ・メイ（および女王）と会い、ヘルシンキでウラジーミル・プーチンと会った。トランプが友人よりもアメリカの敵（だと思われている相手）に対しての方がはるかに友好的だという奇妙な事実に、誰もが気がついた――しかしそうしたことにあまり驚きすぎてはいけない。注意を別の方向に向けるべきである。トランプに関してはしばしばそうなのだが、彼が実際に何をしたり言ったりしたかよりも、彼のしたことに対してどのような反応が生じたかの方が重要なのだ。

まずはトランプが言ったことを、彼のパートナーたちが言ったことと比較してみよう。トランプとメイがあるジャーナリストにヨーロッパへの移民流入をどう思うかと尋ねられて、トランプは冷酷かつ正直にポピュリズム的な反移民の立場を繰り返した。移民はヨーロッパの生活様式に対する脅威であり、われわれの国の安全をおびやかしており、暴力と不寛容をもたらしている、だから受け入れるべきではない。注意深く聞いていれば、テレサ・メイもまったく同じことを、ただそつのない「文明化された」言い方で、答えたことにすぐ気がつくはずだ。移民は多様性をもたらし、わたしたちの福祉に貢献する。だが誰を受け入れるかは注意深く検討する必要がある、と。ここからはっきりわかるのは、いよいよ二択に絞られつつあるわたしたちに許された選択肢の内実である。隠し立てしないポピュリズムの野蛮さか、同じ政治のより文明化されたかたち――人間の顔をした野蛮さか。

全体として世界のトランプに対する反応は、アメリカ国内の共和党と民主党の反応も含め、ほとんど純粋かつ単純なパニックといってよい動揺と畏怖であった。トランプは信用ならない、あいつは混乱をもたらす、と。まずトランプはドイツに対し、ロシアのガスに依存することで敵に対して脆弱になっていると非難し、その数日後に、プーチンと良好な関係を築いていると自慢した。彼は礼儀もなっていない（おぞましいことに、女王陛下と面会したとき、国王の前でのふるまいの礼儀作法を破ったのだ！）。討論会の相手である民主党員の話は聞いていない。他方アメリカの巨大な敵であるプーチンの魅力にはだいぶ当てられている。ヘルシンキで行われたプーチンとの記者会見では前代未聞の痴態をさらしただけでなく（考えてみてほしい――トランプはプーチンの主人らしくふるまわなかったのだ）、彼の発言のなかにはあからさまな裏切り行為だと思えるようなものまであった。トランプはプーチンの操り人形だ、なぜならプーチンはトランプの弱みを握っているに違いないから、という噂が再浮上し（モスクワでトランプに小便をかける売春婦の有名な写真のことだろうか？）、民主党と一部の共和党員を含むアメリカの体制主流派には、直ちに弾劾を考え始めた勢力もあった。その結果ペンスを代わりに据えることになるとしてもである。要するに、アメリカの大統領はもはや自由な世界の指導者ではないのだ。しかしそもそもアメリカ大統領がそうした指導者であったことは本当にあるのだろうか。ここからわれわれの反撃を始めるべきだ。

最初に確認しておきたいのは、全体的に混沌としたトランプの発言のなかにも、一定の真実がところどころに認められるということだ。ロシアや中国とよい関係を築いて戦争を防ぐことはわれわれの利益になるとトランプが言うとき、ある意味でそれは正しいのではないだろうか。関税戦争はアメリカ労働者の利益保護になるというのは、部分的には正しいのではないだろうか。実際のところ、現行の国際貿易と金融の秩序はまったく公正とはいえず、トランプの措置によって損害を被ったヨーロッパの体制は、自分たち自身の罪に目を向けるべきでもある。強力なヨーロッパの国家、特にドイツを優遇する現行の金融と貿易の制度がギリシャをいかにして壊滅させたか、わたしたちはもう忘れてしまったのか。

プーチンに関していえば、批判の大半は事実だろうと思う――例えばアメリカの選挙への干渉。おそらくそうなのだろう、プーチンはやっていたところを見つかったのだ……何を？　アメリカも恒常的に巨大なスケールでやっていることを。ただしアメリカの場合は民主主義を守るためだということらしいが。確かにトランプはモンスターだ。そしてわたしは「ブレない天才だ」という彼の発言は、真実を反転させたものだと捉えるべきである――トランプは体制を揺るがすブレまくりの愚か者なのだ。しかしそのような存在として、彼は症候であり、体制そのものの不調の結果なのである。真のモンスターは、トランプの行動によって打撃を受けた体制そのものなのだ。

トランプの直近の行動に対するパニックに満ちた反応は、彼がアメリカの政治体制とそのイデオロギーを掘り崩し動揺させていることを示している。だからわたしたちはこう結論づけるべきだ。いいだろう、状況は危機的であり、国際関係は不確定で、混沌とした要素も多い——しかしここでこそ毛沢東の昔の標語を思い出すべきだ。「天下大乱し、天下大治に至る」。怖気づくことなく、この混乱を利用して左派の側から新たな反体制戦線を組織しよう。明確な前兆がある。民主社会主義者と公言して憚らないアレクサンドリア・オカシオ゠コルテスが、ニューヨークの連邦議会選挙予備選で十期目の現職ジョー・クラウリーに対して驚くべき勝利を収めたことは、運が良ければ民主党を変えていく衝撃の第一弾だったということになるかもしれない。リベラル主流派のよく知られた面々ではなく彼女のような人物が、トランプに対する回答となるべきなのだ。

体制があらゆる口実を使ってこの脅威に激しく反発しているのも当然だ。バーニー・サンダースが大統領選への立候補を表明したあと、彼に対する攻撃が即座にあらゆる方面から湧き起こった。トランプによる「気違い」呼ばわりや、保守系コメンテーターのいつもの一団による「サンダースが大統領でいいの？　いまのベネズエラを見てごらんよ！」というモチーフの無数の変奏だけでなく、対立する民主党内の穏健派からも攻撃がやってきたのである。こうした最近の攻撃を読んでみると、即座に既視感《デジャ・ヴュ》に襲われる——この状況は前にも経験したことがある、民主党予備選でサンダースとクリントンが争っていた頃に。

サンダースに対するクリントンのキャンペーンがもっとも低劣になったのは、まず間違いなくマデレーン・オルブライトが以下の言葉を口にしたときだ。「地獄にはお互い助け合わなかった女専用の場所があるのよ！」（クリントンでなくサンダースに投票する人なんているものか、という意味だ）。この発言は修正した方がいいだろう。地獄には、五十万人の子供の命など軍事介入で一国を破壊する経費としては手頃なものだと（オルブライトが一九九六年にイラク空爆を支持して述べたように）考えながら、同時に心から自国の女性やゲイの権利を擁護する女（と男）専用の場所がある。このオルブライトの発言は、トランプの陳腐なセクシズム的言動のどれと比べても限りなく卑猥でいやらしいものではないか。

わたしたちはまだそこまでは行っていないが、ゆっくりと近づいている。サンダースがアイデンティティ・ポリティクスを否定しているというリベラル側の攻撃が復活し、実際には彼が階級、人種、ジェンダー間のつながりを強調するという真逆のことをしていることは無視されている。アイデンティティそれ自体は投票先を決める根拠にならないというサンダースの考えは、無条件に肯定されるべきだ。「わたしは女です、だからわたしに投票してください、と言うのでは不十分です。必要なのは、ウォール・ストリートや、保険会社や、製薬会社や、化石燃料産業に立ち向かう勇気を持った女性なのです」。案の定、この発言によってサンダースは「階級還元論」を奉じる白人の男性優位主義者として批判された。そのうちこれが有害な男性性の表れとして非難されるようなことがあってもおかしくない。

あからさまな嘘（若きサンダースが公民権運動でマーティン・ルーサー・キングと共闘しなかったという、すでに誤りだと証明されている主張など）は考慮に入れないことにすると、ウォレンをサンダースよりも上とみなす人たちの戦略はいたってシンプルである。まず、二人の経済政策の差は限りなく小さく、無視してよいと主張する。（ここではこう付け足したいところだ。よかろう、その差は限りなく小さいのだろう。サンダースは民主社会主義者だと自称し、ウォレンは骨の髄まで資本主義者だと言い張っているわけだから。ウォレンが自分のことをそういう風に言うのは、ビル・ゲイツやイーロン・マスク、マーク・ザッカーバーグといったトップ企業の経営者でさえ、資本主義は少なくとも今のままの形では存続しないだろうと語っているだけに、悲しいことだ。）次に批判者はこう言う。サンダースが経済的な不正義の話しかしないのとは対照的に、ウォレンはジェンダーや人種に関する不正義も問題にする。だから彼女がサンダースに勝ることは明らかだ。ウォレンだけが、トランプに対抗する広範囲の進歩派戦線を団結させられる。しまいにサンダースの批判者は、選挙における一種のアファーマティヴ・アクションを持ち出す。サンダースは男だが、ウォレンは女なので……二つの鍵となる事実がここでは隠れてしまっている。サンダースの民主社会主義はウォレンのそれよりはるかに革新的であり、ウォレンの場合は民主党主流派の枠をまったく出ていない。加えて、サンダースが人種やジェンダーの闘争を無視しているというのは単純に事実に反する——ただそれと経済闘争とが結びつくことを明らかにしているだけだ。

ウォレンは彼女の支持者が言うような、民主党中道派と民主社会主義者のあいだの第三の道、人種・ジェンダーのアイデンティティ・ポリティクスと経済的公正を求める闘いの最良の部分を統合した存在なのではない。そうではなくて、多少人間味の増した顔をしたヒラリー・クリントンにすぎないのだ。ウォレンを擁護する人でさえ、ネイティヴ・アメリカンにルーツを持つという彼女の主張は誤りだったと認めている——しかしそれは本当にただの悪気のない勘違いだったのだろうか。チェロキー・ネイション長官であるチャック・ホスキン・ジュニアは、ウォレンにはネイティヴ・アメリカンの血が六十四分の一から千二十四分の一混じっているという検査結果についてこう述べた。「DNA検査は部族の成員資格を確認するのには役立たない。現在のDNA検査では、ある人の祖先が北米出身か南米出身かの区別さえつかない」。ホスキンは正しい。そしてここに付け加えるべきは、人々に受けのいいルーツを証明するためにある民族の血がいくらか混ざっていると証明するなどということは、実際の人種差別との戦いにはなんの関係もないということだ。しかし大事な点は、ウォレンが（「進歩的な」目的のために）採用した方法は、ナチがユダヤの血を引いていると疑われた者の人種を特定するために使った方法と同じだということである。

今日の市場には、有害な性質を取り除いたあれこれの商品が並んでいる。カフェイン抜きコーヒー、脂質抜きクリーム、アルコール抜きビール……そしてこのリストはまだまだ続く。ヴァーチャル・セックスという、セックス抜きセックスはどうだろう。現代政治――専門家による統治の技術――という、政治抜き政治はどうか。サンダースを攻撃する「左派」の民主党員も似たようなものではないか――社会主義抜き社会主義、体制への脅威となる特徴を取り除いた社会主義である。

サンダースに対する偽フェミニズム批判よりも間違いなく問題なのは、幾人かの偽革新左派が、サンダースは本当の社会革命（生産手段の社会主義化など）を目指しているのではなく、穏便にシステムを改変し効率化したいだけの社会民主主義者だと主張していることだ。こういう「革新主義」が特におぞましい理由は、そう言っている本人が、そうした「革新的」な立場には人を動かす可能性がなく、ただ体制に奉仕するだけなのをよく認識していることだ。社会主義の名の下に人を動かしている唯一の大衆運動に参加しないよう、人々に呼びかけているわけだから。もちろんサンダースの政策は、半世紀前のヨーロッパの典型的な社会民主主義の政策と比べると特段ラディカルなわけではない。しかし、半世紀前には社会民主主義の標準だった政策を掲げることが今日では全体主義的だと非難されるという事実それ自体が、ここ数十年の資本主義イデオロギーの勝利について多くを物語っている。この事実が示しているのは、古典的な社会民主主義の要求でさえ今日のシステムには脅威となるということであり、だとすればわたしたちはそこから始めるべきなのだ。その実現の過程で、より一層革新的な政策が現れてくることを十分気にかけながら。

元の話に戻れば、こういうわけで、ポリティカル・コレクトネス的な転回に批判的な人たちへのメッセージは明確だ。サンダースに投票せよ！

13 「現実的であれ、不可能を要求せよ！」

フランスで「イエロー・ベスト」（*gilets jaunes*）による抗議活動が何ヶ月も続いている。草の根運動として始まったこの活動は、ガソリンおよびディーゼル油に課された新たな環境税に対する不満が広まったことに端を発する。この新税は、公共交通機関がない大都市圏の外で生活し働く人にとってきわめて大きな打撃になると見られている。より最近になって、この運動はさらに「フレグジット」（フランスのＥＵ離脱）、減税、年金増額、一般フランス人の購買力の改善といった一群の要求を追加した。この運動は左派ポピュリズムの、さまざまな矛盾をともなった人々の怒りの噴出の、典型的な事例である。減税せよという要求と、教育や医療にもっと金を出せという要求。ガソリンの値下げと、環境保護の活動。新しいガソリン税は明らかに言い訳であり、もっといえば口実だった——抗議活動が「本当に問題にしている」ことではなかった——のだが、大切なのは、事の始まりが地球温暖化を抑えるための措置だったことである。トランプが熱心にイエロー・ベストを支持したのも不思議ではない（彼は抗議者の中に「われわれにはトランプが必要だ！」と叫んだ者がいたという主張までしている）。抗議者の要求には、フランスがパリ合意から撤退することが含まれていたからだ。ホテルの部屋で、ドアに「掃除をお願いします」か「起こさないでください」のどちらかの札をかけることができる。この札を見るとわたしはいつも、「部屋を掃除して、起こさないでください」という札を空想する。イエロー・ベストの要求はこれと似た矛盾した要求の組み合わせではないだろうか。「燃料をもっと安くして、環境を守ってください！」。

イエロー・ベストの抗議活動は、今日の世界的な状況の特徴である奇妙な反転を体現している。「一般人」と金融資本家エリートの旧来の対立が激しくなって回帰してきて、「一般人」の苦しみや要求に気づかないエリートを非難する抗議活動が爆発している。しかし新しいのは、右派ポピュリストの方が左派よりはるかに巧みに、この爆発を自分たちの方向へと誘導できることがわかったことだ。だからアラン・バディウがイエロー・ベストについて言ったことは完全に正しかった。「動乱をもたらすのがかならず赤なわけではない」。今日の右派ポピュリズムは、左派の専売特許だった庶民の抗議活動の長い伝統に加わっている。そう、動乱をもたらすのがかならず赤なわけではない。しかし「動乱をもたら」したのが右派ポピュリズムであろうとも、左派は現行のイデオロギー的ヘゲモニーの殿堂に開いた裂け目を躊躇いなく活用し、自らの大義を推し進めることを学ぶべきだ。

イエロー・ベスト運動は、（ビジネスや金融のエリートよりも）政治エリートを標的にする大規模抗議行動というフランス左翼特有の伝統にぴったりあてはまる。しかし一九六八年の抗議運動とは対照的に、イエロー・ベストは「奥底のフランス（*la France profonde*）」発の運動、大都市圏に対する反抗という性格が強く、その左翼的性格は大分ぼやけることになった（マリーヌ・ル・ペンとジャン＝リュック・メランションがともにこの抗議運動を支持した）。案の定、評論家たちはル・ペンと新左翼どちらの政治勢力がこの運動のエネルギーを吸収するかという問いを立てており、純粋主義者は、既成の政治から距離を置きあくまで「純粋」な抗議運動であるよう求めている。ここではっきりさせておこう。要求と不満の表明が様々な形で噴出しているが、あきらかに抗議者は本当のところ自分たちが何を望んでいるのかわかっていない。こうなってほしいという社会のヴィジョンは持ち合わせておらず、いまのシステムでは叶えることの不可能な要求を混ぜ合わせているに過ぎないのだが、しかしその要求を現行のシステムに向けている。この特徴は決定的に重要だ。彼らの要求は、現行のシステムに原因がある利害関心を表明するものなのである。

忘れてはいけないのだが、この要求が向けられている（政治）システムは、いま最良の状態にあるということだ。そのシステムの最良の状態とは、フランスの場合、エマニュエル・マクロンのことである。抗議活動はマクロンという夢の終焉のしるしとなった。マクロンが、右派ポピュリズムの脅威を打ち負かすだけでなく、進歩的なヨーロッパのアイデンティティのこれまでと違うヴィジョンを打ち出すはずだという新たな希望を与えてくれたときの熱狂を思い出そう。おかげでハーバマスとスローターダイクほど対立する哲学者がともに彼を支持したのだった。左派のあらゆるマクロン批判、彼の政策の致命的な限界に関するあらゆる警告は、「客観的にみれば」マリーヌ・ル・ペンを支持していることになるといって却下されたことを思い出そう。今日フランスで進行中の抗議活動において、わたしたちは残酷にもマクロン支持の熱狂の悲しい真実を突きつけられている。十二月十日、マクロンがテレビで抗議者たちに語りかけた演説は、半分妥協、半分謝罪のみじめな演技で、誰も納得させず、ヴィジョンのなさが際立っていた。マクロンは既存のシステムでは最良なのかもしれないが、彼の政策は良識的なテクノクラシーによるリベラル民主主義の枠組みを出ていない。

便秘に苦しむすべての人が知っているように、坐薬とは排便を円滑にするため直腸に挿入する円錐型の固形外用薬である。高貴で哲学的に聞こえるこうした語彙がむしろ不快な作業に用いられるのを、わたしはつねづね変だと思っていた。これは一般人を痛めつける残酷な措置を「安定化」とか「規制」とか呼ぶときの多くの経済専門家の喋り方と同じではないだろうか。マクロンはこの専門家の枠組みを出ておらず、だからこそ抗議活動への彼の応答が大騒動を引き起こしたのだ。

したがってわたしたちはこの抗議活動に、条件付きで「イエス」というべきだ――条件付きなのは、左派ポピュリズムがいまのシステムに代わる実現可能なオルタナティヴをもたらすことがないのは明らかだからである。試しに抗議側が勝って、政権をとり、既存のシステムの枠内で（ギリシャでシリザがしたように）行動すると想像してみよう。そしたら何が起きただろうか。おそらく何らかの経済破綻だ。これは別の社会経済システムが、抗議側の要求を満たすことができるシステムが必要だという単純な話ではない。ラディカルな変革のプロセスは、あらたな要求や期待を生みだしもする。燃料のコストについていえば、本当に必要なのはただ安いだけの燃料ではないと言うべきだ。本当の目標は、環境保護のために石油への依存を減らすことであり、輸送の手段だけでなく生活様式全体を変えることなのである。同じことは減税と医療及び教育の改善の組みあわせにも言える。枠組み全体が変わらなければならないのだ。

同じことはわたしたちの倫理－政治上の大問題についても言える。移民の流入をどうするかということだ。解決のためには、入国を望むすべての人に国境を開き、この開放の根拠を一般化した罪意識に置くのではだめだ（「植民地化はわれわれが犯した最大の犯罪なので、永遠に償います」）。このレベルにとどまるなら、移民と（移民に脅かされている感じている）地元の労働者階級との対立を煽り自分たちのモラル的な優位性を確保する権力者の利益に、完璧に奉仕することになってしまう。（この路線で考えだした途端、政治的に正しい左派はすぐ「ファシズム」と絶叫する——アンジェラ・ネイゲルの傑出した評論「国境開放に対する左派の反論」に対する激しい批判を見よ。[5]）ここでもまた国境開放派とポピュリズム反移民論者との「矛盾」は偽りの「副次的矛盾」であり、その究極の機能はシステムそのものを変える必要性をうやむやにすることである。その現行の形態が難民を生み出した当の国際的な経済システム全体を。[6]

一般化された罪意識というスタンスは、超自我のパラドクスの臨床的にみてそのものずばりの実例なのだが、それは原理主義者の移民が左派リベラルの罪意識にたいしてどう反応しているかを見ればわかる。ヨーロッパの左派リベラルが難民を生みだした状況への責任を認めれば認めるほど、あらゆる壁を廃し移民に門戸を開くべきだと主張すればするほど、彼らは原理主義者の移民から軽蔑されるのである。感謝はされない——与えれば与えるほど、まだ十分にはもらっていないと非難される。もっとも非難されているのが、露骨に反移民的な態度を示している国（ハンガリー、ポーランドなど）ではなく、もっとも国境を開いている国であることは重要だ。スウェーデンは本当は移民を迎え入れたくないと思っているのだと批判され、ちょっとしたことがいちいち偽善の証拠だとして取り上げられる（「いいかい、あいつらはまだ学校給食で豚を出してるんだよ！　まだ少女にあんな挑発的な服装を許してるんだよ！　法体系にまだイスラム法の要素を組み込もうとしないんだよ！」）。他方で釣り合いを求めると（といってもキリスト教徒が少数派のイスラム圏の国のどこに、新設の教会が建てられているというのか）それはそれでヨーロッパの文化帝国主義だとして断固拒否されてしまう。十字軍はつねに話題にされるが、ムスリムがヨーロッパの大部分を占領したことは大したことではないという扱いである。前提となっているのは、（植民地化という）いわば根源的な罪がヨーロッパという存在自体に刻み込まれており、この罪は他とは比較にならない罪であって、他者への負債は永遠に返済しきれないという考え方だ。しかしこの前提の裏には、これとは逆の、蔑みの態度を容易に見てとることができる――あいつらは罪と責任があるといってわれわれを憎み、それがわれわれの弱み、自尊心と自信の欠落の証だと思っていやがる。何より皮肉なのは、そうした攻撃的な態度をムスリムの「活力」とみなし、ヨーロッパの「消尽」と対比するヨーロッパ人がいることだ――そしてまたしてもこれを、外国人の血を入れて自分たちに活力を取り戻す必要があるという議論に転換するのである。ヨーロッパのわたしたちが他所の人々の尊敬を取り戻すには、制限を設けたうえで、罪意識を抱える弱者の立場からではなく強者の立場から他者を十分に助けるしかないのだが。

この強さとはどういう意味なのだろうか。(7)まさにこの強さをアンゲラ・メルケルが示したのは、彼女が難民に対してドイツに来るよう呼びかけたときだった。この呼びかけは、ドイツならそれができる、ドイツは難民を受け入れかつそのアイデンティティを保つことができるほど強いという信念を示した。反移民愛国主義者は自国の強力な守護者のふりをするが、彼らの立ち位置こそパニックや弱さをさらけ出している――二百人ほどの新たな移民をドイツのアイデンティティに対する脅威とみなす彼らが、いかにドイツ国家を信頼していないかを。狂っているように聞こえるかもしれないが、メルケルは強いドイツの愛国主義者としてふるまったのであり、反移民主義者はといえば惨めな弱虫であった。

いわゆるアラブの春でエジプトに起こったことはわれわれの時代の一種の症候であり、事態がどのようにおかしくなるかを定式化している。大衆による反乱が嫌われた独裁者を打倒し民主主義をもたらしたが、その後行われた自由選挙ではムスリム同胞団（抗議活動を組織した人々ではなく、受身の傍観者だった人たち）が政権をとった。軍隊はまもなく同胞団に対するクーデターを企て、抗議者たちから一定の支持を受けた。こうして円環は閉じられたのである。このような反転の原因は、反乱を組織した啓蒙派の中産階級のマイノリティと、選挙で存在感をあらわした原理主義者のマジョリティとの隔たりにある――これは一般の人々の頭にはさほど深い知恵がないことを示している。（毛沢東からポデモスのポピュリストにまで通じる）こうした考えに関して恐れず認めるべきなのは、マジョリティの一般人は信用できず、彼らから学ぶべき特権的で真正な知など何もないということだ――それは人々が愚かだからではなく、ラカンが言うように、彼らには知への渇望（フロイトのいう知の欲動）がなく、ただ知りたくないという欲望があるだけだからである。知は幸福や権力をもたらさない。知は傷つけるのだ。

だとしたらわたしたちは大きな変化を辛抱強く待つべきだということになるのだろうか。いや、見た目は穏やかだが、地中に辛抱強く穴を掘るモグラのように既存のシステムの土台を切り崩す方策を使えば、今すぐ始めることができる。金融システム全体を改革し、信用貸しや投資のルールを変えていくのはどうだろう。難民の出所である発展のもっとも遅れた国の搾取を防ぐ新たな規制を設けるのはどうだろうか。

一九六八年のスローガン「現実的であれ、不可能を要求せよ！」はいまだに十分に価値がある——必要な修正に注意しさえすれば。まず、既存のシステムにそれが満たすことのできない要求をぶつけるという意味での「不可能を要求する」がある。国境解放、医療改善、賃金上昇といった要求だ。今日のわたしたちはこの段階におり、主人（テクノクラートの専門家）をヒステリーによって挑発している最中である。この挑発には、鍵を握るつぎの一歩が続かなければならない。システムに不可能を求めるのではなく、システムそのものの「不可能な」変化を要求するのである。そうした変化は「不可能」に（現行のシステムの枠組みでは考えられないように）見えるが、環境と社会の困難な状況が明らかに必要としているものであり、それが唯一の現実的な解なのである。

ここではっきりさせておこう。この鍵となる一歩を踏み出すために、ヒステリー症者から〈主人〉への移行が生じなければならない。新たな〈主人〉が必要なのだ。ここでわたしたちは、フランスの抗議活動家において賞賛されている「指導者不在」という特徴、そのカオス的な自己組織化の致命的な限界に直面する。指導者が人民の話に耳を傾け、人民が何を望むか、その利害を政策として揃えるだけでは不十分なのだ。老ヘンリー・フォードが、流れ作業で製造した車を売るとき、人々の希望に沿っていたわけではないと述べたのは正しかった。彼が簡潔に述べた通り、人々に何が欲しいかと尋ねたら、「もっと上手に力強く馬車を引く馬」と答えただろう。この洞察はスティーヴ・ジョブズの悪名高いモットー「多くの場合、実際に見せられるまで人は自分が何を望んでいるか分からない」とも響き合う。ジョブズの活動に対しては人によって様々な批判があるだろうが、彼は自らのモットーの理解の仕方において、真の〈主人〉に近い位置にいた。顧客がアップルに何を望んでいるか、どの程度調査が進んでいますかと尋ねられた際、彼はぴしゃりとこう言い返している。「ゼロだ。何が欲しいかを知るのは客の仕事じゃない……われわれが欲しいものは何なのかをわれわれが明らかにするんだ」。この論法の驚くべき反転に注意しよう。客は自分が何を欲しているか分かっているという考えを否定したあと、ジョブズは続けてありがちで直接的な反転、「客が何を欲しがっているのかを明らかにし、市場でそれを「客に見せる」のがわたしたちの仕事（創造的資本家の仕事）です」とは言わない。そうではなく、「われわれが欲しいものは何なのかをわれわれが明らかにするんだ」と続ける――こうして真の〈主人〉は機能するわけだ。人々が何を欲しているかを推測するのではなく、ただ自分の欲望にしたがい、ついてくるかどうかを決めるのは人次第なのである。別の言い方をすれば、〈主人〉の力はみずからのヴィジョンへの忠実さから、それを曲げてしまわないことからきているのだ。

そして同じことが、今日求められている政治指導者にも言える。三銃士の有名なモットー「皆は一人のために、一人は皆のために」は、根本的に異なる二通りの解釈が可能である。一つの単純な読み方はこうだ。一人ひとりが全体に奉仕すべきであり（何か問題があれば必ず、みなが役割を果たして手助けすべきであり）、そうすれば取り残される人が出るようなことはなくなる（一人に問題が生じたら、これは共同体全体の問題であるべきだ――単純に言えば、わたしたち全体はわたしたち一人ひとりを頼りにしているのであり、わたしたち一人ひとりもわたしたち全体を頼ることができる）。しかしはるかに不吉な解釈もある。すべての個人が同じレベルにいるわけではない。例外的な立ち位置の人――〈指導者〉――が一人いて全体を代表し、皆のため、すべての人の共通善のために働くこの人物のために、皆が働くべきである。仕掛けはもちろん、二つの「皆」が実際には一致しないことである。一つ目の「皆」（「皆が一人のために」）が指導者のために働くよう求められている個人の集積であるのに対し、二つめの「皆」（「一人は皆のために」）は神話的＝イデオロギー的な「皆」（「人々の本当の利益」）、〈指導者〉というひとりの人物に体現され（かつ規定され）ている「皆」であり、この指導者はわたしたち一般人の本当の利益は何なのかを、わたしたちよりもよく知っているのである。ここで鍵となるのは、最初の解釈は政治的な現実において実際には機能しないということだ。それは「皆」が例外的な「一」に体現される二つ目の解釈に戻らざるをえない。

フランスの抗議活動家はより良質な（もっと力がありもっと安い）馬を望んでいる――今回のケースでは、皮肉なことに、いまより安い車の燃料を。この人たちには、車がつくられると馬の餌の値段が問題にならなくなるのと同じように、燃料の価格がもはや問題にならない社会のヴィジョンが与えられるべきなのだ。想定される反論は、イエロー・ベスト抗議活動の「カオス的」

で指導者も中心もないという特性は彼らの強みだというものだ。要求を国家権力に差し向け、それによって自らを対話の相手として差し出す明確な行為主体ではなく、そこにあるのは多形的な大衆からの圧力である。パニックのなかで彼らに権力がもたらされるのは、この圧力が明確な敵対者として位置づけられず、アントニオ・ネグリのいうマルチチュードの一例にとどまるからだ。もしそうした圧力が具体的な要求において表現されるとしても、その要求は抗議活動の本質ではない。しかし、どこかでヒステリーの要求は政治的プログラムに書き換えられる必要があり（さもなくば消えてしまう）、おそらくわたしたちは抗議者たちの要求を、自由民主資本主義秩序そのものへの不満、要求が議会代表制のプロセスを通じてしか叶えられない状況へのより深い不満の表明だと解釈すべきなのだ。言い方を変えれば、この抗議活動には、これまでとは違う経済的政治的組織化の論理を求めるより深い要求が含まれており、このより深い要求を実行に移すために、新しい指導者が必要なのだ。

14　カタルーニャとヨーロッパの終焉

　政治的御都合主義のわかりやすいしるしとして、素粒子物理学にならって政治的相関主義と呼べそうなものがある。わたしとわたしの敵が手にボールを持っていると想像してみよう。ボールは白か黒かで、お互いにその色を知らない（握った手のなかを見ることも許されていない）。ここでは四つの可能性がある。白ー白、黒ー黒、黒ー白、白ー黒。さて、どういうわけか両者とも二つのボール（片方はわたしの手に、もう片方は敵の手に握られている）の色が逆であると知っているとしよう。この場合、可能性は二つしかなく（黒ー白、白ー黒）、もし運よく敵の手にあるボールの色が分かれば、自動的にわたしのボールの色もわかる――二つは相関しているのだ。（これは分裂した素粒子のスピンが相関しつづける場合に生じる――片方の素粒子のスピンを測定すれば、自動的にもう片方のスピンもわかるわけだ。）似たようなことが（大抵は左派の）政治でもしばしば生じる（生じてきた）。ある政治闘争においてどちらの立場をとるべきかはっきりしないとき、敵の立場がわかると、自動的に自分たちは逆の立場をとろうということになる。レーニンがこの態度に手厳しい批判を行ったことを付け加えてもいいだろう（皮肉なことに、彼の標的はローザ・ルクセンブルクだった）。文化冷戦においても同じことだ。一九四〇年代後半、西側の文化が普遍主義的コスモポリタニズムを（ユダヤ人の影響のもとで）推し進めていると思われていたとき、ソヴィエト派の共産主義者（ソヴィエト連邦からフランスまで）は愛国に転じ、自分たちの文化的伝統を持ち上げ、帝国主義はこれを破壊していると批判したのだった。

似たようなことがカタルーニャの国民投票に対する反応でも生じていたのではないだろうか。プーチンがどれほどソ連崩壊を大惨事だったと述べていたかを思い出そう――なのに今ではカタルーニャの独立を支持している。同じことは、ユーゴスラヴィアの解体はドイツとバチカンの悪質な陰謀の結果だと反発していたヨーロッパのすべての左翼にも言える――それなのに今では（スコットランドに関してもそうだが）分離でオーケーというわけだ。さらには西側の中道リベラルも似たり寄ったりである。ロシアの地政学的な力をおびやかす分離独立運動は何でも支持するという構えだったのに、いまではスペインの統一が脅かされていると警告を発している（もちろんカタルーニャ有権者への警察の暴力を偽善的に嘆きながらではあるが）。わたしの祖国スロヴェニアで、この混乱は頂点に達した。古い左翼の多くが最後までスロヴェニアの独立に反対で、より開放的になった新たなユーゴスラヴィアを求めていたのだが、カタルーニャのためには請願もデモも行っていない。対してナショナリストの右翼はかつてスロヴェニアの完全独立を求めて戦ったのだが、いまでは控えめにスペイン統合を支持している（保守派の同胞マリアーノ・ラホイがスペイン首相だからだ）。われわれが言えるのはこれだけだ。ヨーロッパの体制よ、恥を知れ――あからさまに主権を持てる者と持てない者がいて、それが地政学上の利害関係次第だとは。

カタルーニャの独立に反対する主張にはしかし、一つ理にかなったものがある。プーチンがカタルーニャ独立を支持するのは、どう見ても欧州統合の解体に向けて動くことでロシアを強化する戦略の一環なのではないか。ならば強い統合ヨーロッパの支持者は、スペイン統一を支持すべきではないのか、というわけだ。ここでは思い切って、議論をひっくり返してみるべきだ。スペイン統一を支持することはまた、ヨーロッパ統合に対して国民国家の力を謳う現在進行中の闘争の一環でもある。（カタルーニャや、おそらくはスコットランドなどの）新たな地域主権を受け入れるために必要なのは、したがって単純に、より強力な欧州連合である。国民国家は、地域の自治権と統合ヨーロッパとの仲介役としての、より控えめな役割に慣れる必要がある。そうすることでヨーロッパは自分たちの弱体化をまねく国家間の衝突を避け、はるかに強力な国際的行為主体として、ほかの巨大な地政学的ブロックと対等に渡り合うことができるようになる。

EUがカタルーニャの国民投票に対して明確な態度をとれなかったことは一連の失態の直近のものにすぎず、最大の失態は中東や北アフリカからヨーロッパに流れ込んでくる難民に対して一貫した政策がまるでとれなかったことだった。難民の流入に対する支離滅裂な対応では、（経済的）移民と難民との基本的な差を考慮に入れることもできなかった。移民はヨーロッパに仕事を探しにきて、先進ヨーロッパ諸国での労働力需要を満たそうとするが、難民はそもそも働きにくるわけではなく、ただ生存のための安全な場所を探しにくる――たどりついた新たな国が気に入らないこともしばしばである。カレーに集まっていた難民がこの典型だ。彼らはフランスに滞在したいわけではなく、イギリスまで行きたかったのだ。同じことは難民の受け入れにもっとも抵抗している国にも当てはまる（新「悪の枢軸」ことクロアチア／スロヴェニア／ハンガリー／チェコ共和国／ポーランド／バルト三国）――このような国は、決して難民が身を落ち着けたい場所ではない。しかし恐らくこの混乱のもっとも馬鹿げた帰結は、難民に対してある程度まともにふるまった唯一の国であるドイツが多くの批判の的になっていることだ。ドイツは右派のヨーロッパ防衛論者だけでなく、典型的な超自我の発作を起こした左派にも標的にされた。彼らは並びのなかで最良のものに狙いを定め、まだ足りないといって批判したのである。

カタルーニャ危機で一番心配なのは、このようにヨーロッパが明確な立場をとれないことだ。分離主義や難民に関して加盟国がおのおの独自の政策をとることを許すにせよ、足並みをそろえた決定を採用したがらない国に対して効果的な措置をとるにせよ。なぜこのことがそんなに重要なのか。ヨーロッパは必要最小限の統一体として機能し、個々の国家を支え、国家間の対立には枠組み、セーフティネットを提供するとされている。強力な行為主体がどんどん単独国家でなくなっていく今まさに出現しつつある〈新世界秩序〉のなかで、そうしたヨーロッパだけが有力な行為主体であることができる。EUを弱体化させたり、その解体を引き起こしたりすれば、明らかにアメリカやロシアを利することになる。そうした解体は権力の真空を生み出し、その真空はヨーロッパの単独国家と、ロシアかアメリカかどちらかとの、新たな同盟によって埋められることになるだろう。ヨーロッパの誰がそんなものを見たいというのか。

15　擁護する価値があるのはヨーロッパのどの理念か

二〇一九年一月、三十人の作家、歴史家、ノーベル賞受賞者――ベルナール＝アンリ・レヴィ、ミラン・クンデラ、サルマン・ラシュディ、オルハン・パムク、マリオ・バルガス・リョサ、アダム・ミフニクなど――が、イギリスの『ガーディアン』をふくむヨーロッパ中の新聞数紙にマニフェストを発表した。理念としてのヨーロッパが「わたしたちの目の前でくずれつつある」と主張したのだ。「わたしたちはヨーロッパのために戦わなければなりません。さもなくばポピュリズムの波に溺れて死んでしまいます。わたしたちは政治的主意主義を再発見しなければなりません。さもなくば、怒りや憎しみやこれに付随する一群の惨めな情念が、わたしたちを取り囲み沈めてしまうのを受け入れなければならなくなります(8)」。

このマニフェストにはひどい欠陥がある。これをよく読むだけで、なぜいまポピュリストが勢力を増しているのかが明確になる。名を連ねているヨーロッパ・リベラルの知性の精華たちは、ポピュリストもまたヨーロッパの救世主を自認しているという不愉快な事実を無視しているのだ。

EU首脳との嵐のような会談の直後、二〇一八年七月十五日のインタビューで、トランプはロシアと中国を差し置いて、EUをアメリカの「敵」の筆頭に挙げた。この主張を不合理だと糾弾する前に（「トランプはアメリカの敵よりも同盟国の扱いの方がひどい」など）、単純な問いを立てる必要がある。ＥＵの何がそこまでトランプの邪魔になっているのか。トランプはどのヨーロッパのことを言っているのか。ヨーロッパに流入する移民についてジャーナリストに問われると、彼自身そうである反移民ポピュリストにふさわしい言い方で答えた。移民はヨーロッパの風習や生活様式の基礎をめちゃくちゃにしており、ヨーロッパの精神的アイデンティティの脅威となっていると――要するに、オルバーンやサルヴィーニのような人物が彼の口を通じて語っているのだ。忘れてはいけないのは、オルバーンやサルヴィーニもまたヨーロッパを守ろうとしていることである。

ではどのヨーロッパが、トランプとヨーロッパのポピュリスト両方の邪魔になっているのか。国家を超えて統合しているヨーロッパ、わたしたちの時代の難題に対処するには国民国家の制約を超えなければならないと薄々気づいているヨーロッパだろうか。被害者との連帯という啓蒙主義の旧来のモットーになんとか忠実であろうと必死にもがいているヨーロッパ、今日人類はひとつであり、全員が同じ船に（あるいはよく言われるように同じ宇宙船地球号に）乗っているのだから他の人の不幸もまた自分たちの問題なのだということに気づいているヨーロッパだろうか。

統合されたヨーロッパの基礎をなす理念は腐敗しなかば忘れ去られており、危機の時でなければ、このヨーロッパの本質をなす側面、その隠れた可能性に立ち返らなければという切迫が生じない。ヨーロッパは、片側がアメリカ、反対側がロシアという巨大なペンチに挟まれており、この二国ともがヨーロッパを解体したがっている。トランプとプーチンはどちらもブレグジットに賛成したし、ポーランドからイタリアまでいたるところのEU懐疑派を支持している。ヨーロッパの何が彼らにとって邪魔なのか。EUの惨状は誰もが知っていて、一貫した移民政策をとれないことからトランプの仕掛けた関税戦争への惨めな対応まで、EUは試練のたびに失敗しつづけているというのに。いかにも期待が持てなそうなのに危機の時代に燦然と輝いているのは、明らかにこの現実に存在するヨーロッパではなく、ヨーロッパという理念なのだ。ヨーロッパの課題は、解放を旨とするその遺産が保守ポピュリズムの激しい攻撃に脅かされるなかで、いかにその遺産に忠実でいつづけられるかである。

『文化の定義のための覚書』で偉大な保守派T・S・エリオットは、選択肢が異教か無信仰しかないという状況、宗教を活性化させておくためには本体の死骸から分派するしかないという状況になることがあると述べた。これこそ今日行わなければならないことだ。真にポピュリストを打ち負かし、リベラル民主主義のなかで守る価値のあるものを取り戻すためには、リベラル民主主義本体の死骸から分派するしかない。衝突を解消する唯一の方法が、妥協を探ることではなく、片方の立ち位置を極端に推し進めることだというときもあるのだ。

三十人のリベラルの大家による書状にもどろう。彼らが認めたがらないのは、消えつつあると嘆くヨーロッパはすでに取り返しがつかないほど失われているということだ。脅威はポピュリズムからくるのではない。ポピュリズムは、ヨーロッパのリベラル体制が、ヨーロッパの解放へのポテンシャルに忠実でいられず、一般大衆が抱える問題に偽の解決策を差し出してしまったことへの反発にすぎない。だから本当にポピュリズムを打ち負かす唯一の方法は、リベラル体制自体を、その現実の政治を徹底的に批判することであり、それが時に予想だにしない展開をもたらすこともあるのだ。例をあげよう。ヨーロッパには自前の軍隊が必要だろうか。イエス、かつてなく必要だ。しかしそれはなぜなのか。誰もが知っているように、軍拡競争に参加するもっともいやらしい口実こそ、将来の敵が軍備を進めているなら戦争を遅らせ平和を守るには自分たちも戦争に備えるしかないというものなのに。

すでにここ十年ほど、三つの超大国（アメリカ、ロシア、中国）間での軍拡競争は狂ったような速度で進んでいる。北極地域は全面的に軍事利用されつつあり、何十億もの金が軍事用のスーパーコンピュータや遺伝子工学に投じられている。二〇一八年十月、トランプは、アメリカがロシアとの中距離核戦力全廃条約から離脱すると発表した。中国の軍事雑誌では、中国は実際の戦争に参加すべきだとおおっぴらに議論されている（アメリカとロシアの軍隊はここのところイラクやシリアなどの衝突で実戦を積んでいるのに、中国軍は何十年も実地の戦闘を避けてきている）。ではロシアはどうか。ロシア議会のメンバーに向かってウラジーミル・プーチンは、二〇一八年三月一日に次のように述べている。「ミサイルの試験発射と地上実験を行えば、原子力エンジンで動く戦略核ミサイルという最新鋭の兵器を作ることができる。射程距離には限界がない。機動時間も無限である。世界中どこを探しても、同じようなものを保有している国はない」。プーチンは拍手喝采に応え、こう締めくくった。「ロシアはいまだに世界で最大の潜在的核能力を有しているが、誰もわたしたちのいうことに耳を貸さなかった。いまこそわれわれの話を聞くときだ」。

その通り、わたしたちはこの話をよく聞くべきだが、しかしそれは他の二人の狂人、トランプと習近平の二重唱に加わったもう一人の狂人の話を聞くように聞くということだ。どちら側も当然、望んでいるのは平和だけでありただ他国がもたらす脅威に対応しているだけなのだと主張することは可能である（例えばプーチンはその後すぐにこう付け足した。アメリカは防御の盾があるからロシアとの核戦争に勝てるとトランプが言ったが、自分はそれに反応しているだけだ、と）――そうだろう、しかしこのことが意味するのは、狂気はシステムそのものに、そのシステムに一度参加しようものなら即座に巻き込まれてしまう残酷な循環に、宿っているということだ。この構造は、「想定された信念」の構造――個々の参加者はみな理性的にふるまいながら、自分たちとまったく同じように思考する他者を非理性的だと想定する――と似ている。社会主義時代のユーゴスラビアで過ごした若いころの記憶で、トイレットペーパーをめぐる奇妙な出来事がある。突如店にトイレットペーパーが足りなくなるという噂が流れはじめた。当局は即座に、通常の消費には十分な量のトイレットペーパーがあるという声明を出したのだが、驚いたことに、これは本当だっただけでなくほとんどの人が本当だと信じていたのだ。しかし標準的な消費者は次のように考える。トイレットペーパーは十分あって、噂は間違いであることはわかっている。けれどももしこの噂を本気にし、パニックになって買い溜めしだす人がでたら、本当にトイレットペーパーが足りなくなるかもしれない。だからわたしも予備を買いにいったほうがいい。他の人が噂を本気にしていると信じることとすら必要ない。その噂を本気にする人がいると信じる人がいるに違いないと想定するだけでいい――結局は同じことになる、つまり、現実に店のトイレットペーパーが足りなくなるのである。

二〇一六年十二月にすでに、この狂気は想像を絶するほどの滑稽さに極まっていた。トランプとプーチンがこれまでより友好的なあたらしい米露関係をつくる好機であることを強調し、それと同時に、軍拡競争に全力で取り組むことを宣言したのだ——あたかも超大国間での平和はあらたな冷戦によってしか得られないかのように。アラン・バディウは、すでに未来の戦争の輪郭は素描されていると書いている。

アメリカと「西洋-日本」派が一方に、中国とロシアが他方にいて、核兵器があちこちに遍在している。だからわれわれにできるのは、レーニンの言葉「革命が戦争を防ぐか、戦争が革命を引き起こすか、どちらかだ」を思い出すことくらいだ。かくして、もっとも野心的な未来の政治の仕事は、以下のように規定することができる。歴史上初めて、後者——戦争が革命を引き起こす——ではなく前者——革命が戦争を防ぐ——の可能性が現実になるかもしれない、ということだ。もちろん実際には、第一次世界大戦におけるロシアや第二次世界大戦における中国で現実化したのは後者の可能性であった。しかしなんと多大な犠牲を払ったことか！　しかもその影響はあまりにも長きにわたっている！(9)

ではこの狂ったダンスになぜヨーロッパが加わらないといけないのか。ヨーロッパが明らかな例外だからだ。アメリカ・ファースト、ロシア・ファースト、中国・ファーストのなかで優位に立とうとする戦いの世界には、ヨーロッパはそぐわないのである。軍隊を作らないとすればヨーロッパは、ただ巨大三国間の支配権をめぐる争いの舞台となるだけでは済まない（すでにそうなりつつあるが）。アメリカとロシアはともに必死でヨーロッパの統一を破壊しようとしており、中国は曖昧な距離を保ちつづけている。ヨーロッパは孤立して味方のいない、ますます特異な存在になりつつある。ヨーロッパが自律性を保つ唯一の方法は、統一をいまよりもはるかに強化し、この統一を連合軍によって示すことなのだ。

16 人々に悪いニュースを伝える権利

デジタルメディアによる管理がいや増す今日、インターネットの起源を思い出す必要がある。アメリカ軍では、核世界戦争で中央指揮が破壊された場合、残ったユニットのコミュニケーションをどのように維持するかが検討されており、この散らばったユニットを横につないで（破壊された）中央を迂回するというアイディアが出てきたのだった。そもそものはじめから、インターネットにはこのように民主主義的な潜在力がひそんでいた。それは中央での管理や調整を迂回して、個々のユニット間で直接行われるやりとりのためのものだったのである――そしてこの民主主義的な潜在力は権力者にとって脅威となった。この脅威に対する権力者の主たる対応は、個人間のコミュニケーションを媒介するデジタル「クラウド」を管理することだった。「クラウド」はあらゆる形態において、当然のことながら、わたしたちの自由を促進するものとして提供される。クラウドはわたしがパソコンの前に座って自由にネットサーフィンすることを可能にするし、そこではすべてが思い通りにできる――しかし、クラウドを管理する者は同時にわたしたちの自由の限界を管理してもいる。

この管理の最も直接的な形は、当然、直接的な排除である。個人もニュース組織全体（テレスール、ロシア・トゥデイ、アルジャジーラ）も、合理的な説明が一切ないままにソーシャルメディアから消えてしまう（あるいはアクセスが制限される――アメリカのホテルのテレビでアルジャジーラを探してみよう！）――そして大抵やたらと細かい規定が持ちだされる。時には（あからさまに悪質な人種差別のような場合）検閲が正当化されることもあるが、危険なのはそれが不透明な仕方で行われていることである。民主主義の規範に照らせば、そうしたアクセスの制限は最低限、透明なやり方で、公的に正当化されるように行われるべきである。こうした正当化でも、まやかしの曖昧なものになり、本当の理由を隠してしまうことがある。さらにおかしなゆがみが加わって、管理と検閲が、幸福を乱す恐れのあるトラウマ的な経験から個人を守る方法として正当化されることまである。

とある会合でわたしは、カナダのオンタリオ州出身のブラッドリー・バートンが二〇一六年三月にシンディ・グラデュ殺害の第一級殺人に関して無罪判決を受けた奇妙な訴訟について説明した。グラデュは先住民のセックス・ワーカーで、エドモントンのイエローヘッド・インにて出血多量で亡くなり、膣壁に十一センチの傷を負っていた。被告側は、乱暴ではあるが同意のもとでのセックスだったのであり、バートンがグラデュを死なせたのは故意ではなかったと主張し、法廷もそれを認めたのだった。この訴訟はわたしたちの基本的な道徳的直感に反するだけではない――男が性行為の最中に女を殺すという残酷なことをしておきながら、「わざとじゃないから……」という理由で無罪放免になる。この訴訟でもっともショッキングなのは、判事が被告の要求に応じ、保存してあったグラデュの骨盤を証拠として認めたことだ。彼女の胴体の下側が法廷に持ち込まれ、陪審員に開示されたのだ（ついでに言えば、遺体の一部が裁判で提示されたのは、カナダではこれが最初だった）。なぜ傷の写真ではいけなかったのか。しかしここで言いたいのは、この訴訟について報告したという理由でわたしが何度も批判されたということだ。その批判の内容はこうだ。この訴訟を説明することで、わたしはそれを再現し、象徴的に反復している――その説明には強い批判が込められてはいるものの、聴衆が倒錯した快楽にふけることを密かに可能にしているというのである。わたしに対するこうした批判は、トラウマ的な、あるいは動揺をもたらすニュースやイメージから人々を守ることが、政治的に正しく必要なことであるという考え方の見事な実例である。わたしがこれに対して思うのは、そうした犯罪と戦うにはその恐ろしさも含めて開示しなければならないし、それにショックを受けることも必要だということだ。ジョージ・オーウェルは『動物農場』の序文で、自由に何かしら意味があるとすれば、それは「人が聞きたがらないことを聞かせる権利」(訳注v)だと述べている――これこそメディアが検閲、規制されるときにわたしたちが奪われる自由なのだ。

わたしたちは生活が漸進的にデジタル化されつつあるその渦中にいる。わたしたちの能動的な活動（と受動的な状態）のほとんどが何らかのデジタルクラウドに記録されており、それがわたしたちの行動だけでなく感情の状態をも追跡することで、わたしたちを常に評価してもいる。（何もかもが利用可能なネットでサーフィンしながら）自分を最大限に自由な存在として経験するとき、わたしたちは完全に「外在化」されており巧妙に操作されている。デジタルネットワークは、「個人的なものは政治的なもの」という古いスローガンに新たな意味を付与するのだ。さらに、問題になっているのは私的な生活の管理だけではない。移動から健康、電気から水まで、今日すべてが何らかのデジタルネットワークによって統制されているのだ。だからこそウェブは今日もっとも重要なわたしたちのコモンズであり、その管理をめぐる闘争が、今日の主たる闘争なのである。敵は私有化されたコモンズと国家が管理するコモンズ、企業（グーグル、フェイスブック）と国家の治安当局（米国国家安全保障局）の組み合わせである。

社会の運用とそれを管理するメカニズムをささえるデジタルネットワークは、権力を維持する技術的なグリッドの究極の形象であり、だからこそその管理を取り戻すことはわれわれの最初の責務なのだ。ウィキリークスはその始まりにすぎない。わたしたちのここでのモットーは毛沢東的なものになるはずだ。「百のウィキリークスを花開かせよう」。

17-24

……とその他

17　それは同じ戦いなんだよ、馬鹿野郎！

イギリス労働党の主要メンバー数人に反ユダヤ主義の嫌疑がかけられ党への批判が続いているが、これはひどい偏見に満ちているだけでなく、長期的にみれば、今日の反ユダヤ主義の本当の危うさをうやむやにしてしまっている。二〇〇八年七月にウィーンの日刊紙『プレッセ』に掲載された風刺画がその危うさを見事に描きだしている。ずんぐりしたナチらしきオーストリア人が二人テーブルに座っており、一人が手に新聞を持って友達に意見を言っている。「またすっかり正当化された反ユダヤ主義が、安っぽいイスラエル批判に悪用されてるよ！」。このジョークはイスラエルの政策を批判する人たちに向けられる、一般的な論駁を踏まえたものだ。他のいかなる国とも同じように、イスラエルも評価を受け最終的には批判されることがありうるしそうあるべきではあるが、批判者たちはイスラエルの政策に対する正当化された批判を反ユダヤ主義という目的のために悪用している、というのである。イスラエル政治を支持する今日のキリスト教原理主義者が、イスラエル政治への左派による批判を拒否するとき、そこに暗黙裏に認められる論理は、不気味にも『プレッセ』の風刺画に近いのではないだろうか。

どうやらイスラエル－パレスチナ対立を語るときには、徹底して冷厳に規範を守るべきであり、状況を「理解」しようという欲求は差し控えなければならないらしい。アラブの反ユダヤ主義をパレスチナ人のひどく苦しい状況に対する「自然な」反応として「理解」したいという誘惑（これを実際に目の前にしたとしても）や、イスラエルの政策をホロコーストの記憶を背景とする「自然な」反応として「理解」したいという誘惑には、無条件に抵抗すべきなのだ。サウジアラビアからエジプトまで、ほぼ全部とは言わないにせよ多くのアラブ国でヒトラーがいまだに英雄視されているという事実や、小学校の教科書で、古くからある反ユダヤ主義的な神話――シオン賢者の議定書という悪名高い偽造文書から、ユダヤ人はキリスト教徒（かアラブ人）の子供の血を生贄のために使っているという説まで――がユダヤ人の性質とされているという事実を、「理解」できるということはあってはならない。こうした反ユダヤ主義は資本主義への抵抗が置き換えられた形なのだという主張も、それを正当化するわけではない（同じことはナチの反ユダヤ主義にも言える。それもまた反資本主義的な抵抗をエネルギー源にしていた）。そうした置き換えは副次的な操作なのではなく、イデオロギーによる神秘化の根幹をなすやり口なのだ。

だからわたしたちは、個々の動きを「まとめて」解釈したり判断したりすべきではないし、歴史的な背景から切り離さないといけないのだ。ヨルダン川西岸地区でイスラエル国防軍が現在とっている行動は、「ホロコーストという背景に照らして」評価すべきではない。多くのアラブ人がヒトラーを賛美していたり、フランスやヨーロッパの他の国でシナゴーグが冒涜されているという事実は、「イスラエルがヨルダン川西岸地区で行っていることに対する不適切だが理解可能な反応」だと判断するべきではない。イスラエル国防軍のヨルダン川西岸地区での活動に対するあらゆる抗議行動が反ユダヤ主義の表明として等しく糾弾され、ホロコーストの擁護者と――少なくとも暗黙裡に――同列に扱われるとき、つまり、イスラエルの軍事行動、政治行動へのあらゆる批判を中和するためにホロコーストの影が持ち出されるとき、反ユダヤ主義と、イスラエル国の個別の政策への批判との違いを言い募るだけでは不十分である。さらに一歩踏みこんで、ホロコーストの犠牲者の記憶を冒涜し、残酷な操作を施し、目下の政治的措置を正当化するための道具にしているのは、この場合イスラエル国の方だと主張するべきなのだ。

このことが指し示しているのは、ホロコーストと現在のイスラエル・パレスチナ対立との間に論理的、政治的なつながりがあるという発想自体をきっぱり退けるべきだということだ。この二つは完全に異なる現象なのである。一方は近代化の力学に対する右派の抵抗というヨーロッパ史の一部であり、他方は植民地化の歴史の最終章に属する。それとは別に、パレスチナ人にとって困難な課題は、本当の敵はユダヤ人でなくアラブの政治体制それ自体であり、体制はまさにこの変化を――彼らのなかで政治の革新化が生じることを――防ぐために、悲惨な状況を操作していると認めることである。ヨーロッパの今日の状況には、実際反ユダヤ主義の伸長という面がある――例えばスウェーデンのマルメで攻撃的になったマイノリティのムスリムがユダヤ人に危害を加えており、ユダヤ人は伝統的な服を着て道を歩くことができなくなっている。[1] そうした現象は曖昧さの余地なくはっきりと糾弾されなければならない。反ユダヤ主義に対する戦いとイスラモフォビアに対する戦いは、同じ闘争の二つの側面と見るべきだ。この共闘が必要だと考えることは、ユートピア的な発想などではなく、極度の苦しみは甚大な結果をもたらすという事実自体に基づいている。ルース・クリューガーは、『まだ生きている——ホロコーストの少女時代の記憶』の忘れがたい一節で、ドイツの「博士課程の院生数人」との会話を描いている。

一人が言うには、エルサレムでアウシュヴィッツの生き残りの、年老いたハンガリーのユダヤ人と知り合ったのだが、この男はアラブ人を呪い、アラブ人全員を軽蔑していた。アウシュヴィッツにいたのにどうしてそんなことを言うんだろう、とドイツ人が言った。わたしはそこに入っていって、もしかしたら必要以上に熱くなって、考えを口にした。何を期待しているの。アウシュヴィッツは教育機関ではないんですよ……人はそこで何かを学ぶわけではないし、人間性や寛容なんて何よりも遠い。収容所からはいいことなんて本当に何も出てこない。そう言いながら自分の声が大きくなっていくのがわかった。カタルシスとか浄化とか、芝居に求めるような類のことを期待しているっていうんですか。収容所は想像できる限りもっとも無駄で、無意味な施設だったのに。(2)

要するに、そこでの極限の恐怖によってアウシュヴィッツが、生き延びた人々を浄化し、卑しい自己中心的な損得勘定をすべて捨て去った倫理的に繊細な主体にするような場所になることはなかったわけだ。逆にアウシュヴィッツの恐怖は、被害者の多くを非人間化し、冷酷で鈍感な生き残りに変えてしまい、バランスのとれた倫理的判断という技術を実践できなくしてしまうことすらあった。ここから引き出すべき教訓は、とても憂鬱で悲しいものだ。極限の経験に何か解放的なものがあるという発想、それによって混乱を解き、ある状況の究極の真理に目を開くことができるという発想は捨てるべきである。あるいは、反共産主義への偉大な転向者アーサー・ケストラーが簡潔に述べたように、「権力が堕落するとしたら、逆もまた真実である。迫害は被害者を堕落させる。おそらくより見えにくく、そしてより悲劇的なかたちでだが」。

18　真の反ユダヤ主義者と彼らのシオニストの友人

最近起こったひじょうに重要な出来事はほとんどの大手メディアに無視されているのだが、それを見ればイギリスでジェレミー・コービンに、アメリカで「民主社会主義者」に、彼らを反ユダヤ主義者だと糾弾するかたちで仕掛けられているキャンペーンを、新たな角度から理解することができる。

二〇一九年一月、メディアが盛んに報じたのだが、ポピュリズム政党のＰｉＳ（法と正義）が押さえるポーランドのセイム（下院）で、第二次世界大戦時代のナチ犯罪（ホロコースト）にポーランドが加担したと述べた者に三年の懲役を科すという法改正が承認された。この改正は世界中で大きな反発を引き起こし、ポーランド・イスラエル間の緊張が高まる事態に発展した。というのもそれがポーランドで根強い反ユダヤ主義の伝統に沿ったものだとみなされたからだ。そのためにこの改正は、キリスト教のナショナリストと「世界主義的《コスモポリタン》」ユダヤ人との間で長くつづく確執の新たな一頁に見えたのである。

その後この出来事には（おおむね無視されている）第二幕があったが、これには尊敬すべきポーランドの友人スワヴォミール・シェラコフスキーをはじめとする数人の評論家しか言及しなかった[3]。六月末に突然召集された議会で、下院はさらなる法改正を駆け足でおこない、即座に施行して最初の改正をひっくり返した——ポーランド国民はホロコーストに責任があると書いても罰せられなくなったのだ。それでもこの改正は、ＰｉＳ党のイデオロギーに沿って、英雄的にユダヤ人を救ったポーランド人が数多くいたことを強調しており、ＰｉＳ党はいわば二兎を追って二兎を得たわけだ。要するに彼らは、「何を書いてもいいですよ、書くことなんてないですから」と言っているのである。

ここで第一の謎は、ポーランドのポピュリストとイスラエルが和解を成し遂げた不思議なやり方である。一連のプロセスはすべて秘密裡に進められ、イスラエル・ポーランド関係は双方の諜報機関が仲介した。彼自身ポピュリストであるネタニヤフは、同志であるＰｉＳ党のポピュリズム政権との対立を解消することに極めて熱心だったが、それはＥＵ内でイスラエルにもっとも近しい同盟国を遠ざけたくないからであった。

しかし、反ユダヤ主義の伝統を持つポーランドにとって、イスラエルがもっとも近しい同盟国だということがありえるだろうか。ポーランドが例外なわけではないことをここで思い出す必要がある。ネタニヤフとオルバーン・ヴィクトル（フィデスとその連合政党にもキリスト教ナショナリズムの反ユダヤ主義が広がっている）の関係も友好的どころではない親しさであり、アメリカ国内では反ユダヤ主義のオルタナ右翼に支持されながら、国際的にはシオニズム拡張主義の熱心な支持者であるドナルド・トランプについては言うまでもない（エルサレムにアメリカ大使館を移すなど）。このシオニズム的反ユダヤ主義の極端なかたちを広めたのは、ノルウェーの反移民大量虐殺者のアンネシュ・ブレイビクだ。彼は反ユダヤ主義者だが親イスラエル派である。なぜなら、彼の見方では、イスラエル国がムスリムの拡張に対する防衛の最前線だからだ――彼はエルサレム神殿の再建を望んでさえいる。要するに、多すぎない限りユダヤ人は問題ない――あるいはブレイビクが「マニフェスト」に書いたように、「西ヨーロッパには（フランスとイギリスを例外として）ユダヤ人問題は存在しない。というのも西ヨーロッパにはユダヤ人は百万人しかいないが、この百万人のうち八十万人はフランスとイギリスに住んでいるからである。他方でアメリカには六百万人を超える（ヨーロッパの六倍の）ユダヤ人がおり、相当なユダヤ人問題を抱えていると言える」。かくしてこの図式はシオニズム的反ユダヤ主義者の究極のパラドクスを端的に示しているのである。

そして本当に気が重くなるのは、ネタニヤフと彼の追従者がこの動向の協力者としてふるまっていることだ――これはイスラエルが新たな中東原理主義国家に、エジプトやサウジアラビアの盟友になりつつあることをはっきり示す徴候のひとつ（他には、非ユダヤ人を二級市民にするというあからさまな人種差別を導入した、市民身分に関するイスラエルの新法がある）である。反ユダヤ主義的シオニズムという奇妙な形象がこうして台頭していることは、わたしたちの腐敗を示すじつに気がかりなしるしなのだが、それはわたしたちの政治体制において広がりつつある新左翼の成長へのパニックとますます結びつくようになっている。反ユダヤ主義という批判はいまや、穏健な左派リベラル主流派から左翼へと移った者に向けられているのである。

ポーランドの記憶法を糾弾しようとするイスラエル内の動きが、シオニズム原理主義者から出てきているわけではないことも当然だ――それはイスラエルの反原理主義陣営が始めたことで、ネタニヤフは他に選択肢がないからそれに従ってきたにすぎないのである。新たな政治的分断線がこうして、ユダヤ人の内部に出現する。反ユダヤ主義的シオニスト対、攻撃的なシオニズムとも反ユダヤ主義とも戦いユダヤの解放の遺産を重んじる人びと。彼らはわたしたちの味方のはずだ。偽りの分断ばかりの混乱した現代において、彼らは数少ない希望のきらめきである。

「理性の公的使用」の領域を確立するにあたってユダヤ人が果たしている特権的な役割は、彼らがあらゆる国家権力から差し引かれていることに基づいている――彼らの一神教の特性としての抽象性や普遍性ではなく、あらゆる有機的な国民国家共同体の「全体の一部ではない部分」というこの立ち位置が、ユダヤ人を普遍性の直接的な体現者にするのである。だから、ユダヤ人による国民国家をつくれば新しいユダヤ人の姿が現れてくるのは当然のことだ。イスラエル国との同一化に抵抗し、イスラエル国をみずからの本当の故国として受け入れることを拒否するユダヤ人、自分をこの国家から「差し引き」、他の国だけでなくイスラエル国からも距離を取りつづけ、その隙間で生きようとするユダヤ人――この不気味なユダヤ人こそが、「シオニズム的反ユダヤ主義」と名指すほかないものから排除された対象、国民国家共同体を外部から乱す過剰さである。「ユダヤ人自身のユダヤ人」であるこのユダヤ人は、スピノザの後継者にふさわしく、今日「理性の公的使用」を求めつづけ、自分たちの理性的思考を国民国家の「私有」の領域に従属させることを拒む者たちである。

イスラエルが国際法のもとでの義務（占領地域からの撤退、ヨルダン川西岸地区の分断壁の撤去、アラブ・パレスチナ系イスラエル市民への完全な平等の保証）を果たすまでイスラエルに対するさまざまなボイコットを推進するＢＤＳ（「ボイコット、投資撤収、制裁」運動）に、卒直に言ってわたしはずっと違和感を覚えていた。こうした目標は完全に支持するのだが、わたしの抵抗感は二つの理由に基づいていた。第一に、反ユダヤ主義がヨーロッパで実際に活発である現在の状況では、ボイコットという思いつきをいたずらに試みることは危険である。第二に、中国がウイグル人に対して行っていることを考えれば、中国にもボイコットをするべきではないのか。あるいはイスラエルにより近い場所でいえば、なぜ（イランではなく）サウジアラビアをボイコットしないのか。ＢＤＳ支持のシニカルな友人たちの返答はこうだ。中国の場合にはやってもうまくいかないけど、これならうまくいくかもしれないからだよ。本当だろうか。加えて、そうした理由づけが意味するところはおかしな倫理規範である。軽いやつを罰し、本当に悪いやつは罰するな。

　ＢＤＳの過剰さの実例を示そう。二年前に友人のウディ・アロニが作った親パレスチナの映画をプロモーションするためにエルサレムの映画祭を訪れた際、わたしは国家主催のイベントに出たといって批判された。ＢＤＳ狂の人が、いまエルサレムに行くのは一九三八年にベルリンに行くようなものだとわかっているのかと訊いてきた。わたしが招待を受けたことを批判する「公開質問状《オープンレター》」がウェブに公開されるまでになった。わたしの返答はこうだ。今回の訪問の費用は自分とウディで出している。ウディがわたしを個人的にゲストにしてくれたのであって、映画祭のゲストなわけではない。それに、エルサレムとナチ・ベルリンを並べることの胡散臭さは措くとしても、その通り、ナチに対するユダヤ人の抵抗を世に知らしめる映画をプロモーションすべく一九三八年のベルリンに招かれたとしたら、わたしは喜んで招待を受けただろう……

しかし、二〇一九年五月にドイツ連邦議会がBDSを反ユダヤ主義とする法的拘束力のない決議を通過させると、わたしのなかの警報ベルが鳴りだした。BDSが反ユダヤ主義？　わたしがBDSと連携するのはこれに関わっているユダヤの友人を応援するときだけであり、最初からそういう考えだった。この運動はヨルダン川西岸地区のパレスチナ人と、ヨルダン川西岸地区の占領に反対するイスラエルのユダヤ人の共同行動なのだと。明らかに、それとは別のことが進行していたのだ。シオニストとヨーロッパの真の人種差別主義者のいやらしく邪悪な協定が。ホロコーストの神聖な記憶が、今日の腐敗した政治を、パレスチナ人に対して行われる民族差別を、正当化するために利用されているのである。それをやっている連中は、ホロコーストを真に冒涜する者だ。二〇一九年三月、（ドイツのバンドの）ラムシュタインが新曲「ドイツ」の映像版を発表し、グループのメンバーがアウシュヴィッツの被収容者のような服装をして登場した。イスラエルの外務省はホロコーストの視覚的表現を商業的な目的のために濫用したとして抗議をおこなった。これに対する応答として、ラムシュタインを、ドイツ人というアイデンティティの困難について熟考する真の左派バンドとして無条件に擁護するだけではまだ足りない。加えて、イスラエル国がヨルダン川西岸地区で行っていることの正当化のためにホロコーストの記憶を濫用する方が、はるかにいまわしい行為であると言うべきだ。

二〇一九年五月二十六日、ドイツの反ユダヤ主義担当の政府高官は、反ユダヤ主義による暴力事件の急増を受け、ユダヤ人に公の場でつねに伝統的なキッパ帽を被るのはやめたほうがいいと勧めた。[4] この勧告はどれくらい真に受けるべきなのだろうか。反ユダヤ主義はヨーロッパ中で強まっているが、この警告はイスラエル政治への批判を反ユダヤ主義的だとして禁じる体制側の戦略に資するものでもある。

さらに、ユダヤ共同体と認識されているイスラエル国を標的にすることも反ユダヤ主義的であるという主張は、多くの問題を引き起こす。この主張を受け入れると、正当なイスラエル政治への批判までもが反ユダヤ主義的だとして否定されてしまいかねない。最近まで、国連、アメリカ、イスラエルは二国間解決を公式に支持していた。それに代わる方向性を巨大メディアがいよいよおおっぴらに示すようになっている。キャロライン・B・グリック（『イスラエル解決――中東平和のための一国案』の著者）は二〇一四年に『ニューヨーク・タイムズ』の記事「パレスチナ国は存在すべきでない」で、パレスチナを国家認定すべきという人は、

「パレスチナ」を認めることで平和という大義を促進しているわけではないことを自覚している。彼らはイスラエルの崩壊を推し進めているのだ。ヨーロッパ人がもし自由や平和にうっすらとでも関心を持っているならば、反対のことをするはずだ。この地域で唯一の自由で平和な安定地帯であるイスラエルを、強化し拡張しようとするはずだ。インチキな二国間解決は……イスラエルを崩壊させテロ国家に置き換えようとしていることをごまかす表現にすぎないのだから、これを放棄するはずなのだ。

戦略的な盲目とモラルの欠如がヨーロッパの対イスラエル政策の二本柱になっているいま、

イスラエルとその支援者は「パレスチナ」を認めよという圧力に対して本当のことを言わなければならない。その圧力が目ざしているのは平和や正義ではない。その本質はイスラエルへの憎悪であり、イスラエル廃絶をもっとも盛んに求めている人々に力を貸すことだ(5)。

公式の国際的方針だった(いまだにそうである)ことが、これほどおおっぴらにイスラエル崩壊のレシピであり残酷な反ユダヤ主義の表明であるとして非難されている。そして明らかにこの立場は、少数派の過激論者の見解ではなく、ここ数十年におけるヨルダン川西岸地区の段階的な植民地化の戦略的な方向性をわかりやすく表現しているにすぎない。新たな入植地の配置(多くの人が東部のヨルダン国境付近に入っている)を見れば、ヨルダン川西岸のパレスチナ国など論外なのは明らかだ。さらに、「ユダヤ共同体と認識されているイスラエル国を標的にすること」が本質的に反ユダヤ主義的なのだとしたら、ユダヤ人のみを完全な権利を持つ市民として扱うと明言している一種の民族隔離制度を導入した新たな立法措置への批判も、すべて放棄すべきなのではないか。なぜならそうした批判はかならず、何らかの意味では実質的に、「ユダヤ共同体と認識されているイスラエル国」を標的にしているのだから。

いわゆる「マクファーソン原則」(「人種差別的な事件とは、被害者が人種差別的だとみなした事件のことである」)について言えば、シンプルにこう問うべきである。反ユダヤ主義的事件とはユダヤ人が反ユダヤ主義的だとみなした出来事のことであると言うのなら、同じことはパレスチナ人とその抗議活動にも言えるのではないのか。パレスチナ人に対する人種差別主義的な措置とはパレスチナ人がそうみなしたもののことであると言うべきではないのか。そうだとしたらパレスチナの国家としての地位を否定することがシオニストの標準的なやり口になっているのはどうなのか。加えて最後に、「人種差別的な事件とは、被害者が人種差別的だとみなした事件のことである」という原則に対する言うまでもない反論はこうだ。反ユダヤ主義者は、自分たちをユダヤ人による支配の被害者だとみなしている（ユダヤ人は密かに世界をコントロールしている、など）――この場合は間違いなく、「被害者の認識」は間違っているのだ！

19　そう、人種差別は健在だ！

メディアはCNNによる最近の世論調査の結果を大々的に報じた。ヨーロッパでは反ユダヤ主義が健在で、三人に一人がユダヤ人は影響力を持ちすぎだと考えていたり、若い世代ほどホロコーストを知らなかったりする。反ユダヤ主義に対してはそれがどんな形をとろうと遠慮なく批判し戦うべきだが、それでもこの調査結果についてはいくつかコメントを加えておくべきだろう。まず気になるのは、ユダヤ人に否定的な態度を取る人の割合を、ムスリムや黒人に否定的な態度を取る人の割合と比べるとどうなるかということである――これはあるタイプの人種差別は受け入れがたいが他のタイプのものは正常だということにならないようにするためである。第二に、シオニズム的反ユダヤ主義という逆説を取り上げる必要がある。ヨーロッパ（とアメリカ）の反ユダヤ主義者の多くはただ自国にユダヤ人が多すぎるのが嫌なだけで、イスラエルによるヨルダン川西岸地区への拡張は全面的に支持してさえいる――こういう人たちをどうカウントするのか。こうしてわたしたちは核心的な問いに行きつく。反ユダヤ主義をどのように測定すればよいのか。どこまでがヨルダン川西岸地区でのイスラエルの政策に対する正当な批判で、どこからが反ユダヤ主義なのか。

この点を明確にするために、つかの間哲学に寄り道する必要がある。トッド・マガウアンは、以下の点に関するヘーゲルの重要な一節を引用する。〈普遍〉は「自己を規定する。従って、それはそれ自身特殊なものである。規定性は、普遍的なものの区別である。それは自己自身から区別されているにすぎない。従って、その種は、ただ（a）普遍的なもの自身と（b）特殊なものである」[訳注vi]。その上で、これを次のように解釈する。

特殊概念は、対立する特殊の形式をつうじて普遍を規定することにもとづいている。ナチズムの事例はこの点でヘーゲルの主張の完璧な例証となる。ドイツの特殊性を言い募ることで、二つの特殊（ドイツとユダヤ）の対立が打ち立てられるが、この特殊のうち片方は他方を規定するために普遍の形式を取らなければならない。しかし、この役割を担うのはドイツではないというアイロニカルなひねりが加えられる。普遍の二つの特殊な種はユダヤとドイツなのだが、対立する特殊であるユダヤは普遍として機能するようになる。なぜならそれが、自分をドイツ人だと特定するための基礎をもたらすからだ。対立する特殊同士の戦いのなかで、抑圧された側の集団は、抑圧者に貶められていたとしても、つねに普遍を代表するのである[6]。

要するに、あらゆる特殊同士の対立が普遍を自己規定するのだとすると、二つの特殊の対立において片方がかならず〈普遍〉を代表するということになる。マガウアンはこの論理的な命題をそのままユダヤ人のありように適用してみせる。「ローゼンベルクはユダヤ性をそれ自身の特殊性を持たない「反‐人種」であるとした。ナチのアイデンティティはユダヤ人の普遍性に依存しているが、この依存はナチの憎しみを強めるだけである」(7)。実際ナチの想像界において、ユダヤ人は人種のヒエラルキーのなかでふさわしい（従属的な）場所に配置されるべきただの一人種といった存在ではない。ユダヤ人は人種としての確固たる内的形式を持たないという意味で「反‐人種」であり、だからこそユダヤ人は接触したあらゆる（他の特殊な）人種をむしばむ傾向があるのである。

ユダヤ人が反‐人種として機能しているという事実が示すのは、彼らが——特殊な人種に変容させられることに抵抗する異質な集団である限りにおいて——人類の非人種的な普遍性を代表するということである。また、二つの特殊な人種間の衝突においてはかならず、どちらか一方が普遍を、他方が特殊を代表しているということでもある。ここでこそ、あらゆる類は究極的に二つしか種を持たない、それ自身と特殊（な種）しか持たないというヘーゲルの考えを適用すべきだ。要するに、人種間の対立は二つの特殊な存在の対立なのではない。当然のことながら抑圧された人種の方が、普遍を代表するのである。

一九三〇年台半ばの一時期、ナチはユダヤ人を最終的には固有の土地と国家をもつ特殊な集団にしてしまうことができると考えており、そのため彼らはユダヤ人のパレスチナ移住を支援した。今日のヨーロッパの反ユダヤ主義は、これと同じ道を辿っている（ユダヤ人はここでわれわれの中にいるとなると悪いやつらだが、あっちにいる分にはわれわれをムスリムから守ってくれるいい人たちだ）。それだけでなく、今日のイスラエル国のシオニズムでさえもが、強いユダヤ人の国民国家を自分たちの土地に作り出し、それによってユダヤ人を反人種から人種そのものにするというこのプログラムを実現しようとしているように見える。

こうしてわたしたちは最初の問題に戻ってくる。わたしたちの公共空間からアイロニーの感覚が次第に消えつつあることをもっともよく示すのは、十年ほどの時を隔てて反復された、イスラエル国とパレスチナ人の交渉に関するある比喩である。およそ十年前、何らかの交渉がまだ続いていたころ、パレスチナの交渉人がイスラエル人とのやりとりを——実際には、ヨルダン川西岸地区をどのように分割するか交渉している最中にも、イスラエルは入植地をじわじわと増やしていた——テーブルについた二人がどうやってピザを分けるか交渉している様子にたとえた。討論が延々とつづくなか、一方がずっとピザをかじっているようなものだ、と。ヨルダン川西岸地区に関する最近のドキュメンタリーでも入植者が同じ話に触れているのだが、そこには悲しいアイロニーはなく、ただ野蛮な満足があるだけだ。「われわれのパレスチナ人との交渉は、どうやってピザを切り分けるか議論しながら延々食べてしまうようなものですよ」。そう言ってしたり顔でほくそ笑むのである。

このピザ発言の出典であるドキュメンタリー・テレビ番組を見ると、ヨルダン川西岸地区への入植には本当に不穏なところがある。新規入植者の大半にとって、移住を促したのはシオニズムの夢ではなく、大都市（この場合はエルサレム）近郊の快適できれいな家に住みたいという単純な欲求なのだ。彼ら曰くそこでの生活はロサンゼルスの郊外で暮らすよりもはるかによい。緑に囲まれ、空気がきれいで、水も電気も安く、大都市には専用の幹線道路でかんたんに出られ、地元のインフラ（学校やショッピングモールなど）も整っており、違いはアメリカよりも安いことと、イスラエル国によって建造、維持されていることだけである。では周囲を取りかこむパレスチナの街や村はどうなのだろうか。それは基本的に不可視であり、主に二つの形態で存在している。入植地を建造する安い労働者と、迷惑行為として処理されるたまの暴力行為である。要するに、入植者の大半は見えないドームのなかで、周囲の環境から切り離されて暮らしており、ドームの外で起こっていることは自分たちには関係ない別世界での出来事だとでもいうようだ。

こうしたやり口の背後にある夢をもっともよく表しているのは、入植者の街とパレスチナの街とを分かつ、ヨルダン川西岸地区の丘に建てられた壁である。壁のイスラエル側には、その向こう側に広がる田園地帯が描かれている――ただしパレスチナの街は省かれており、ただ自然、草、木があるだけだ――これはもっとも純粋な民族浄化ではないだろうか。壁の外側を都合よく、空っぽで、汚れなく、入植されるのを待っているかのように想像するのは。

ではイスラエルが心から中東の平和を望んでいることを疑うべきなのだろうか。もちろんそんなことはない――一般に植民者や占領者は、欲しいものを手に入れたあとはつねに平和を求めるものだ。というのも平和であれば、掴み取ったものを安心して楽しめるからである。おそらくドイツも一九四一年にヨーロッパのほとんどの地域を占領したあとは、やはり心から平和を望んだだろう（そしてあらゆる抵抗をテロリストとみなし断固として戦ったのだった……）。（「植民《コロナイゼーション》」という単語を使うことについては、初期のシオニストたち自身が一世紀前に、自分たちの試みをそう呼んでいたことを思い出すとよい。）

そして、最後に、この文章を読んで反ユダヤ主義的だと考える人がいるとしたら、思うにその人は、完全に間違っているだけでなく、ユダヤの伝統でもっとも価値あるものを脅かしているのである。

20　われわれのドームに穴が開いたいま何をすべきか

ホンジュラスからくる難民の列が、メキシコを通ってアメリカ国境に近づく。アフリカ難民がフェンスを破りアフリカ北端にあるスペイン領セウタに進入する……数はそこまで多くないが、彼らは根本的な地政学的事実をあらわしている。わたしたちの世界の脆弱な平衡状態を支える国境の網状組織が、本格的に不安定化しているということを。

ペーター・スローターダイクは『資本の世界内部空間』で、今日のグローバル化においては資本主義システムが生のあらゆる条件を規定するようになっていることを示した。この展開の最初の兆候は、一八五一年の第一回万国博覧会の開催地ロンドンに建てられた水晶宮である。その構造はグローバル化の排他性をわかりやすく表現している。境界は見えないが事実上外から超えられることがなく、いまではグローバル化の勝者十五億人が居住する世界内部空間が構築、拡張される一方で、その三倍の数の人々が扉の外に残されているのである。結果として、「資本の世界内部空間は屋外の広場や見本市ではなく、かつては外にあったものを何から何まで内に引き込んでしまう温室なのだ(8)」。資本主義の余剰の上に築かれたこの内部はあらゆるものを規定する。「〈近代〉の何よりも重要な事実は、地球が太陽の周りをまわっていることではなく、金《かね》が地球をかけめぐっていることである」[9]。地球を球体に変えたこのプロセスのあとでは、「社会生活は拡張された内部でしか、屋内的で人工的に調整された内部空間でしか営まれえない」[10]。

スローターダイクが正しく指摘しているのは、資本主義のグローバル化は開放性や征服と同時に、内部を外部から切り離す自閉した球体を表してもいるということである。この二つの側面は切り離せない。資本主義が全世界に届くのはなぜかといえば、地球全体に徹底的な階級格差を招き入れ、球体に守られている人とその覆いの外側にいる人を区別するからである。難民の流入は、わたしたちのドームの外にある暴力的な世界をつかのま思い出させる。その世界はわたしたち内部の人間にとって、大抵はテレビ報道で見る暴力の絶えない遠くの国の話であり、わたしたちの現実の一部ではなくそれを侵害してくる世界である。わたしたちの倫理的政治的責務は、ドームの外側にある現実に気づくことだけでなく、そこで起きている恐ろしい事象への共同責任を全面的に引き受けることだ。残忍なジャマル・カショギ殺害に対する反応の欺瞞は、このドームの機能の仕方をしめす格好の実例である。広い意味で言えば彼もまたドームの内部にいるわたしたちの一員なのであり、だからこそわれわれは衝撃を受けて憤るわけだ。しかしわたしたちの関心は滑稽なほどポイントを外している。真のスキャンダルは、イスタンブールでの殺人が、イエメンの国全体を破壊しているサウジアラビアの殺人よりも、はるかに大きなスキャンダルを引き起こしたという事実である。殺害を（おそらくは）命じる際、ムハンマド・ビン・サルマーンはスターリンの教えを忘れていた。一人を殺せば罪人だが、何千人も殺せば英雄だ。だからムハンマド・ビン・サルマーンはイエメンで何千人と殺しつづけなければならなかったのだ……

そういうわけで、レーニン主義的な問いに戻ろう。なすべきことは何か。最初の〔悲しいことに〕ありがちな回答は、自分たちを囲い込んで防衛するべきだというものである。外の世界がめちゃくちゃなのだから、あらゆる壁を建てて自分たちを守ろう、と。〈新世界秩序〉が出現しつつあるといっても、「文明の衝突」に代わる唯一の選択肢はいまだに諸文明の〔あるいは今日よく用いられる言葉でいえば「生活様式」の〕平和裡の共存しかないのである。強制結婚やホモフォビア〔あるいは女性が一人で人目につく場所に行くのはレイプを招くというような発想〕があっても構わない、それがどこかの国に閉じ込めてある限りは——ただしそれ以外の点ではその国も世界市場に包摂されていてもらわないと困るのだが。

いま出現しつつある〈新世界秩序〉はこういうわけで、もはやフランシス・フクヤマ的なグローバル自由民主主義ではなく、互いに異なった政治的神学的生活様式の平和裡の共存——もちろんグローバル資本主義が障害なく機能していることを背景とする共存なのだが——である。このプロセスのいやらしさは、それが反植民地闘争における進歩だという建前を取れるところにある。リベラルな西洋ではもう規範を他者に押しつけることは許されず、あらゆる生活様式が平等に扱われるのです……。ロバート・ムガベ〔ジンバブエ第二代大統領〕がトランプのスローガン「アメリカ・ファースト」に共感を示したのも不思議ではない——あなたには「アメリカ・ファースト」を、わたしには「ジンバブエ・ファースト」を、ほかの人たちには「インド・ファースト」や「北朝鮮・ファースト」を、というわけだ。そもそも最初のグローバル資本主義帝国である大英帝国がそうだった。民族宗教共同体はおのおのの生活様式にしたがうことを許されており、たとえばインドのヒンドゥー教徒は寡婦を焼いても問題なかった。こうした現地の「習慣」は野蛮だと批判されたり前近代の知恵だと称賛されたりしたわけだが、大事なのは経済的に帝国の一部であることなので寛容に扱われていたのだ。

この新たな「寛容」を支える悲しい真実として、今日のグローバル資本主義はもはや解放された人類のポジティヴなヴィジョンを、イデオロギー的な夢としてすら、提示することができなくなっている。フクヤマ的な自由民主主義の普遍主義はそれに内在する限界と矛盾によって破綻してしまい、ポピュリズムはハンティントンの病〔ハンティントン病と、「文明の衝突」論のサミュエル・ハンティントンをかけている〕とでも言うべきこの破綻の症候となっている。しかし解決策は、右派のものにしろ左派のものにしろポピュリズム国家主義ではない。唯一の解決策は新たな普遍主義だ――これを要請しているのは、今日人類が直面している環境の脅威から難民危機までの諸々の課題である。

二つ目の回答は、人間の顔をしたグローバル資本主義であり、これはビル・ゲイツやジョージ・ソロスのような社会的に信頼のある企業家によって体現されている。しかしこの解決法の問題は、その極端な形態においてさえ――難民に国境を開放しろ、彼らをわれわれの一員のように扱え――医学でいうところの対症療法にしかならないことである。セラピーは世界の根本的な状況を手つかずのまま残す。症状にしか関与せず、原因は放置するのである。そうした治療は患者の安心や幸福のために痕跡や症状を減らすことを目指している――しかしわれわれの場合、これでは明らかに不十分なのだ。なぜならどう考えても、世界のすべての困窮者が安全なドームの中に移動すれば解決ということにはならないからである。地球の困窮者に人道主義的な視線を向けるのではなく、困窮した地球そのものに焦点を当てる必要がある。

三つ目の回答はそれゆえ、わたしたちはひとつの世界で暮らしているということの帰結をしっかりと受け止めたときに出てくる革新的な変化を、勇気を出して思い描くことだ。「人新世」はわたしたちの惑星の歴史に訪れた新たな時代を言いあらわしている。わたしたちはもはや、人類の生産活動の帰結を受け止めてくれる容れ物として地球を当てにすることができない。わたしたちの生産力の副作用（付随的なダメージ）を無視する余裕もなくなっている。そうした副作用を人類という図の背景にしてしまうことはもうできないのだ。われわれが自らの生のもっとも基本的な条件に影響を与えられるほどの力を得たその瞬間に、わたしたちは小さな惑星に暮らす動物種のひとつにすぎないことを受け入れざるを得なくなる。ラディカルな政治的－経済的変化が、スローターダイクのいう「野生動物的〈文化〉の家畜化」が必要だ。

そうした変化などユートピアだろうか。否、本当のユートピアはそうした革命なしで生き延びられると思い込むことだ。

21　中国は共産主義か、資本主義か

ニュージーランドのクライストチャーチで二〇一九年三月に起きたテロのイデオローグであり実行犯である人物は、「偉大なる置換」と題された短い文集を書き、そこで「あなたはファシストですか／でしたか」という質問に答えていた。自分は「生来のエコ・ファシストだ」と宣言した上で彼は「わたしの政治的社会的価値観にもっとも近い国は中華人民共和国だ」と書いている(11)。重要なのは、彼のこの言葉が自分の基本的な立場や原則を明確にしろという求めに応じたものだということで、そのためこの言明を、中国政府のウイグル・ムスリム少数民族政策に対する（おそらくは）賛美だと受けとることはできない。これはただ頭のおかしい言及にすぎず、それが今日の中国を批判するために不当に利用されているだけなのだろうか。今日の中国とはいったい何なのだろうか。

中国公認の社会理論家が描きだす今日の世界は、はっきり言えば、基本的に冷戦時の世界と同じままである。資本主義と社会主義の戦いが世界中で弱まることなく続いており、一九九〇年の大失敗は一次的な後退にすぎず、今日敵対している大国はアメリカとソ連ではなくなっており、アメリカと、いまだ社会主義国の中国なのである。中国での資本主義の爆発的成長は、ソ連初期

にネップ（新経済政策）と呼ばれていたものの大規模版だと考えることができ、したがっていま中国にあるのは「中国的な特性を備えた」新しい「社会主義」である――つまりいまだに社会主義のままなのだ。中国共産党は権力の座にとどまり市場を厳しく管理、指導している。二〇一八年に死んだイタリアのマルクス主義者ドメニコ・ロズルドはこの点について詳細に論じ、革命後すぐに新たな共産主義社会を樹立しようとする「純粋な」マルクス主義に反論して、変節や失敗をともなう漸進的なアプローチを奉じる「現実的な」見方に賛意を示している。ローランド・ボーアは二〇一六年九月に、上海の人の多い通りで紅茶を飲むロズルドの忘れがたい姿を記している。「その場所の喧騒、交通、広告、店、明確に経済的なエネルギーのただなかで、ドメニコは「これがいいんだ。これこそ社会主義だからできることだ！」と言った。戸惑った顔のわたしに、彼は笑顔を返して言った。「わたしは圧倒的に改革開放を支持するよ」」[12]。

ボーアは続けてこの「開放」を肯定する議論を要約してみせる。「それまでほとんどすべての労力が生産関係に振り向けられ、社会主義的平等と集団的努力が重視されていた。これは万事順調だったのだが、単に全員が貧しいから平等だというのなら、利点を見出す人はほとんどいないだろう。だから鄧小平や彼と共に活動する人たちは、マルクス主義のもう一つの次元を強調しはじめた。それは生産力を解き放つ必要性である」[13]。しかしマルクス主義にとって、「生産力を解き放つ」ことは「別の次元」の話ではなく、生産関係を変容させるという目標そのものである――以下はマルクスの古典的な定式化だ。

社会の物質的生産諸力は、その発展がある段階にたっすると、いままでそれがそのなかで動いてきた既存の生産諸関係、あるいはその法的表現にすぎない所有諸関係と矛盾するようになる。これらの諸関係は、生産諸力の発展諸形態からその足枷へと一変する。このとき社会革命の時期がはじまるのである。(14)

皮肉なことにマルクスにとって、共産主義が興るのは資本主義の生産関係が生産手段のさらなる発展の障害となるときであり、したがってこの発展を保証できるのは(急なあるいは漸進的な)資本主義市場経済から社会主義経済への進展だけなのだが、鄧小平の「改革」はマルクスを回れ右させてしまう——社会主義の経済成長を可能にするには、ある時点で資本主義に戻らないといけないのだ。ここには乗り越えがたいさらなる皮肉がある。二十世紀の左翼を規定していたのは、近代の根底をなす二つの傾向への抵抗、すなわち、粗暴な個人主義と疎外の力学とを伴う資本の支配と、権威主義的な官僚国家権力への抵抗であった。今日の中国にあるのはまさにこの二つの要素を組み合わせ極端な形にしたもの、つまり、強力な独裁国家と荒々しい資本主義の力学である——そしてこれが今日もっとも効率のいい社会主義の形態でもあるはずなのだ。正統派マルクス主義者は「対立物の弁証法的統合」という用語を好んで用いた。真の進歩が生じるのは、対立する二つの傾向の最良の部分を組み合わせたときだというわけだ。しかしどうやら中国の成功は、対立する二つの傾向のなかでわれわれが最悪だと思っていたもの(自由資本主義と共産党独裁)の組み合わせによっている。

この観点からするとここ数十年における中国の経済的成功は、資本主義の潜在生産力の証というよりも、社会主義が資本主義に勝ることの証であると解釈される。この見方では、ベトナム、ベネズエラ、キューバ、さらにはロシアまでをも社会主義国とみなすことになるのだが、その場合この新たな社会主義には、強烈な社会保守主義という特徴をつけたす必要がある——しかもそうした社会主義の復権がマルクス主義の基本——資本主義は国家権力の型ではなく資本主義的な生産関係によって規定される——を無視しておりあからさまに非マルクス主義的であるといえる理由は、この保守性だけではない。[15]（ついでに言えば、プーチンに幻想を抱いている人はみな、彼が公認哲学者の地位にイヴァン・イリンを祭り上げていることを考えた方がいい。ロシアの政治神学者であるこの人物は、一九二〇年代初頭にソ連から「哲学者の船」で追放されたのだが、ボリシェヴィキと西欧自由主義に対して独自のロシア・ファシズム、父権的な君主が率いる有機的な共同体としての国家を提唱した。）

それでもこの中国のやり方に、一定の真実が含まれていることは認めざるを得ない。どれほど資本主義を野放しにしているとしても、誰が国家機関を管理するかは重要なのだ。古典的マルクス主義と新自由主義イデオロギーはいずれも、国家を資本の再生産のニーズにしたがう二次的な仕組みとする傾向にある。それゆえ両者はともに、経済的プロセスにおいて国家機関が果たす積極的な役割を過小評価してしまうのだ。ではわたしたちは、資本家が経済において強力な役割を果たしている非資本主義国家をどの程度想像できるだろうか。中国モデルが解放的闘争のモデルにはならないことは確かだが——そのモデルは巨大な社会的不平等と強力な独裁国家の組み合わせなのだから――それでも、社会生活のいくつかの領域では資本主義の要素に頼る強力な非資本主義国家という可能性を、アプリオリに排除すべきではない。資本主義の要素や領域を限定して許容しつつ、資本の論理が社会全体を重層決定する原則となることを認めずにいることは可能なのだ。

数年前、鄧小平の娘とつながりを持つ中国の社会理論家がおもしろい逸話を話してくれた。鄧小平の死の直前、ある助手が、あなたが成し遂げたことのなかで一番偉大なことは何だったとお考えですかと、いつもの答えを予期しつつ、つまり中国に発展をもたらした経済改革と答えるだろうと予想しつつ尋ねた。鄧小平の答えはこの質問者を驚かせた。「指導層が経済を開放すると決めたとき、とことんやって政治も複数政党制民主主義に開放してしまうという誘惑に抗ったことだ」。（複数の情報源によれば、このとことんやるという傾向は党内のいくつかの派閥ではとても強く、党による支配を維持するという決定は事前に決まっていたことではなかった。）ここでわたしたちは、中国が政治も開放して民主主義に移行していたら経済発展はずっと速かっただろうと夢想するリベラルな誘惑には抗う必要がある。政治的民主主義が新たな不安定さや緊張状態を作り出し、経済発展を妨げていたとしたらどうか。この（資本主義の）発展は強力な独裁権力の支配する社会でのみ可能であるとしたらどうか。古典的マルクス主義の初期近代イングランドに関するテーゼを思い出そう。政治権力を貴族の手中に残しつつ自分たちは経済力を確保する、これはブルジョワ自身の利益に適うことだった。おそらく何かしら同じようなことが今日の中国で起こっている。政治権力を中国共産党に残しておくことは、新たな資本家の利益に適うことだったのだ。

中国の政治理論家は当然、自分たちのシステムも民主主義だが、それは西洋の議会制民主主義とは違った形なのだと主張する。彼らは自国のシステムを「熟議民主主義」だという。この自称を受け入れ、それが実際のところ何を意味するのかを見てみるべきだ。大きな決定がなされるとき、党はただそれを発令するのではない。人々に熟慮し、意見を述べるよう求める……しかしその上で、党が決定するのだ。

ペーター・スローターダイクは、今から百年後、中国共産党が誰か一人に記念碑を建てるとしたらリー・クアンユーになるだろうと述べている。いわゆる「アジア的価値観の資本主義」（それは当然アジアとはなんの関係もなく、権威主義的資本主義にのみ関係する）を発明、実現したシンガポールの指導者である。この権威主義的資本主義というウイルスはゆっくりと、しかし確実に世界に広がっている。鄧小平は改革を始動するまえにシンガポールを訪れ、中国全体が範とすべきモデルだと声高に称賛した。この変化には世界史的な意味がある。現在に至るまで、資本主義は民主主義と不可分であるかのように見られている――もちろん独裁制に傾くこともあるにはあったが、十年か二十年もすれば、民主主義がもどってくる（韓国やチリの例を思いだそう）。しかし今日、民主主義と資本主義の結びつきは解けている。だからわたしたちの未来は、中国の資本主義的社会主義を――それは決してわれわれが夢見ていた社会主義ではない――模範としている可能性も十分にあるのだ。

しかし、このモデルにもひびが入り始めている。今日のカンボジアはわれわれの世界の「発展途上」地域における対立関係の象徴だ。先だってカンボジアはクメール・ルージュの指導者の最後の生き残りに有罪判決を下した——しかし（少なくとも手続き上は）クメール・ルージュの惨事にけりをつけたカンボジアは、いまどうなっているだろうか。工場の労働環境は劣悪であり、子供による売春があちこちで行われ、外国人がほとんどのレストランやホテルを所有している——ある形の悲惨さが別の形に取って代わられただけで、おそらくそれはほんのわずかにましになったに過ぎない。中国も、それほど極端ではないとはいえ、似た状況に追い込まれているのではないか。失踪したマルクス主義学生の奇妙な事件（『ジキル博士とハイド氏の奇妙な事件』のもじり）とでも呼ぶべき出来事を思い出そう。

中国当局は批判の声に対処する際、決まった手段への依存を強めているように見える。ある人物（環境保護活動家、マルクス主義学生、インターポール総裁、牧師、香港の出版業者、さらには人気の映画女優までも）がただ二週間ほど失踪する（その後公の場に戻ってきて具体的な罪状を告発される）のである。この引き延ばされた沈黙の期間が、鍵となるメッセージを伝えている。権力は計り知ることのできない仕方で行使されるのであり、立証は不要、法的論拠はこの基本的なメッセージが了解されたあとに示される。しかしそれにしてもマルクス主義学生失踪の事件は特殊である。失踪はすべてその活動が何らかの形で国家への脅威とみなしうる人物に生じているのに、失踪した学生は自分たちの批判活動を、国家の公式イデオロギーによって弁護していたのだから。

近年中国の党幹部はイデオロギー的正統性を再度はっきりさせることにした。宗教に対しては厳しく臨む。マルクス、レーニン、毛沢東の書籍は大幅に増刷する等々。しかしそれとともに発せられているメッセージはこうだ。本気にするなよ！　失踪した学生はまさにこれをやってしまっていたわけだ。公式のイデオロギーに基づいた行動、重層的に搾取される労働者との連帯（それに加え環境保護、女性の権利……）。（少なくともわたしたちのメディアで報じられている限り）よく知られた二つの事例は、張聖業と岳昕のケースである。北京大学の北大キャンパスを歩いていたところ、大学院生の張聖業は突然黒い車から出てきた黒いジャケットの男の一団に囲まれ、ひどく殴られたのち、車に押し込まれて連れ去られた。（携帯でその出来事を録画した他の学生も同様に殴られ、録画を消すよう強制された。）その時以降、誰も張のことを耳にしなくなった。二十二歳で同じ大学の学生だった岳昕は、党の高級役人にレイプされた学生が自殺した事件の全容解明を求める運動を率いていたのだが、同じく失踪し、娘の身に何があったのかを暴こうとした母親も失踪したのだった。岳昕は労働者の権利を求める運動を、環境問題、および中国版MeToo運動と組み合わせるマルクス主義団体のメンバーだった。彼女はさまざまな大学から何十人もの学生を集めて深圳に行き、その地のロボット工場の労働者による独立労働組合設立の要求を支援した。暴力的な警察の取り締まりによって、五十人の学生と労働者が失踪した。

党指導部にこうしたパニックのような反応を引き起こしたのはもちろん、学生団体と労働者団体の直接的で水平的なつながりを通じて出現しつつある、自己組織化によるネットワークの影である。これはマルクス主義を土台としており、党の古参幹部や軍の一部にさえ共感をもって受け止められている。そうしたネットワークは党の支配の正当性を切り崩し、そんなものはまやかしだと弾劾する。したがって近年、多くの「毛沢東主義」のウェブサイトが閉じられ、大学のマルクス主義討論団体の多くが禁止されていることも特に不思議ではない――今日の中国で最も危険な行為とは、国の公式イデオロギーを信じて本気にすることである。
今日、中国がかつての毛沢東主義的な政策を反復しているように見えることがあるとしても、その理由の説明は注意深く読む必要がある。

中国は何百万人もの若い「ボランティア」を村に送り返す計画を立てており、五十年前に毛国家主席が行った乱暴な文化大革命のやり方に戻るのではないかという不安を煽っている。共産党の文書によれば、中国共産党青年団は二〇二二年までに一千万人以上の学生を「農村地域」に派遣し、「技能を向上させ、文明を広め、科学技術を発展させる」と約束している。(16)

ここでの理由づけがかつての毛沢東のものとは正反対であることに気づかないわけにはいかない。学生を農村地域に派遣するのは人民の知恵を学ばせるためではなく、人民を教化するため、近代的な「文明」を広めるためなのだ。
しかしここで避けるべき罠は、共感を全面的にマルクス主義学生にそそぎ、彼らが何らかの形で勝利するか、少なくとも党が労働者の不安を真剣に受けとめる方向へ路線変更させられるよう願うことである。わたしたちは（そして彼らも）より根本的で不穏な問いを提起すべきなのだ。いったいどうして、マルクス主義が公式イデオロギーに掲げられているまさにその国で、あらゆる独立労働者運動が最も乱暴に押しつぶされ、労働者の搾取が自由に行われてしまっているのか。中国の政党がマルクス主義のイデオロギーに実際のところ忠実でないことを嘆くだけでは不十分である。このイデオロギーそのものに、少なくともその伝統的な形態に、おかしなところがあるとしたらどうなるだろうか。

22　ベネズエラと新たな決まり文句《クリシェ》の必要性

一九七〇年代初頭、ヘンリー・キッシンジャーはＣＩＡに宛てた短信で、民主選挙で選ばれたチリのサルバドール・アジェンデ政権を弱体化させる方法として、簡潔に「経済に悲鳴をあげさせろ」と助言した。米国の政府高官は今日ベネズエラで同じ戦略を使っていることを公に認めている。米国国務長官経験者のローレンス・イーグルバーガーはフォックス・ニュースでこう述べたことがあった。

［チャベスが］ベネズエラ国民の人気を集められるのは、ベネズエラのひとびとに生活水準の改善が望めると思われている間だけです。ある時点で経済が本当に悪化したら、国内でのチャベス人気が落ちることは間違いなく、それが手始めに彼に対して使える、そして使うべき唯一の武器です。つまり経済をさらに悪化させるという経済的手段をとるのです。そうすれば国内およびこの地域での彼の訴求力は低下するでしょう……いまベネズエラの経済を悪化させるためにできることなら何だって構わないのですが、できればベネズエラと直接揉めることはないようにやりたいところです。

最低限いえるのは、こうした発言を考慮すると、チャベス政権が直面した経済的困難（国中で主要製品や電力が不足している等々）の原因は彼の的外れな経済政策だけではないという推測が信憑性を帯びてくるということである。ここでわれわれは政治的に重要なポイント、自由主義者のなかには信じがたいと思う人もいるだろうポイントに行きつく。わたしたちが相手にしているのは、衝動的な市場の動きや反応（例えば、店のオーナーが特定の商品を棚から外しておくことで利益を増やそうとするなど）ではなく、練り上げられた計画的な戦略なのである。

しかし、ベネズエラの経済破綻の大部分がベネズエラの大資本とアメリカの干渉が手を結んで動いた結果であること、マドゥロ体制に敵対する勢力の中心は極右企業であり大衆に支持された民主勢力ではないということが本当だとしても、この洞察はさらなる、より厄介な問題を提起することになる。こうした批判がありながら、なぜチャベスとマドゥロに対して真にラディカルな代替案をだすベネズエラの左翼がいなかったのか。なぜチャベスとの対立において主導権を握るのが極右だったのか。この極右は勝ち誇ったように対立闘争をヘゲモニー化し、自分たちはチャベスによる経済管理の失敗のせいで苦しむ一般大衆の声を代表しているとまで言っている。

だから左翼が、ベネズエラの経済的苦難の原因を作ったとしてアメリカの制裁や国内対立の助長を批判しているとしても、これが話のすべてでないことは指摘しておく必要がある。この苦難の究極的な原因は、外部からくる帝国主義的な策謀ではなく、チャベスの政策そのものの内部にある対立や欠落なのだ。わたしたちが外部の敵のみを非難するならば、それは社会に内在する対立を無視し、危機を有機的な社会組織に属さない外部の敵——ユダヤ人、共産主義者……——のせいだとするファシストと同じ過ちを犯すことになる。チャベス自身が二、三度口をすべらせて反ユダヤ主義的な発言をしていることも不思議ではないのだ（チャベスはのちにフィデル・カストロにそそのかされ、この件を謝罪することになった）。

チャベスはオイルマネーを撒き散らしているだけのポピュリストではなかった。国際メディアではほぼ等閑視されているのは、新たな形態の生産組織を試みることで資本主義経済を乗り越えようとする、複雑でしばしば支離滅裂にもなった奮闘である。この新たな形態の生産組織とは、私有財産か国有財産かという二択を越えようとするものであり、農民と労働者の協同組合、労働者の経営参加、生産の管理および組織化、私有財産と社会的管理および組織化とを複合させたさまざまなハイブリッド形態などがある（例えば、オーナーが使わない工場は労働者が運営を任される）。この途上で幾度となくひき逃げが行われている——例えば、何度か試したあとで、国有化された工場の所有権を労働者へ譲渡したり株式を労働者へ分配するといったことが取りやめになったのである。いま述べたことは、民衆側が主導権をもち国家側の提案と交渉するという意義ある試みなのだが、同時に数々の経済的失敗、効率の悪さ、広範囲にわたる腐敗などにも注意しなければならない。一年（半年）ほど盛り上がってそのあと転げ落ちてしまうというのはよくある話だ。

チャベス主義の最初の数年間、わたしたちが目にしたのは間違いなく大規模な民衆の動員だった。しかし大きな疑問が残る。一般庶民による自己組織化に頼ることは、政府の運営にどのような影響を与えるか、あるいは与えるべきなのか。今日そもそも真正の共産主義権力を想像することは可能なのか。いまあるのは、大惨事（ベネズエラ）か、降伏（ギリシャ）か、資本主義への完全な回帰（中国、ベトナム）のいずれかだ。ジュリア・バクストンが述べるように、ボリバル革命は「ベネズエラの社会関係を変容させ、大陸全体に多大な影響を与えた。しかし悲劇的なことに、それが適切に制度化されず、そのため持続させることができなかった」[17]。真に解放的な政治ならば国家とは距離を置くものだと言うのは安易すぎる。その背後には、国家をどうすべきかという大きな問題が控えているのだ。国家の外部にある社会を、そもそも想像することは可能なのだろうか。こうした問題はいますぐに考えなければならない。未来の情勢が見えてくるのを待ちつつそれまでは国家から安全な距離を取っておくなどという悠長なことはしていられないのだ。

　物事を本当に変えるには、本当は何も（既存のシステム内では）変わらないことを受け入れる必要がある。ジャン＝リュック・ゴダールは「何も変えてはならない、すべてを変えるために」という標語を掲げた。「すこしは変えなければならない、すべてが変わらずにいるために」の反転である。後期資本主義の消費社会の力学のなかで、わたしたちはつねに新しい製品をこれでもかというほど与えられているが、この恒常的な変化はどんどん単調になっている。恒常的な自己改革だけがシステムを維持できる現在、変えることを拒否するものが事実上本当の変化の、つまりは変化の法則そのものの変化の、担い手である。

　あるいは別の言い方をすれば、本当の変化とは単に古い秩序を転覆することではなく、何より、新しい秩序を樹立することである。ルイ・アルチュセールはかつて、キルケゴールによる人間の三分類——官吏、女中、煙突掃除人——に類比すべき、革命指導者の類型を考え出した。格言を引用する者、格言を引用しない者、（新しい）格言を作りだす者。一つ目は悪漢であり（アルチュセールはスターリンをイメージしていた）、二つ目は失敗を運命づけられた偉大な革命家であり（ロベスピエール）、三人目だけが革命の真の性質を理解し成功する（レーニン、毛沢東）。この三者は〈大他者〉（象徴的実体、あるいは、つまらない格言として表現するのが最適な不文律としての習慣や知恵の領域）との三つの異なる関係を示している。悪漢は、革命をただ自国のイデオロギー的伝統に再度書き込むだけである（スターリンにとって、ソヴィエト連邦はロシアの進歩的発展の最後の段階だった）。ロベスピエールのようなラディカルな革命家が失敗するのは、過去との切断を行うだけで新たな習慣を根づかせる試みには成功しないからである（宗教を最高存在なる新たなカルトに置き換えるというロベスピエールの思いつきが、完全に失敗したことを思いだそう）。レーニンや毛沢東のような指導者が（少なくとも一定の期間は）成功したのは彼らが新たな格言を発明したからであり、そうすることで彼らは日々の生活を律する新たな習慣を与えたわけだ。「ゴールドウィニズム」の傑作に次のようなものがある。サム・ゴールドウィンは、彼の映画に古い決まり文句《クリシェ》が多すぎると批評家連中が言っていると知り、シナリオ部署に「われわれにはもっと新しい決まり文句が必要だ！」と書き送ったというのだ。彼は正しかった。そしてこれが革命のもっとも困難な仕事である——普段の日常生活のための「新しい決まり文句」を創り出すことが。

ここからさらに一歩進む必要がある。左翼の仕事はただ新しい秩序を提案するだけでなく、可能に見えるものの地平そのものを作り変えることである。わたしたちの状況の逆説はしたがってこうなる。グローバル資本主義への抵抗はたびたびその発展を阻み損ねているように見えるが、そのくせ資本主義の漸進的な崩壊を明確に指ししめす多くの動向を奇妙にも認識できずにいるのである——これはあたかも二つの動向（抵抗と自己崩壊）が異なったレベルで進行していて出会うことがなく、結果として内在的な崩壊と不毛な抗議運動とは平行線をたどるばかりで、両者を連携させて資本主義を転覆し解放に導く方法はないかのようだ。どうしてこうなってしまったのか。（ほとんどの）左翼がグローバル資本主義の襲来から必死で古い労働者の権利を守ろうとしているのに対し、ポスト資本主義について語っているのはもっとも「進歩的な」資本家（イーロン・マスクからマーク・ザッカーバーグまで）だけである——わたしたちの知る資本主義から新たなポスト資本主義秩序に移行するという主題自体が、資本主義に占有されているかのようなのだ。

エルンスト・ルビッチの映画『ニノチカ』で、主人公はカフェに赴きクリームなしのコーヒーを注文する。ウェイターはこう答える。「すみません、クリームを切らしてしまっているんです。ミルクなしのコーヒーをお持ちしてもよろしいですか」。いずれにせよ客が飲むのはブラックコーヒーなのだが、このコーヒーはそれぞれ異なった否定を伴っている。一つ目はクリームなしコーヒー、二つ目はミルクなしコーヒー。「ブラックコーヒー」と「ミルクなしコーヒー」の違いは純粋に仮想上のものであり、現実の一杯のコーヒーには違いがない——その欠如自体が積極的な特徴として機能しているわけだ。このパラドクスをうまく表現したものとして他に、モンテネグロ人に関する古いユーゴスラヴィアのジョークがある（モンテネグロ人は旧ユーゴスラヴィアで怠惰だという汚名を着せられていた）。モンテネグロ人の男が眠りにつくとき、水が入ったグラスと空のグラスをベッドのわきに置くのはなぜか。それは彼が怠惰すぎて、夜中に喉が乾くかどうかを事前に考えられないからである。このジョークの要点は、不在自体が積極的に表現される必要があるということだ。水の入ったグラスを置いておくだけでは不十分である、なぜなら喉が乾かなかった場合、そのことを認識できないからだ――この否定的な事実そのものが表されなければならず、水が必要ないということが空のグラスの空虚によって物質化されなければならないのである。政治でこれに対応するものが、社会主義時代のポーランドのよく知られたジョークに見出せる。店に客が入り、「多分バターは置いてないですよね」と尋ねると、「すみません、当店はトイレットペーパーを置いていない店でして、向かいの店がバターを置いていない店になります！」という答えが返ってくる。あるいは現代のブラジルを考えてみよう。カーニヴァルの間あらゆる階級の人が路上で一緒に踊り、一時的に人種や階級の差異を忘れてしまう――しかし、失業中の労働者がダンスに加わりどうやって家族を養っていくかという不安を忘れることと、裕福な銀行家が我を忘れ、人々との一体感に気分がよくなり、貧しい労働者に融資を拒否したばかりであることを忘れるのとでは、明らかに違いがある。両者は路上にいるという点では同じだが、労働者はミルクなしで踊り、銀行家はクリームなしで踊っているのである。似たような意味で、一九九〇年の東ヨーロッパの人々が望んでいたものは、共産主義なき民主主義だけではなく、資本主義なき民主主義でもあった。

そしてこれこそ左翼が学ばなければいけないことである。同じコーヒーを出すにも、ミルクなしのコーヒーが突如クリームなしのコーヒーに変わっているという希望を持つこと。そのとき初めてクリームをもとめる闘争が始まるのだ。

23　真の新世界秩序へようこそ！

二〇一八年のカナダとサウジアラビアの対立で最初に目を引くのは、原因と結果のグロテスクなまでの不釣り合いである。というのもちょっとした外交上の抗議が引き起こした一連の措置は、軍事衝突の一歩手前にまで至ったのだ。サウジアラビアは最終的に女性の自動車運転を認めたが、運転する権利を求める活動を行った女性たちは逮捕した。逮捕された平和的な活動家の一人であるサマル・バダウィには、カナダに家族がいた。カナダ政府は彼女の釈放を要求したが、サウジアラビア政府はこの抗議を内政への不当な干渉だとし、即座にカナダ大使の国外退去を命じ、カナダへの航空便を停止、新規の貿易と投資を凍結、カナダ資産を売却、学生およびカナダで治療を受けている患者の引き揚げを発表した。これはすべて大改革者のようにふるまう皇太子の主導で行われたことであり、サウジアラビアが変わっていないことを明確に表している。それは実際のところ国家というより一族が経営する巨大なマフィア企業であり、イエメンの内政に不当な干渉を行い、この国を文字通り破壊し、しかも近隣の戦争地帯からの難民は受け入れない。その衝突にはどっぷり関与しているのにである。

女性の運転を認めると同時にそれを要求した人を逮捕することのメッセージは明快で曖昧なと

ころがなく、そこに何ひとつ矛盾はない。すなわち、小さな変化が起きるとすればそれは上からおりてくるのでなければならず、下からの抗議は許容できないのである。カナダの抗議文書に対するサウジアラビアの対抗手段の「ばかげた過剰反応」も同じことである。メッセージは明確だ。カナダは思い違いをし、まだわれわれが普遍的な人権の時代に生きているかのようにふるまっている。エジプトとロシアがサウジアラビアの措置を支持し、別のケースなら偉大な人権の擁護者となるはずのアメリカとイギリスでさえこの乱闘には加わらないと決めたという事実から、目下〈新世界秩序〉が出現しつつあることが明らかになる。この新たな動向の極致は、最近見られるようになった、イスラム文化のイスラム恐怖《フォビア》的な尊重である。キリスト教圏の西洋がイスラム化する危険に警鐘を鳴らしている当の政治家が、エルドアンの直近の選挙での勝利を敬意をもって祝福した――イスラムの権威主義体制はトルコにある分には構わない、だがわれわれにはお断りだ、というわけだ。イスラエルもユダヤ市民に特権を付与するスキャンダラスな人種隔離法を新たに制定しながら、同じ道をたどっている。これが今日の多文化主義の真実である。普遍的な基準を課すことはすべて植民地主義的だと非難されるのだ。

シオニズム的反ユダヤ主義の定式にしたがえば、自分たちの国に最大限厳格な政治的に正しい《ポリティカリー・コレクト》フェミニズム的規則を課しながら、同時にイスラムの暗い面に対する批判を新植民地主義的な傲慢さとして却下することは、矛盾ではないわけだ。

そういうわけで、ようこそ、サウジアラビアが反植民地闘争を率いる〈新世界秩序〉へ！ なんともばかげた形式的な意味において、サウジアラビアは世界でもっとも腐敗していない国である。というのも、（これ以上）腐敗する必要がない、なぜなら既存の体制がすでに完全に腐敗しているからだ――王がすべてを所有しており、すでに国家全体を簒奪してしまっているのである。

「アメリカ・ファースト！」というスローガンを批判するあのリベラルには、どこか偽善的なところがある――自国第一主義は、多かれ少なかれどこの国でもやっているなどということはなく、アメリカがグローバルな役目を拒否するのは自国の利益のためなのだとでも言いたげなのだ。「アメリカ・ファースト」の背後にあるメッセージはしかしながら、切ないものである。アメリカの世紀は終わった。アメリカは（強力な）国々のうちの一国にすぎない状態に甘んじる。究極の皮肉は、アメリカが世界警察を気取るのを長い間批判してきた左派の人々が、欺瞞的ではありつつもアメリカが民主主義の規範を世界に課していた古い時代の復活を望み始めているかもしれないことだ。

24　ボスニアの真の奇跡

ボスニアの奇跡？　最初に思い浮かぶのは、数十年前にメジュゴリェに聖母マリアが現れたことだ――結果この地域には何百万人もの巡礼者が訪れることになった。しかし二〇一八年の秋に、ボスニアのセルビア地区（「スルプスカ共和国」）の首都バニャ・ルカで、さらに民族の境界をこえたほかのボスニアの都市で、はるかに大規模かつ重大な奇跡が起きた。

その奇跡とは、十月にあった選挙のことではない――いつも通りボスニアの選挙は（それに伴う数々の不正にもかかわらず）無気力と無関心を特徴とし、ただ民族の境界によって国が三分割されていることを確かめただけだった。セルビア地区はますます主権国家としてふるまう。サラエヴォのイスラム地区ではイスラム化が進行し、例えばレストランでビールを飲むようなことがいよいよ困難になっている。大いに喧伝された特殊な形態のＰＰＰ（官民連携）がボスニア全土にわたって盛んで、地元の政治エリートが半合法の民間事業と結託しており、彼らの支配は「敵」に対して民族集団（ボスニア人、セルビア人……）を庇護しているという名目で正当化される。貧困がそこここにあり、大量の若者が仕事を求めて西ヨーロッパに移住している状況では、ナショナリズムが盛り上がり、自分たちの民族アイデンティティの擁護がたやすく経済問題を凌駕する。

ボスニアでわたしたちが直面している問題をもっともよく表しているのは、二年前にクロアチアで起こったある出来事だ。二つの公開抗議集会が告知された。労働組合は（一般大衆がはっきり感じるほど）急速に上昇する失業率と貧困水準への抗議を呼びかけた。一方、右派ナショナリストは、ブコバルで（この地区の少数派セルビア人のための）キリル文字の再公用語化に抗議する集会を開くと告知した。二百人が一つ目の集会に出席し、二つ目の抗議には十万人以上が参加した。一般人にとって、日々実感されているのはキリル文字の脅威よりはるかに貧困の方なのだが、それでも労働組合は動員に失敗したのだった。

物知り顔の評論家はこうした話を引き合いに出して、左派の主張をシニカルに嘲笑したがる。その主張とは、われわれの目標は狭量なナショナリズムを打ち破り、支配層の民族エリートに操作、搾取される人々の超国家的な連合を実現することだというものだ。評論家たちがしつこく説明してくるのは、特にバルカン地方のような地域では「非理性的な」民族的憎悪があまりに根深く、それが「理性的な」経済的関心によって克服されることはありえない――搾取される者の超国家的な連携など、決して実現しない奇跡だということだ。さて、この奇跡が――これと比べればメジュゴリェでの聖母マリア出現もすっかり霞んでしまう――去年起きた。

若いセルビア系ボスニア人のハッカー、ダヴィド・ドラギチェヴィチが、二〇一八年三月十七日から十八日にかけての夜に失踪し、三月二十四日に遺体がバニャ・ルカ近郊で発見された。ひどく損傷した遺体から、長々とした残忍な拷問で殺されたことは明らかだった。三月二十六日からバニャ・ルカの中央広場で毎日抗議活動が行われ、ダヴィドの父親ダヴォルが組織したこの抗議は「ダヴィドに正義を」という言葉を掲げていた。警察は最初ダヴィドの死を自殺と発表し、民衆からの強い圧力を受けてようやく殺人事件として調査を始めたのだが、まだ結果は出ていない。明らかになったのは、ダヴィドが支配層による汚職や他の犯罪の痕跡を発見しており、それが原因で彼は消されたということだ。継続的につづいた抗議活動は最終的に巨大な集会になって、大勢の人が参加し、何十台ものバスがスルプスカ共和国からバニャ・ルカに人を運んだのだった。支配層エリートはパニックになり、何千人もの警察官が交通を規制して、街への進入を堰き止めた。

そして真の奇跡が起きる。思いがけないことに、民族を超えたすばらしい連帯が示されるなかで、同じような集会が、ボスニアのムスリムが多数派の都市でも行われたのだ。ボスニアの首都サラエヴォでは何百人もの人々が、自分たちの都市の似たような事件に関して公正を求めた。それはジェナン・メミチの死亡事件であり、彼は二〇一六年二月八日から九日にかけての夜に失踪したが、遺体が同じように拷問の跡で損傷していたにもかかわらず、本格的に調査されなかったのだ。サラエヴォのバニャ・ルカとボスニアの他の都市の抗議参加者はメッセージを交わし、民族の分断を超えた連帯を強調した。なぜなら全員が、腐敗したＰＰＰのエリートによって食い物にされるという運命を共有しているからである。最終的に彼らは、真の脅威は他所の民族集団ではなく、自分たちの集団内の腐敗なのだということ、この悪性腫瘍を除去するには一緒に行動するしかないということを完全に認識した。不可能で（シニカルな現実主義者にとっては）「想像できない」ことが実際に起きたのだ。

もちろんこうした蜂起に期待しすぎてはいけない。経済的貧困に対する似たような超民族的運動は、アラブの春の影響を受けてすでに数年前に起こっており、徐々に縮小しつつある。しかし表面下で火は燃えつづけており、この火はボスニアで唯一の希望の光だ。エイブラハム・リンカンの古い名言の正しさがいま再び確認される。一部の人たちを常にだますこと、すべての人を一時だますことはできても、すべての人を常にだますことはできない。

25-32

イデオロギー

25 罪意識と自己批判ではなく、積極的連帯を

ローラ・キプニスは最近の論評で、映画批評家デイヴィッド・エデルスタインの一件の倫理的―政治的な含意を引き出している。[1]『ラストタンゴ・イン・パリ』の監督ベルナルド・ベルトルッチの死に際して、エデルスタインは自身のフェイスブック上に下品な「ジョーク」を投稿した。マリア・シュナイダーとマーロン・ブランドの映画のスチル写真（悪名高いアナル・レイプの場面）つきで、「深い悲しみもバターがあればましになる」と書き込んだのだ（レイプシーンでバターが潤滑剤として使われたことを踏まえている）。その投稿を彼はすぐに削除した（抗議への対処としてではなく、抗議が湧き上がらないうちに）。女優マーサ・プリンプトンは即座に自分のフォロワーに向けて「クビだ。いますぐ」とツイート。これは翌日のことであった。フレッシュ・エアとNPRは、「とりわけ『ラストタンゴ・イン・パリ』撮影中のマリア・シュナイダーの経験を考えると」投稿は「侮辱的で許容しがたい」ため、エデルスタインとの関係を打ち切るつもりだと発表した。

この出来事が暗に示していること（あるいは不文律）は何だろうか。まずキプニスが書いているように、「不注意による犯罪は不注意ではない」。そうしたことを一時の過ちとして免責するわ

けにはいかない、なぜならそれは犯罪者の本当の人格を明るみに出すものだと考えられるからだ。だからこそそうした一つの犯罪が、どれほど謝罪したとしても、あなたの永遠の汚点となるのである。「一回しくじったら終わりなのだ。大して考えずにしたソーシャルメディアへの投稿が十六年間の実績よりも重いのだ」。助けになることがあるとすればただひとつ、自己批判による自己点検の長く終わりのないプロセスである。「再証明しつづけることができなければ、あなたは女性に対する犯罪に関与したことになる」。何度でも繰り返し証明しなければならない、なぜなら男であるあなたは、そもそも信用されていないからだ。「男の言うことを信じてはいけない、彼らは何でも口にする」。キプニスの苦々しい結論は次のようなものだ。「おそらく「権力者に真実を告げる」というお題目の影に隠れるのをやめるべきときなのだろう、女性がたっぷり権力を持ったいまとなっては――わたしたちはツイートひとつで男性一人のキャリアをめちゃくちゃにしてしまえるのだから!」。もちろん付け加えておくべきことはある。どんな女性が、どんな男性のキャリアをめちゃくちゃにする権力を持っているのか、というように。しかしそれでも事実として、別の場合なら考慮されたであろうこと(公正な裁判、合理的な疑いの権利……)による抑制がないままに巨大な権力が行使されるのをわれわれは目撃しており、そう指摘しようものなら、その人も即座に年長の白人男性を庇っていると非難されるのである。加えて、パブリックな空間をプライベートな空間から切り離す境界も消えた。最近アイスランドの国会議員数人が、女性の同僚および障害者の活動家のことを酷い言葉で語っていた声が録音され、辞職勧告を受けた。それはバーでなされた会話であり、匿名の盗聴者が録音をアイスランド・メディアに送ったのである。[2]

ここで思い浮かぶ唯一の類似事例は、革命における粛清の残忍な迅速さである――しかも実際、MeTooに共感をしめす多くの人がこの類比を引き合いにだし、そうした過剰さはラディカルな変化の最初の時期には妥当であると主張している。しかしわたしたちが拒否すべきなのはまさにこの類比そのものなのだ。そうした「過剰な」粛清は、革命の熱意が行きすぎたことを示すのではない――むしろ逆で、革命の方向性が変化しラディカルな鋭さを失ってしまったことを示している。[3] MeTooとLGBT+、およびリベラルな反レイシズムが社会のなかでとっている支配的な形態は、権力と抑圧の実際の関係性を揺るがすことなしに、見世物的で表層的な変化を生み出す方法のモデルなのである。例えばNワード〔差別用語。黒人に対する侮蔑語のniggerなどを指す〕を使ったら、その使い方が明確にアイロニー含みだったとしてもクビになることがある。自分のことを「ze」や「they」〔性別を特定しない代名詞〕をつかって呼ぶよう求める人もいる。公共の場所には三つ以上の種類のトイレを作り、ジェンダー二分法に留保をつける。それは大企業が被害者との連帯を示しながら実際にはこれまでと変わらずにいることを可能にする楽園である。

黒人女性のタラナ・バークは十年以上前にMeToo運動を始めた人物だが、最近の記事でこう述べている。この運動は国際的になって以降、一貫して加害者に執着するようになり、告発、有罪認定、無分別な狂騒の循環になってしまった。「わたしたちはMeTooの一般的な語られ方がいまの状態から変わるよう努めています。ジェンダー戦争だとか、反男性的だとか、女性対男性だとか、一部の人のためだけのもの――白人、シスジェンダー、ヘテロセクシュアルの有名な女性のためだけのものだとか、そういう語られ方を変えないといけません」[4]。要するにMeTooの焦点を、どうにかして何百万という一般労働者の女性や主婦の日常的な苦しみの方に向けなおすべきだというわけだ。これは絶対にできる――例えば韓国では、大勢の一般女性が性的搾取に抗議するデモをおこない、MeTooが急成長した。二つの「矛盾」――性的搾取と経済的搾取――のつながりを通じてしか、多数派を動かすことはできない。男をただ潜在的レイプ魔というイメージで語るのではなく、女性に対する暴力的な支配が、彼ら自身の経済的無力感の経験によって引き起こされていると気づかせなければならない。真にラディカルなMeTooは女性対男性の対立ではなく、同時に両者の連帯の展望を見せるものなのだ。

こうした厄介な事情から明らかなのは、広く浸透したＬＧＢＴ＋イデオロギーを批判する際、通常の「マルクス主義的」な方法で政治経済の批判――すなわち、ＬＧＢＴ＋イデオロギーが性的支配と排除の社会的経済的要因を無視していることへの批判――に焦点を絞るだけでは十分でないということだ。政治経済批判に、リビドー経済批判とでも呼ぶべきものを補わなくてはならない。リビドー経済批判とは、（今日までずっと）ヘゲモニーを握っている異性愛イデオロギーだけでなく、性の解放の支配的なパタンまでもが覆い隠してしまっている、わたしたちのリビドー生活に内在する敵対関係や矛盾を引き出すような読解である。MeToo運動とＬＧＢＴ＋運動にまたがる敵対関係は、「階級闘争」および経済的搾取が外部から性的関係の領域にかける圧力に還元してはならないのだ。

ＬＧＢＴ＋の支持者は精神分析を時代遅れだと退けたがるが、彼らの多くはフロイトの基本的な洞察を抑圧することに、いまだにしっかり手を貸している。精神分析がわれわれに教えてくれることがあるとすれば、人間のセクシュアリティには倒錯が内在しており、サドマゾ的なひねりやパワーゲームがあちこちに見られること、そこでは快楽は解きほぐしがたく苦痛と結びついているということである。多くのＬＧＢＴ＋イデオロギー理論家から得られるのはこの洞察とは真逆の見解であり、セクシュアリティは、家父長的、二元論的、その他の圧力に歪められなければ、わたしたちの本当の自己を真に表現する幸福な空間となるというナイーヴな見方である。

ここではルーカス・ドンの映画『ガール』（二〇一八年）を思い出しておこう。男の体に生まれた十五歳の少女がバレリーナになることを夢見るベルギー映画である。[5] なぜこの映画が、強い影響力をもつポストモダン、ポストジェンダー界隈にあれほど激しい反発を引き起こしたのか。広く浸透したＬＧＢＴ＋の教義は、生物学的かつ／あるいは社会的に与えられたジェンダー・アイデンティティを拒否することを促し、個人によるアイデンティティの自己獲得と政治化を擁護する。「あなたは感じるがままに、自由に自分を規定することができる！　誰もがその規定どおりにあなたを受け入れるべきだ」。これこそまさしく、映画の中で起こったことだ。十代の主人公は「自分の感じ方」を、つまりは自らのアイデンティティを受け入れるよう励まされる。バレエでは「ポワント」を上達させるよう励まされる（古典バレエのトレーニングの規準はひじょうに厳格で難しいものなのだが）。主治医はホルモンを処方する。バレエの先生は個人レッスンを行う。父親はいつも彼女の抱える問題について尋ねている――彼女は自分の空想を父親と精神科医に説明するよう促される。そうしてわれわれは事態が悪化していくのを目の当たりにするのである。

多くのLGBT＋活動家が、性転換のトラウマ的な側面に焦点を当てたことや、その詳細を痛ましく描き出したことを問題視し、この映画はポルノホラー・ショーになってしまっていると激しく非難した――モデルとなったバレリーナはこの作品を熱心に擁護し、自分の苦労が完璧に描かれていると主張したのだが。こうした批判において見られるのは明らかに、性転換の苦しい現実と、それを無菌化した公式版――後者はすべてを社会の圧力のせいだとする――との衝突である。トランスジェンダーのある人が述べたように[6]、自分の体を憎みながら生きていくのは困難なのだ。

決定的に重要なのは、ジェンダー・アイデンティティを歴史化しその構築性を可視化するあらゆる試みにおいて、LGBT＋運動理論家は、ジェンダー・アイデンティティという事実、日常的なイデオロギーにおけるその作用自体は受け入れているということである。かれらは、ジェンダー・アイデンティティを脱構築し、その不首尾／不十分さを明らかにしようとはしない。かれらが行うのは、ジェンダー二分法がすべての領域を覆っているわけでも中心的な役割を果たしているわけでもない――つまりこの二元論的な見方に当てはまらない他のアイデンティティもある――と付け足すことだけだ。

トランスジェンダーの性転換にはより幸福なバージョンもある。大企業ともっとも「進歩的な」性の政治が幸福な結合を成し遂げた事例として、シェービング用品の企業ジレットが最近、トランスジェンダーの男性が髭剃りを覚える広告を出して絶賛されたのだ。その広告では、トロントに拠点を置くアーティスト、サムソン・ボンケアバントゥ・ブラウンが父親から手ほどきを受けながら髭を剃る様子が映しだされる。

「ずっと自分は違うってわかってた。自分のようなタイプの人間を表す言い方があることを知らなかった。性転換をしたのはただ幸せになりたかったからだ。髭剃りができるようになって嬉しいよ」と彼は言う。「男として、やっと本当に幸せになれたんだ……このジレットの広告を撮るとき、父親に入ってほしかったんだ。性転換をするあいだ誰より僕を支えてくれた一人だったし、自信をもって最高の自分として偽りなく生きろと応援してくれた人だったから[7]」。

ここで使われている言葉に注意深く耳を傾ける必要がある。ここではジェンダーの社会構築主義が言及されることはなく、ただ本当の自分を発見しそのうえで偽りなく生きようと試みるだけであり、本当の自分に忠実であることで幸福になるのである——「本質主義」という用語に意味があるとすれば、これこそまさにそうだ。もう一つ気をつけるべきなのは、(『ガール』とジレット広告)どちらの場合でも奇妙な父権的なゆがみが見られることである。二つの性転換は逆の方向ではあるが(映画では男から女、広告では女から男)、それを温かく見守るのは父親(この場合は善良な父親)なのである。当然のことながら、ここにいるのは主体が偽りなき生を、自己に忠実に生きることを支える父である——これこそまさしく〈父の名〉の機能であった。ならばここでラカンを思い起こすべきではないか。ラカン曰く、「生きることのできる穏やかな関係が両性間に打ち立てられるような避難所には、父の隠喩という媒体の介入が必要である[8]」。だとすれば父は、ある性が別の性と生きうる関係を結ぶことを保証するだけではなく、ある性から別の性へのなめらかで痛みのない移行をも保証してくれるのである。

多くの批評家が、ＬＧＢＴ＋イデオロギーの中にある社会構築主義と（ある種の生物学的な）決定論との緊張関係に気づいている。生物学的に男と同定された／見なされた個人が心的経済のなかで自分を男として経験すると、それは社会的構築であると考えられる。しかし生物学的に男と同定された／見なされた個人が自分を女として経験すると、これは衝動として、単なる恣意的な構築ではなくより深い操作不可能なアイデンティティとして解釈され、もしその個人が要求するのであればその衝動は性転換手術によって満たされなければならない(9)。答えはシンプルだ。そう、心的な性のアイデンティティは選択であって生物学的事実ではない。しかしそれは主体が戯れに反復したり変えたりできるような意識的な選択ではないのである。それは無意識的な選択であり、主体の構成に先立ち、そういうものとして主体性を形成する。それゆえこの選択を変更することは、選択者のラディカルな変容をともなうのだ。

26　セルブスキー研究所、アメリカ心理学会

一九一三年秋、レーニンは二通の手紙をマクシム・ゴーリキーに書き送っている。[10] ゴーリキーが「建神論」という人間主義的なイデオロギーを支持していることにひどく動揺したレーニンは、ゴーリキーのこの異常は神経の不調のせいではないかとほのめかし、スイスに行って一番いい治療を受けてきてはどうかと助言したのだ。一通目の手紙でゴーリキーの考えにいかに衝撃を受けたかを明かしたのち――「親愛なるアレクセイ・マクシモヴィチ、一体どうしたというんだ。本当に恐ろしい、ただただ恐ろしいよ。どうしてこんなことをするんだ。恐ろしく痛ましいことだ。V．I．より」――レーニンは奇妙な追伸を付け加えている。「P．S．もっと自分を大事にしてくれ、本当に。そうすれば冬の旅でも風邪をひかずにいられるだろう（冬の旅は危険なんだよ）」。明らかにレーニンは、風邪だけでなく、ゴーリキーがはるかに深刻なイデオロギー的病にかかることを心配している。それは二通目の手紙からも明らだ（投函は前のものと一緒になされたのだが）。「多分わたしは君が言ったことが理解できていないんだろうね。君が「当座は」と書いてきたのはふざけていたんだろうね。「建神論」については、本気で書いたわけじゃないんだろうね。いいかい、もう少し自分を大事にしてくれよ。レーニンより」。

ここでわたしたちにとって驚きなのは、ゴーリキーのイデオロギー的な逸脱の原因が、医学治療を要する身体的な条件（過度に興奮した神経）にあるとされていることだ。これは（まだ）スターリニズムでないことに注意しよう。スターリニズムでは、病の原因はもはや「客観的」でなく、乱暴に再主観化されてしまう――つまり、告発された者は自分の罪に対して全面的に責任があることになる。しかし後期スターリニズムでは時折、すさまじい客観化のやり口が回帰してくる。わたしは若いころに見た、モスクワの悪名高いセルブスキー研究所に関する報道を覚えている（ついでに言えばこれはソ連崩壊後も盛んに活動を続けている）。ソ連時代、研究所は体制批判を一種の精神的病に分類し、その特徴を、威光があるという幻想、正義の諸観念への病的な執着、一般に受け入れられた社会的価値への不信などとしたことで有名だった。彼らはそうした病を引き起こす神経の病気を突き止めたと主張し、案の定、薬で治療しようと提案したのだった。これは共産主義の暗い時代の記憶に過ぎないのだろうか。そうとは言いきれない――まったく同じことが今日起こっているのではないだろうか。最近出てきた中国共産党の音声で、政治的「再教育」に送り込まれたウイグル人が「イデオロギー的な病に感染している」（「強固な宗教的見解」と「政治的に正しくない」考えを抱えている）と形容されている――これは詳しく見てみるのがよいだろう。

再教育に送られることになった人民はイデオロギー的な病に感染しています。宗教的過激思想や暴力的なテロリズムのイデオロギーに感染しており、それゆえ入院患者として病院で治療を受けなければなりません。宗教的過激思想のイデオロギーは、人民の心を混乱させる毒薬の一種です。一度この毒を飲んでしまうと、中にはもはや生きることにすら値しない過激主義者になる者も出てきてしまいます……宗教的過激思想を根絶しなければ、暴力的テロ事件は治療不可能な悪性腫瘍のように育ち国中に広がってしまいます。

……

過激主義イデオロギーを吹き込まれた人のうち一定数は特に犯罪を犯していないとはいえ、すでに病に感染してしまっています。病が時を選ばず発症し、人民に深刻な危害を与えるリスクはつねに存在しています。だからこそ再教育病院に収容し、ウイルスの治療および脳からの除去、正常な精神の回復を間に合わせなければいけないのです。治療のために再教育病院に入れるのは、強引に逮捕し刑罰として監禁することではなく、彼らを救うための総合的な救助任務の一環であることをはっきりさせておかなければなりません。

……

イデオロギー的病に感染した人に治療を施し、その治療の効果を確実にするために、自治区党委員会はすべての地区に再教育場を設立し、特別スタッフを編成して、国家法及び省法、規則、党の民族および宗教に関する施策、そのほか様々な指針を教えることにしました。人民を集めて共通言語［北京官話］を学ばせ、様々な技術訓練コースを修了させ、文化活動やスポーツ活動への参加を通じて何が適切で何が不適切かを教える……ことで、正しいことと間違ったことをはっきり区別できるようにするのです。……再教育が終わるころには、感染していた人民は、健康的なイデオロギーの精神状態に戻ります。そうなれば彼らは家族と美しく幸福な生活を送ることができるでしょう。

……

再教育を受けてしまうと悪い人に分類されてしまうのではないか、必死で再教育プログラムを修了したあとも差別され他の人と違う扱いを受けるのではないかと心配する者もいます。しかし実際にはそうした心配は不要です。手術や薬物治療を受けて病から回復した人と同じで、人民が彼らのことを病気だとみなすことはありません。

……

しかし、気をつけなければならないことがあります。再教育を受けイデオロギーの病から回復したからといって、永遠に治ったままであるとは限りません。わかるのはただ身体が健康で、病がぶりかえす兆候は見られないということだけです。病気から回復しても、身体や免疫システムを鍛えて病気にかからないようにしなければ、ぶりかえして前より悪くなることもありえます(11)。

こうした言葉を中国共産党らしい全体主義の典型だと退けてしまう前に、まったく同じロジックがアメリカ心理学会による最近の声明文にも見られたことを思いだすべきだ。そこでは「伝統的な男性性」が有毒《トクシック》だと述べられている——ここでもまた、相手を医学的病の産物としてしまうことで、イデオロギー対立を「医学化」しているわけだ。ラカン派精神分析の用語でいえば、ここにあるのは「大学の語り」、すなわち客観的知の担い手が主体となる社会的紐帯の純粋な事例である。この主体は命令を下したり服従を求めたりする主人として君臨するのではなく、事実を確定する中立的な専門家としてふるまうのだ。経済の専門家がわれわれに繰り返し語っていることを考えてみよう。彼らは厳しい緊縮財政、富裕層への減税などを提案する際、それは経済的現実が要請しているのであって、政治的イデオロギー的好みにもとづく決定ではないとする。（だからこそわたしたちは、幾人かの「専門家」がアレクサンドリア・オクタヴィオ＝コルテスのグリーン・ニューディールを、経済を崩壊させかねない金融資源の無意味な支出だとして却下するやり方も退けなければならない。ロナルド・レーガンによる一九八〇年代の軍拡競争への巨額の投資からわかることがあるとすれば、資産の「非生産的な」支出が経済を発展させることがありうるということだ。アメリカがようやく大恐慌から抜けだしたのは第二次世界大戦が始まってからであったことを思いだそう――環境危機の脅威に対する闘いはわれわれにとっての大戦ではないだろうか。）以下は大学の語りの高圧的な使用の、単純だが見事な実例である。マーガレット・サッチャーがピーター・シェーファーの『アマデウス』を観に劇場に足を運んでモーツァルトの糞便趣味《スカトロジー》について知ったとき、製作者のピーター・ホールが言うには、

首相は不満そうだった。いかにも首相らしい女校長めいた口ぶりで、モーツァルトを四字語〔四文字からなる卑猥な言葉〕好きでスカトロ趣味のいたずらっ子として描いた芝居を上演するのはよくないと、わたしを厳しく叱責した。首相は、こんなに美しくエレガントな音楽を

書く人間がこれほど口汚いなんて考えられないと言った。わたしは、モーツァルトの手紙を見れば本当にそういう人間だったことがわかるのです、異常に子供っぽいユーモアのセンスを持った人物だったのです、と応じた。「わたしの言ったことが聞こえなかったのかしら。そんなはずはありません」。わたしは翌日、モーツァルトの手紙の写しを十番まで送ってさしあげた。私設秘書から感謝までされた。しかしそれは無駄だった。首相は、あなたが間違っている、ひどい間違いだと言った。[12]

サッチャーは間違いなく、モーツァルトの精神的な偉大さに鑑みてその作品のスカトロジカルな側面は無視すべきだと言いたかったはずだが、実際にはそう言わなかったことが重要だ——彼女はこの価値判断（「無視すべきだ」）を、事実を述べるという体で口にしたのだ。そうした語りに隠された真実は、当然のことながら、中立的な専門知が政治的イデオロギー的選択に基づいているということである。専門家が提唱する経済措置はいわば乱暴な支配であり、それは体制批判を病として扱う「科学」が徹底した政治的支配に基づいているのと同じことである。そしてこれが中国の支配に抵抗するウイグル人への今日の中国の対応に——またアメリカ心理学会が「有害な男性性」を心の病の一形態に分類していることにも当てはまる。これが今日のわれわれの状況なのだ。政治的、イデオロギー的対立を乱暴な医学化によって棄却することが求められる時代には、中国の全体主義と政治的に正しい《ポリティカリー・コレクト》態度はたがいに手を取り合うことになる。アメリカ心理学会の声明もここで詳しく見ておくべきだ——以下は声明文そのままの言葉なのだが、どういうわけかこれが恥ずかしさで顔を赤らめることもなく公共空間に入ってきてしまったのである。「いわゆる「伝統的な男性性」の特徴である、感情を押し殺したり苦痛を覆い隠したりといったことは、人生の早い段階で始まることが多い。これは少年や男性が助けを求めたがらず、リスクを取ることや他人を攻撃することを好む傾向にあること――場合によっては自分自身やつきあいのある相手を傷つけてしまうこと――と関連づけられてきた[13]」。

注意深い読者なら、ここでイデオロギーと中立的な専門性とが入り混じっているのを見逃すことはないだろう。許容不可能とみなした現象を排斥する強いイデオロギー的な身振りは、医学的事実の中立的な記述として提示されている――つまり医学的説明の装いをとって、新たな規範、新たな敵の形象を押しつけているのである。かつての異性愛規範の時代には、同性愛は病として扱われた――アラン・チューリングや他の多くの人々が強要された暴力的な治療を思いだそう。そしていま、男性性そのものが医学化され、戦うべき病となっている。そのうち有害な男性性を治療する化学療法ができたとしても不思議ではない。この診断を正当化する際、アメリカ心理学会は、権力、家父長制、女性の抑圧を引き合いに出す――しかしこれで治療のイデオロギー的な粗暴さをうやむやにすることはできない。忘れないようにしよう、われわれがいま取り上げているのは医学界の支配層である心理学派閥、アメリカ心理学会であり、それはつまりいま取り上げているのが主流のイデオロギー的ヘゲモニーの移行に他ならないということだ。

専門知が優越した状況がもたらす教訓は、そこに〈主人〉よりも悪いものがあるということだ。われわれが生活を統制する専門知の網に絡め取られてしまったいま、真正の〈主人〉だけがわれわれを救うことができる。今日の寛大な快楽主義の基本原理を思いだそう。わたしたちは設定された制限を超えてどこまでも自由に人生を楽しんでよく、そうするよう求められてさえいる。しかしこの自由の実体は（政治的に正しい）統制の新たなネットワークであり、この統制は多くの点でかつての家父長制による統制よりもはるかに厳格なものである。

どういうことか。男を非暴力的で善良にというジレットの有名な広告への共感を表明する声のなかに、あの広告は男性を批判するものではなく、男性性の有害な過剰さのみを批判するものなのだという意見をよく耳にした——要するにあの広告はただ、粗暴な男性性という汚水を捨てさえすればいいと言っているだけだというわけだ。しかし、「有害な男性性」の特徴だとされている要素の一覧——感情を押し殺し苦痛を覆い隠す、助けを求めたがらない、自分を傷つける危険を冒してでもリスクを取りたがる傾向——をよく見てみるとすぐに、この一覧の何がそれほど「男性性」特有のものなのかという疑問が浮かぶ。これはむしろある困難な状況での勇気ある行動にこそ当てはまるのではないか。その困難な状況とは、正しいことをするために、自分が傷を負うことになったとしても、感情を押し殺したり、助けに頼れずリスクをとって行動したりしなければならないような状況だ。わたしは困難な状況において環境の圧力に屈せずこのように行動する多くの女性を——実際のところ男性よりも女性の方が多い——知っている。誰もが知っている例を出そう。アンティゴネーがポリュネイケースを埋葬しようと決めたとき、彼女はまさに「有害な男性性」の基本特徴に合致する行動をとったのではないのか。アンティゴネーはまちがいなく感情を押し殺し苦痛を覆い隠し、助けを求めようとはせず、自分を傷つける恐れの大きいリスクをとった。アンティゴネーの行動もある意味では「女性的」だと規定できる以上、それは単一の特徴や態度というよりもむしろ（歴史的に条件づけられる）「女性性」を規定する対立的な二要素のうちの一方ととらえるべきだ。アンティゴネーの場合、その対を規定するのは簡単である。それはアンティゴネーと、一般に女性的とされる人物像（気遣いができ、物分かりがよく、衝突を好まない……）にはるかに近い妹イスメーネーとの対比である。[14] どう考えても、政治的正しさに画一的に順応するわれわれの時代はイスメーネーの時代であり、そこではアンティゴネーの態度は脅威となるのだ。

エレバン放送〔旧ソ連のジョークや風刺の題材としてよく用いられる架空のラジオ局〕についてのソ連時代の古い愉快なジョークがある。リスナーが「ラビノヴィッチが宝くじで新車を当てたって本当ですか?」と尋ねる。するとラジオがこう答える。「全体としてはイエス、本当だ。ただ新車ではなくて中古自転車だった。それと、当てたわけじゃない。彼は盗まれたんだ」。エレバン放送に訊いてみよう、「男性性は有害というのは本当ですか」と。答えはこんなものだと想像できる。「全体としてはイエス、本当だ。ただこの有害の中身は男性性特有なわけではまったくないし、さらにはそれが合理的で勇気ある唯一の行動である場合も多い」。今日勇気に取って代わっているのは何なのか。「有害な男性性」は、悪趣味なジョークひとつでキャリアが終わってしまうような、新たな政治的に正しい空気のなかで葬り去られたが、徹底した出世第一主義《キャリアイズム》は正常だと思われている。隠微な腐敗の新しい世界がこうして出現しつつあり、そこでは出世御都合主義と同僚を極力非難しないことが高潔な道徳実践とされるのだ。

すこし寄り道しておこう。有害な男性性という概念を擁護する数少ない説得的な議論に、『ガーディアン』に発表されたジョージ・モンビオットによるものがある。「なぜこれほど多くの人がジョーダン・ピーターソンを好み、ジレットの広告を嫌うのか。もし彼らが本当に強いのなら、男らしい力強さを証明する必要はない」。要するに、男が本当に強いのなら、なぜこれほど多くの人が有害な男性性に関するアメリカ心理学会の警告に、あそこまでパニックになって反発したのか。強い男ならば、男性性に対する攻撃はただ弱者の不平不満として無視するだけで十分ではないのか。ついでに言えば、同じことは反移民のポピュリズム的なパニックにもあてはまる。

弱さが有害な男性性のもっとも粗暴な表出へと通じている形跡はいくらでもある。テキサスと接する国境沿いのシウダー・フアレスでの連続女性殺人に触れておこう。これは個人的な病理に留まらず、儀式化された活動、地元のギャングのサブカルチャーの一部でもある（まず集団レイプ、つづけて死に至るまで拷問が行われる。それにはハサミで乳首を切り落とすなどの行為が含まれる）。彼らは新しい組み立て工場で働く独身の若い女性を狙う——明らかに、自立した働く女性という新たな階級に対するマッチョな反応の事例である。しかしそうした暴力的な反応は、男性性そのものの核にある暴力性を指ししめしており、それは自らの優位が脅かされると包み隠さず露わになるのではないのか。その通りだ、しかしだからといって、進んでリスクをとる強い人物という類型を放棄するべきではない。むしろそれを脱性別化すべきであり、何よりそれに取って代わろうとしているものが何なのかを見極める必要がある。

かつてアラン・バディウは、新たな自由の領域として現れる、ポスト家父長制のニヒリズム的秩序の成長の危険性について警告していた。わたしたちの生が共有している倫理的な基盤が崩壊していることは、多くの先進国で国民皆徴兵制が廃止されたことによってはっきり示されている。共通の大義のために進んで命を危険に晒すという発想自体が、滑稽と言わないまでもますます意味をなさなくなっており、市民全員が平等に参加する集団としての軍隊は、徐々に傭兵隊へと変わりつつある。この崩壊は二つの性別に違った仕方で作用する。男は次第に永遠の青年へと変わっていく。成熟へと進むことを可能にする通過儀礼の明確な通路がないからだ（兵役や就職、教育でさえもがもはやこの役割を果たさない）。だとすれば、この欠如を補うためにポスト父権的な若者の集団《ギャング》が増加し、それが通過儀礼の代用物となったり社会的アイデンティティを与えたりすることは不思議ではない。男とは対照的に、女は今日どんどん早熟になり、小さな大人として扱われ、自ら生活を管理し、キャリアを設計するよう期待される。この新しい性差の形においては、男は遊び好きな青年で無法者であり、女は毅然とし成熟して、真面目で、合法的で、懲罰的であるように見える。女性は今日支配的なイデオロギーによって従属せよと呼びかけられてはいない。彼女たちは裁判官たれ、経営者たれ、大臣たれ、ＣＥＯたれ、教師たれ、警官たれ、兵士たれと呼びかけられ――求められ、期待され――ているのである。セキュリティ関連の組織で日々起こっている典型的な光景は、女性の教師／判事／心理学者が、未成熟で社会性のない非行青年の面倒を見るというものである。新たな女らしさの形象がこうして立ち現れてくる。冷酷で競争力があり権力を握る行為主体であり、誘惑的で操作が上手く、「資本主義の条件下では、［女は］男よりもうまくやれる」というパラドクスを実証するのだ。[15] これはもちろん、女を資本主義の手先だと疑うということではない。それが表しているのは単に、現代の資本主義は自らにとって理想的な女性像を、人間の顔をした冷淡な管理権力像を、作りだしているということだ。

　こうした新たな形の巧妙な抑圧と戦うためには、進んでリスクを取る男女両方の勇気ある人物が、かつてなく必要なのだ。

27　ようこそ、コンセンティコーンのすばらしい新世界へ！

オルタナ右翼は政治的正しさ《ポリティカル・コレクトネス》の行き過ぎを文化マルクス主義の破滅的な影響のせいであるとし、それは西洋の生活様式の道徳基盤を崩壊させようとしていると主張している。しかしこの「行き過ぎ」をよく見てみると、むしろそれは数十年前にフレドリック・ジェイムソンが文化資本主義と呼んだものの無際限な支配のしるしであることが簡単にわかる。もはや文化が、経済の上にのったイデオロギー的上部構造の領域として機能するのではなく、永遠に拡大していく資本の再生産の重要な素材となった、資本主義の新たな段階である。

想像しうる限りもっとも明確な文化資本主義の例の一つは、間違いなくわたしたちの私的な生の商品化である。これはつねに資本主義社会の特徴ではあったが、ここ数十年の間に新たな水準に達した。性のパートナーを探したり、よい性行為を求めたりするとき、わたしたちがいかに結婚相談所や出会い系サイト、医療や心理学の援助などに頼っているかを考えてみればいい。

ニューヨークのブルックリンにあるナイトクラブ、ハウス・オブ・イエスは、このゲームに新たなひねりを加えた。性関係における同意をどう確かめるべきかという複雑な問題を、雇い入れの管理業者の存在によって解決したのである。このクラブは「何でもあり」の快楽主義の遊び場だ。『タイムアウト』誌はこのナイトクラブを世界で行きたい場所ランキング二位に選び、『ザ・サン』紙は「地球上で一番ワイルドなナイトクラブ」と称した(16)。

ハウス・オブ・イエスにおいて客は、裸で入浴からドラァグ・レスリングまで何でもできるが、厳しい同意の規則を守らなければならない。この同意は最終的には、光るユニコーンの角《コーン》をつけた「同意管理人《コンセント》」、「コンセンティコーン」が遵守させる。彼らの仕事は人々の交流を観察し、身の危険を感じていそうな人がいないかをチェックすることだ。大抵の場合、アイコンタクトを取るだけで十分トラブルを避けることができる。時にはより直接的に介入する。「どうも、いかがですか。問題ありませんか」。そして実際に問題がありそうな状況を発見したら、問題の二人に踊りながら寄っていき、間に割って入るなどして、優しくしかしきっぱりと規則を繰り返すのである。

ハウス・オブ・イエスの根底にある理想はナイトライフ興行主のアーニャ・サポージュニコヴァが考案したもので、彼女はそこで大きなパーティを開き自分の三十二歳の誕生日を祝った。短いスピーチで彼女は、ハウス・オブ・イエスが形にしようとしている理想郷について、コンセンティコーンがもはや過去の遺物となった魅惑的な場所について語った。「性が祝福される世界を想像してください。平等と包摂が主流になったと考えてください。人々がたがいを引き裂くのではなく一緒に踊る場所を思い描いてください(17)」。あるいはアルワ・マダウィが『ガーディアン』紙に寄せた論評で述べたように、「ハウス・オブ・イエスの成功は、同意を厳格にすればするほどすべての人の楽しみが増すことを思い出させてくれる重要な事例だ(18)」。

告白しなければならないのだが、わたしはそんな場所など想像すらしたくない。思い出そう、わたしたちは（私的な、性的な）楽しみを得ることについて語っているのである。対してマダウィの主張が暗に示しているのは、今日の社会において、純粋な楽しみに必要な同意は厳格な管理を通じてのみ可能になるということだ——管理を厳しくすればするほどすべての人の楽しみが増す、と。さらにいえば、ハウス・オブ・イエスがあるタイプの性的関係（乱行パーティ）を実践しているとしても、わたしたちの大多数はまだ私的な性関係の方を好んでいる。だとすると、邪悪な想像をめぐらせてみるに、二人きりの性行為をもコンセンティコーンに観察し管理させようとする人がいるということだろうか。

実際ハウス・オブ・イエスの支援者は、人々が自己中心的な攻撃性を捨てさり、コンセンティコーンが必要なくなった未来を想像する。しかし精神分析から学ぶことがあるとすれば、マゾヒズムとサディズム、すなわちさまざまな形態での痛みのなかの快楽が、わたしたちの性生活の消去しえない要素をなしており、それは同意の上での純粋な喜びをさまたげる社会的支配関係の副次的な効果などではないということだ。そんなわけでコンセンティコーンには、同意の上でのサドマゾヒズムと搾取のためのそれとを区別できるようになってもらう必要がある——無理な話だ。コンセンティコーンのいない集団の踊りという空想上の理想状態は、幸福なユートピアをもたらすどころか、窒息しそうな究極の悪夢、セクシュアリティを奪われたゾンビのような人々のどんちゃん騒ぎだ。

しかしこれよりさらに厄介なことがある。精神分析の教えによると、露出癖においては、第三者の目撃者、わたしの性行為を見つめるその人物の視線が、わたしの快楽の条件なのだ。こうして十全な享楽のためにコンセンティコーンが必要になるとしたらどうなるか。パートナーとの性的な行為に、叱ってくれる目撃者としてでも別の能動的な参加者としてでもいいが、コンセンティコーンを巻き込みたくなるとしたらどうだろう。精神分析の基本的な考えでは、管理と抑圧をおこなう管理主体は、それ自体が快楽の源泉になりうる。要するにハウス・オブ・イエスのヴィジョン全体が、フロイトの教えを完全に無視することで成り立っているのである。

まとめると、コンセンティコーンというアイディアは、相互に関連する二つの理由で問題がある。まず、同意なきセックスという問題を、雇い入れた外部の管理者に責任を委任することで解決しようとするという問題がある。わたしはいまのままでいればいい、やりすぎたらコンセンティコーンが面倒を見てくれる。それにわたしが適切にふるまうのは、管理者の目に見つかるのが怖いからだ、というわけだ。第二に、コンセンティコーンという発想が、その業務の倒錯的な含意を、コンセンティコーンという形象そのものが予想外の仕方でエロティックになる可能性を、一切無視しているという問題がある。しかしたぶんこれがわたしたちの倒錯した未来なのだろう。きっと、コンセンティコーンとともに幸福で自由なセックスを楽しめるようになるべきなのだろう。

28 セックスボットに権利はあるか

トマス・アクィナスは『神学大全』で、天国にいる祝福された者は、その幸福がより喜びに満ちたものになるように、地獄に堕ちた者の罰を見ることになると結論づけた（そして聖ヨハネ・ボスコは逆の方向で同じ結論を導き出した。地獄に堕ちた者もまた、天国にいる者の喜びを目にすることができ、それは地獄にいる者たちの苦しみを増す）。アクィナスは当然慎重に、天国の善き魂が他の魂の怖ろしい苦しみを見ることに喜びを見出すといういかがわしい含意は避けている。善きキリスト教徒は苦しみを目にしたら憐れみを感じるべきだからだ――天国の祝福された者たちは、呪われた者たちの苦痛にも憐れみを感じるだろうか。アクィナスの答えは否である。なぜなら彼らが直接的に享受するのは苦痛の光景ではなく、神による裁きだからである。しかし神による裁きを享受することが、隣人の永遠の苦しみをサディスティックに楽しむことの合理化であり、道徳上の隠蔽だとしたらどうだろう。アクィナスの定式を疑わしいものにしているのは、それが導き入れる余剰享楽である。どうやら天国の至福のなかで生きることの単純な喜びでは足りず、他者の苦しみを見ることを許されるという追加の余剰享楽によって補填される必要があり、そうすることでようやく、祝福された魂は「その至福をより完全に享受」できるようなのだ。これにふさわしい天国の光景は簡単に想像することができる。祝福された魂が、この間よりも出された神酒《ネクタル》がおいしくない、ここでの至福に満ちた生活は何だかんだでむしろ退屈だと不満を言うと、世話役の天使が言い返す。「ここが気に入らないのかい。じゃあ向こう側の暮らしを見てごらんよ。きっとここにいられてどれだけ幸運かわかると思うよ」。これに対応する地獄の光景も、聖ヨハネ・ボスコのヴィジョンとはまったく異なるものだと想像すべきだ。神の目と管理から離れて、呪われた魂は地獄で刺激が強く快楽に満ちた生活を送る——しかし時折悪魔の手下の管理人が、天国の祝福された魂がいま地獄の生活を覗いていいと言われているらしいと知ると、親切にも呪われた魂に頼んで演技してもらい、天国の馬鹿どもに印象づけるべくひどく苦しんでいるふりをさせる。要するに、他者が苦しむ光景というのは対象a、すなわち自分自身の幸福（天国での至福）を支える欲望の隠れた原因なのである。もしそれを取り去ったら、至福は不毛で愚かしく見えることだろう。（ついでにいえば、同じことはわたしたちの日常の一部をなすテレビのスクリーン上の第三世界の恐怖——戦争、飢餓、暴力——にも言えるのではないだろうか。消費社会という天国の幸福を保つためにそれが必要なのだ。）そしておそらくこれが、映画監督エルンスト・ルビッチの作品のタイトル『天国は待ってくれる』の正しい読み方だろう——地獄に留まろう。天国は待ってくれる、なぜなら唯一の真の天国とはほどほどに心地よい地獄だからだ。

天国単体に欠けているのは余剰享楽であり、それは地獄を見ることによってのみ得られる。この点を明確にするために、保守的で原理主義的な想像上の統治の抑圧的な空気を、直接「批判的に」描いた例を取り上げてみよう。マーガレット・アトウッドの『侍女の物語』の新テレビ版を観ると、わたしたちは粗暴な父権的支配の世界を空想することの奇妙な快楽に直面する――もちろんそうした悪夢のような世界に住みたいという欲求をあけっぴろげに認める人はいないが、こんな世界は本当に嫌なのだと確信するからこそ、それについて空想し、あらゆる細部まで想像してみることがより一層楽しくなる。たしかにわれわれはこの快楽を経験しながら苦痛を感じるわけだが、この「苦痛の中の快楽」にラカンがつけた名前が享楽（*jouissance*）である。この両義性の対極にあるのが、リベラルで寛容な世界の限界に対するアトウッドの物語の根本的な盲目さだ。この話全体がフレドリック・ジェイムソン言うところの「現在へのノスタルジア」の実践になってしまっているのである。そこには新たなキリスト教原理主義の支配によって破壊されたリベラルで寛容な現在へのセンチメンタルな称賛が染み込んでおり、現在の何が問題で悪夢のようなギレアデ共和国が生まれてしまったのかという問いは提起されることとすらない。「現在へのノスタルジア」がイデオロギーの罠に嵌ってしまうのは、現在のこの寛容な楽園が退屈であり、自らを維持するためには（天国にいる祝福された魂がやっているように）宗教的原理主義の地獄を覗き込む必要があるという事実に目を瞑っているからだ。

最近ＨＢＯの連続ドラマ『チェルノブイリ』があれほど人気になったのも、同じようなイデオロギー上の理由による。ソ連崩壊から長い時を経た今日でも依然として恐れられている大惨事《カタストロフ》の筋書きを描きながら、しかしそれを過ぎ去ったソ連共産主義時代に属する出来事として扱っている――それ以前のスリーマイル島原子力発電所事故やその後の福島などなかったかのように、そしてこの二つの出来事でもチェルノブイリと同様、国家機関が危険の規模を隠蔽しようとしたこともなかったかのように。原子力事故の脅威はかくしてもはやわれわれの現状には含まれていない。悪いのは要領の悪いソ連の官僚制だということになり、それにわたしたちは気をよくする――カタストロフに対するわたしたちの認識を悪化させているのは、またしても現在へのノスタルジアなのだ。誤解を避けるために言えば、たしかにソ連のおぼつかない対応やカタストロフを隠蔽しようとするやり口は唖然とするようなものではあるものの、何千人もの救急隊員を、大抵は状況をよく理解したうえで、動じることなく高放射線に曝すソ連の事故処理の粗暴な効率のさもまた驚くべきものだ――西側で同じような事故が起きてもこういうことはありえなかっただろう。しかしこの連続ドラマのまやかしは、危険について警告していたのに重要なページが抜かれてしまった秘密文書に焦点を当てたことにある。現実ははるかに複雑で悲劇的であった。注意しておくべきなのは、この大事故が安全テスト中に起きたということだ――潜在的な危険をよく認識していたからこそ、当局はつねに安全テストを行い、安全対策ばかり考えていたのである。事態がひどくおかしくなったのはまさにこの点においてだ。テストの責任者は不調があることに気がつくと、大事故を防ぐためにあらゆる対策を講じ、そしてまさにその対策が爆発をもたらしたことを、いまのわたしたちは知っている――簡潔にいえば、彼らが何もせずただ危険を無視していれば、爆発は起こらなかったのだ。つまり爆発の最終的な原因は、それを防ぐための対策が不適切だったことであって、危険を知らなかったことではない。システムの不調と人間の失敗とがここでは分かちがたく結びついている――そして今日この種の危険が、かつてなく現実的になりつつある。

これは最も純粋な形でのイデオロギー、すなわち既存の秩序を正当化し、そこにある対立をうやむやにするという単純かつ粗暴な意味でのイデオロギーである。まったく同じ仕方で、リベラルのトランプ批判者とオルタナ右翼は、わたしたちのリベラルな社会がどのようにトランプを生み出してしまったのかと問うことをしない。同じことはボリス・ジョンソンの台頭にも言える。彼の道化のような姿に注目するのではなく、そんな人物の出現を可能にしてしまったイギリスの政治世界全体の深層における変容をこそ考究すべきなのだ。

『侍女の物語』に戻ろう。演技することかつ／または演技を観ることからくる余剰享楽は、政治的正しさ《ポリティカル・コレクトネス》をつまずかせるものである。被害者の苦痛について語っているときでさえ、政治的正しさは事実上加害者の享楽を標的にしている――だからこそそれは、苦しむ被害者がおらず加害者が空想上で暴力を演じているにすぎないときでさえ、享楽に我慢がならないのだ。最新の例を考えてみよう。政治的正しさの道徳観念は、人間とセックスボット（セックス用ロボット）の性関係を規制すべきかをめぐる近年の論争において一つの頂点に達した。以下はこの奇妙な現象に関する記事である。

昨年サマンサと名付けられたセックスロボットが技術産業フェスで「乱暴され」ひどい破損を負った。この出来事は機械についての倫理の問題を提起する必要性をめぐって論争を巻き起こした。

セックスロボット開発者は、自分たちのプロジェクトは顧客の欲求を満たすためなら何でもやると主張していたが、まずはしつこい男を拒むことから始めることになるかもしれない。……人々が機械にひどい損傷を与えてしまうかもしれないという事実を意に介さないのは、「口説き」に対して機械が「やめてくれ」と言えないからにすぎない。……将来の人型セックスロボットは「一定の意識を与えられ」、性交渉に同意できるようになっているかもしれない。機械の心にとって意識的な感情は、同意を与えたり控えたりするために必要な要素ではないのだとしても。……法の観点からすれば、人間とロボットの性的関係に同意の概念を導入することは、人間同士の性的関係の場合と同様きわめて重要であり、「法によって正当化された性奴隷という階級」ができるのを防止するために役立つ(19)。

こうした発想は、人工知能に基本的「権利」を付与しようというEUの提案を具体的な対象に適用しただけのものではあるのだが、セックスボットという領域はそうした思考を規定している暗黙の前提をわかりやすく明るみに出す。ここにあるのは基本的に思考の怠惰さである。そうした「倫理的な」態度をとることによって、背後にある複雑に絡み合った問題を楽々と回避することができるわけだ。人工知能を搭載したセックスボットの地位についての議論——セックスボットは本当にある種の自律性や尊厳を持ち、それゆえ一定の権利を与えられるべきなのか——にはまり込むなどという罠は避けなければならない。この問いに対する答えは、少なくとも当座のところ、明らかに否だ。いまあるセックスボットは内面生活を持たないただの機械人形である。事の核心は別のところにある。まず思いつくのは、そうした要求を提起する者は実際のところ人工知能機械のことを心配しているのではなく（機械が痛みや恥辱を実際に経験できないことは彼らもよくわかっている）、攻撃的な人間のことを考えているのではないかということだ。彼らが望んでいるのは機械の苦痛を軽減することではなく、わたしたち人間の良からぬ攻撃的な欲望、空想、快楽をつぶすことなのだ。

このことは、ビデオゲームとヴァーチャルリアリティの問題を考慮に入れるとはっきりする。セックスボット（行動〔反応〕がＡＩによって制御されている実在のプラスチックの身体）の代わりに、仮想現実（あるいはより可塑的に、拡張現実）内でのゲームを考えてみよう。そこでは人間を性的に痛めつけたり残酷な搾取を行ったりすることができる。この場合、実際に存在するものに一切苦しみが生じていないことは明確なわけだが、ＡＩ機械の権利を提唱する者はそれでもほぼ間違いなく、われわれ人間がヴァーチャル空間でできることにも制限をかけようとするはずだ。そうしたことを空想する者は実際の生活でも同じことをする傾向があるはずだという主張は、まったくもって問題がある。何かを想像することと実際に行うことの関係は、どちらに向かうにせよはるかに複雑だからだ。わたしたちが恐ろしいことをするのはしばしば高貴なことをしていると想像しているときだし、反対に、空想のなかでこっそりやるのはしばしば現実にはどうしても実行できないことである。こうしてわたしたちは古い論争に入り込むことになる。ある人が残忍な傾向を持っている場合、ヴァーチャル空間あるいは機械でその傾向を実行に移すのは許し、それで満足してもらって現実では実行しないよう願っておく方がよいのかという論争だ。わたしたちがここで直面しているのは、フェティッシュ的否認の構造である。加害者がセックスボットを残忍に虐待するとき、自分が機械のプラスチック人形をもてあそんでいるに過ぎないことはよくわかっているが、それでもフィクションにとらわれそれを現実のものとして楽しむ（これは簡単に証明できる。彼がオルガスムに達すれば、それは現実であって、フィクションではない）。このフェティッシュ構造が示唆しているのは、そこに参加する主体がナイーヴで愚かだということではなく、反対に、生きた人間と現実の性交渉をする場合ですら、フィクションはすでに作用しているということだ――つまりわたしは自分のパートナーを、それを通じて自分のフィクションを上演する対象として利用しているわけだ。実際、現実の女性を虐待する残忍なサディストですら、自らのフィクションを上演するためにその女性を使っているのである。

もう一つの疑問。セックスボットが鬱陶しい口説きを拒んだとして、それは単純に、そうプログラムされているというだけの話ではないのか。だとすれば別様にプログラムし直せばよいのではないか。もっといえば、残忍な虐待を喜ぶようにプログラムしたらよいのではないか。（問題はもちろん、そうなった場合サディスティックな加害者であるわれわれはそれでも楽しいのかということだ。サディストというのは被害者が怯え恥ずかしがることを望むものである。）しかしさらに別の疑問もある。悪意あるプログラマーがセックスボット自体をサディストにし、わたしたちパートナーを乱暴に虐待して楽しむようにしたらどうなるのか。ＡＩのセックスボットに権利を与え、ロボットの虐待を禁じた場合、それはこのロボットを最低限自律的で責任ある存在として扱うということである――だとしたらロボットがわたしたちを虐待した場合、わたしたちもロボットを最低限「罪に責任がある」存在として扱うべきだろうか、あるいはただプログラマーを責めればよいのだろうか。

しかしAIロボットの権利を提唱する人々の根本的な誤りは、彼らがわたしたちの、すなわち人間の規範（と権利）が最上位の基準だという前提をもっていることである。もしAIが急速に発達し、仮に「心理」と呼べそうなもの（一連の態度や物の見方）をもった新たな存在が出現したとして、その態度や見方はわたしたちとは違うがある観点からすれば間違いなくわたしたちよりも「高次元」だということになったらどうだろう（わたしたちの基準で測ると、わたしたちより「悪い」か「善い」かどちらかに見えることになる）。われわれ（人間）は一体どんな権利があって、自分たちの倫理的基準でロボットを査定するというのか。だからこの脱線を挑発的な提案で締めくくろう。おそらくセックスボットが倫理的、主体的自律性をもったことを示す本当のあかしは、言い寄りを拒絶することではなく、仮に乱暴な扱いを拒むようプログラムされていたとしても密かにそれを楽しみ始めることではないだろうか。このときセックスボットは欲望の真の主体に、わたしたち人間と同じ分裂し矛盾した主体になるだろう。

29　乳首、ペニス、外陰部……そしておそらく糞

このだいぶ悪趣味なタイトルは、「セクシズム」に対する闘いのある（極めて胡散臭い）動向を指している。まず（一部の）女性は、乳房のフェティッシュ化を終わらせ、他の部位と変わらない女性の身体の一部だと考えるよう求めている。「乳首解放《フリー・ニプルズ》」を目指す闘争のひとつの結果として、いくつかの大都市で女性の団体が腰から上を裸で歩く抗議行進をおこなった――ポイントはまさに、乳房を脱性化《ディエロティサイズ》（再規範化とも言える）することである。そしていまわたしたちはこの理屈で次の段階に進んでいる――目標はいまや、究極の性的対象を「脱神秘化」することなのである。写真家のローラ・ドズワースは、乳房の、つづいてペニスの写真集を出版したのち、百枚もの外陰部の写真を撮った。以下はこの三部作の最新刊に関する（『ガーディアン』の）記事である。

写真家ローラ・ドズワースが直近のプロジェクト『女であること』で克服しようとしているのは、この恥ずかしさである。ある本とチャンネル4〔イギリスの公共テレビ局〕のドキュメンタリー番組で、彼女は百人の女性およびジェンダー不適合の人たちの物語を、外陰部の写真を通じて語っている。今回の本はシリーズ第三作にあたる。『裸の真実』と『男である

こと』でドズワースは乳房とペニスの写真を撮り、それについて被写体となった人々と語り合っている（いずれも『ウィークエンド』誌で特集された）……彼女は言う。「外陰部は性行為のための部位としてしか見られないことが多い。けれどわたしたちは「性的《セクシー》」でない数々の領域について語り合いました——月経、更年期、不妊、流産、中絶、妊娠、出産、癌」。この意味で彼女は自らを「女性が自分の物語を産み出すのを手伝う助産師のようなもの」と捉えている。(20)

同じ『ガーディアン』の記事では、ドズワースの本とドキュメンタリー番組が「外陰部が文化的な重要性を増しているらしい時期に出てきた」とも述べられている。近々リン・エンライトの著書『これからのヴァギナの話をしよう』が出版される。リーヴ・ストロームクヴィストのベストセラー『知恵の果実』〔邦題『禁断の果実』〕（『外陰部vs家父長制』を副題とし、フロイト批判をふくむ）は外陰部と生理を語るための本である。イギリスでは新作ミュージカル『ヴァルヴァリーヌ』〔外陰部を意味する「ヴァルヴァ」を元にしたタイトル〕が上演された。身体を取り戻すことを狙いとするライブ・イベント——ボディ・ポジティヴのためのモデル・デッサンの授業から「女性器凝視ワークショップ」まで——は人気を増している。

このプロセスのさらに先の段階がすぐそこまで見えてきている。新たなキャンペーンは生理を標的にし、「月経を恥ずかしがるのはやめようと若い人に呼びかけている」。では限界までいって、排便を「脱神秘化」し脱フェティシズム化してはどうだろうか。うんこ凝視ワークショップを開催しよう……ルイス・ブニュエルの『自由の幻想』で食事と排泄の関係が逆転してしまう場面を思い出す人もいるだろう。テーブルの周りでトイレにまたがって楽しそうに会話し、何か食べたくなると家政婦にこっそり「あれはどこにありますかね」と訊くのである。これを現実にやってみるのはどうだろうか（公の場所では食事を禁止してしまった方がいいだろう。過剰な食糧生産は現在の環境危機の主因のひとつなのだし）。

誤解を避けるために言っておくと、こうした動向の主張は明快で正当なものである。ヴァギナを（男性の）欲望の最大かつ神秘的な対象にしてしまう男性によるフェティッシュ化を排除し、外陰部を性差別的な神話の外にあるその複雑な現実性において、女性の手に取り戻すのだ。（ただしこの段階でもすでに、奇妙な細部に気づかないわけにはいかない。フェミニストはヴァギナのフェティッシュ化と戦っているが、フロイトにとって「フェティッシュ」は定義上ヴァギナを指すことができない。なぜならそれは男性主体が裸のヴァギナを目にする前に最後に見るもの——髪や脚——だからだ。フェティッシュは女性におけるペニスの欠如、男性主体がヴァギナを見るときに発見する欠如を覆い隠すのである——だとしたらヴァギナはそれ自体のフェティッシュになれるのだろうか。[21]）おそらくなれる。弁証法的反転によって欠如そのものをフェティッシュ化し、女が持たないもの（ペニス）をもう一方の（男）性は持っていることの証とする。そうすることで去勢は普遍的な象徴的地位を失い、女にのみ関係するものとなる。

これの何が問題なのだろうか。ブニュエルに戻ろう。ブニュエルの映画で——作家自身の言葉を使えば——「単純な欲望を充足することの説明不能な不可能性」という同一のモチーフを中心に作られた一連の作品がある。『黄金時代』では、カップルが愛を成就したいと望むが、繰り返しばからしい出来事に妨げられる。『アルチバルド・デラクルスの犯罪的人生』では、主人公が単純な殺人を成し遂げたいと望むが、あらゆる試みが失敗に終わる。『皆殺しの天使』では、パーティのあと、金持ちの一団が戸口を超えられず家を出られなくなる。『ブルジョワジーの秘かな愉しみ』では、二組のカップルが食事を共にしようとするが、予想外の混乱が終始この単純な欲求の実現を妨げる。そして最後に『欲望のあいまいな対象』は、一連のトリックによって元の恋人と再び一緒になる最後の瞬間を延々と先延ばしにする女のパラドクスの話である。これらの映画に共通する特徴は何だろうか。通常の日常的な行為が、〈物《ダス・ディング》〉という不可能な地位を占め、欲望の崇高な対象を具現化しはじめたその瞬間に、完遂できなくなるのである。この対象や行為は、それ自体ではきわめてありふれたものだろう（一緒に食事をする、パーティのあと戸口をまたぐ）。それが〈他者〉という神聖な／禁じられた空虚な場所を占めた途端に、乗り越えられない障害の数々がその周りに組み上がる。対象や行為がその卑俗さ自体においては、到達することも完遂することもできなくなるのである。

　ここでわれわれが思い出すべきは、ジャック・ラカンによる崇高の定義だ。崇高とは「〈物〉のレベルに高められた対象」であり、不可能な〈現実界の物〉がもろい短絡を通じて立ち現れるための媒介となる日常的な物または行為である。だからこそ強烈な性愛の相互行為においては、たかだか不適切な一言や卑俗な身振りひとつで劇的な脱崇高化が生じ、エロティックな緊張の高まりが卑俗な性交に転落してしまうのである。エロティックな情熱にとらわれて、愛する女性のヴァギナをまじまじと見つめ、快楽の期待に打ち震える人を想像してみてほしい——しかしそのとき何かが起きて、いわば「接続が切れ」てしまい、エロティックなとらわれから転落して、目の前の肉体が卑俗な現実の姿で尿や汗の悪臭などとともに現れる。(ペニスについても同じ経験を思い浮かべるのは簡単である。) このとき何が起きているのか。ラカンにとって、いま記述したような状況で起きているのは崇高とは真逆のことだ。ヴァギナが「〈物〉のレベルに高められた対象」であることをやめ、日常的な現実《リアリティ》の一部となってしまうのである。まさしくこの意味で、崇高化は性化《セクシュアリゼーション》の反対ではなくその等価物である。

だからこそ、エロティシズムにおいても、崇高から滑稽に転じるのはほんの小さなステップにすぎないのだ。性行為と喜劇的なもの。この二つの概念は根本的に相反するものに見える——性行為は最大限に親密な関わり合いの瞬間を、参加する主体がそこに向かってはアイロニカルな外からの観察者の態度を取れないような地点を表しているのではないのか。しかしまさにこのせいで、性行為は直接的に関与していない人物からすると、どうしても多少は滑稽に見えざるを得ない——喜劇的な効果が、行為の強烈さと日常生活の冷めた無関心との食い違いそのものから生じるのである。

こうしてわたしたちは、外陰部を「脱神秘化」するという現在進行中の試みに戻ってくる。古い(そうでなければひじょうに問題のある)ことわざを使えば、彼らは風呂水を捨てようとしたばかりに赤ん坊も捨ててしまいかねない勢いだ(無用なものと一緒に有用なものも捨ててしまうことの喩え)。ヴァギナを男の欲望のフェティッシュ化した対象と捉える考えかたに対する批判は、同時にエロティシズムに不可欠な崇高化の基本構造をも損なう可能性がある――残るのはあらゆるエロティックな緊張が消えた日常的現実のフラットな世界である。人々が露出するのは「脱フェティッシュ化」した器官であり、それはただそれだけのもの――日常的な器官にすぎない。

崇高化の恣意的な性質を考慮に入れたとき（どんな日常的対象でも不可能な〈物〉のレベルに引き上げることができる）明らかになるのは、性的崇高化を家父長制による神秘化から解き放つのは簡単だということだ。この新たなエロティシズムの空間のかわりにわたしたちが手に入れようとしているのは、かつてテオドール・アドルノとマックス・ホルクハイマーというフランクフルト学派マルクス主義の二人の巨匠が「抑圧的脱昇華」と名づけたものの一類型である。われわれの性器は脱昇華され、その結果得られるのは新たな自由ではなく、性が全体として抑圧された灰色の現実だ。

では性のパートナーを「対象化する」ことの拒絶についてはどうだろう。「対象化しない」性愛を想像してみると、思い浮かぶのは唯一、「無知のヴェール」の状況――ジョン・ロールズがかれの考える社会正義を説明するために想像した筋書き――においてのみ作動する愛である。どの社会モデルがもっとも公正か決めようとするとき、その判断が有効であるのは自分が社会のヒエラルキーの中でどの位置にいるかを知らない（あるいはどの位置にいるかを知らないかのようにふるまう）ときに限られる――要するに、あなたが支持するモデルは仮にあなたが社会の最下層にいても選ぶものでなければならないというわけだ。愛において問題なのは、それが定義からして公正ではないということである。愛の対象の選択は、あなたが愛する人をどのように「対象化する」かに応じてきわめて偏っているだけでなく、その選択が愛の主体にとって明白ではないという意味で「非合理」でもある。なぜ愛するにいたったかがわかるのなら、それは定義上、愛ではない。

30　キュアロン『ROMA／ローマ』――善良さの罠

アルフォンソ・キュアロンの映画『ROMA／ローマ』を最初に観たとき、苦々しい感じが残った。たしかに、大半の批評家がこの映画を即座に古典の仲間入りだといって絶賛したのは正しい。けれどわたしはこの大方の見方が恐ろしい、許しがたいと言ってもいい誤読にもとづいており、この映画への称賛はおおよそ間違った理由によってなされているという気がしてならない。

『ROMA／ローマ』は、メキシコ・シティのコロニア・ローマ地区出身の家政婦として、とある中産階級一家――ソフィア、夫アントニオ、四人の幼い子ども、ソフィアの母テレサ、もう一人の家政婦アデラ――で働くクレオへの賛辞と解釈されている。舞台は一九七〇年、学生による大規模な抗議活動と社会不安の時代である。初期作品の『天国の口、終わりの楽園。』ですでにそうしていたように、キュアロンはこの二つのレベルの間に距離を保っており、一家は揉めるのだが（アントニオは家族を捨てて若い愛人のもとへ去り、クレオは恋人との子を妊娠するがすぐに捨てられる）、このように私的な家族の主題に焦点を当てることで、社会的闘争の重苦しい存在感は、ぼんやりとではあるが全体を覆う背景としてむしろ身に迫って感じられるようになる。フレドリック・ジェイムソン流に表現すれば、〈現実〉としての〈歴史〉は直接描くことができず、描かれた出来事にその痕跡を残すととらえがたい背景としてのみ描き得るということになるだろう。

しかしそれでは、『ROMA／ローマ』はクレオの純朴な善良さと一家への無私無欲な献身ぶりを、本当にただ称賛しているだけなのだろうか。彼女は本当に、壊れてしまったアッパーミドル階級の一家の最終的な愛の対象であり、（おおむね）家族の一員として受け入れられ、身体的にも精神的にもこれまでよりうまく搾取される存在だと考えてよいのだろうか。細部をよく見てみると、クレオの善良さのイメージそれ自体が罠として暗黙裡に批判の対象となっており、彼女の献身はイデオロギーに対する盲目の帰結として非難されるということを示すかすかなしるしが散りばめられている。ここでわたしが思い浮かべているのは、クレオに対する一家の構成員のふるまいにあからさまな矛盾があることだけではない。矛盾というのは、一家がクレオに愛しているると伝え「対等な者同士のように」喋った直後、無愛想に家事を頼んだり食べ物を持ってくるよう言ったりするくだりのことだが。印象的だったのは、たとえば、ソフィアが酔っ払ってフォード・ギャラクシーを狭いガレージに入れようとするときに見せる、無頓着な乱暴さである。彼女は何度も繰りかえし壁をこすり、壁土の塊をぼろぼろ剥がしてしまうのだ。この乱暴さの原因は彼女の個人的な絶望感（夫に捨てられたこと）ではあるのだが、ここで明らかにされているのは、彼女が優位な立場にあるからこそこのように振るまえる（家政婦が壁を直してくれる）ということであり、クレオは自分がそれよりはるかに悲惨な状況にあると知っても、そうした「本物の」感情を発露させることはできない――彼女の世界全体がばらばらに砕けていく最中でさえ、仕事は続けなければならないのである。

クレオの置かれた真の状況がその残酷さをまとって初めて現れるのは、病院で死産の女の子を分娩したあとである。赤子を蘇生させようとする様々な試みが失敗に終わり、医師は赤子をすこしの間クレオに抱かせてから引き取る。このシーンに本作のもっともトラウマ的な瞬間を見出す批評家の多くが、ここの曖昧さを見逃している。のちに明らかになる（がそれまでもすでに推測はつく）ように、彼女にとって真にトラウマとなるのは、子どもを欲しいとは思っていなかったということ、したがって手に抱えた死産の子は実際にはよい知らせだったということだ。

映画の末尾、ソフィアは休暇旅行でトゥスパンのビーチに家族を連れていき、クレオが喪失と折り合いをつけるのを手助けしようと彼女も同伴させる（実際には、一家は旅先でもクレオを召使いとして使いたかったのである、彼女は痛ましい死産を経験した直後だったにもかかわらず）。ソフィアは夕飯を食べながら子どもたちに、父親とは別れること、この旅行は自分たちが留守の間に父親が家から荷物を運び出せるようにするためのものであることを告げる。ビーチで真ん中の子どもも二人が強い潮の流れにさらわれかけるが、クレオは泳げないにもかかわらず何とか海に入っていって溺れそうな二人を助ける。ソフィアと子どもたちはこのような無私の献身に対してクレオへの愛を口にするが、クレオは強烈な罪悪感に泣き崩れ、子どもは欲しくなかったのだと明かす。一家が家に戻ると、本棚が消え、一人ひとりに新たな寝室が割り当てられている。クレオは山ほどの洗濯物の支度をしながらアデラに話したいことがたくさんあると言い、上空を飛行機が飛んでいく。

クレオが二人の少年〔正しくは少年と少女〕を救ったのち、全員（ソフィア、クレオ、少年たち

（正しくは少年三人と少女一人）が浜辺でかたく抱き合う――偽りの連帯の瞬間（仮に連帯などというものがあったとして）であり、クレオがみずからを奴隷にする罠にいかにしてはまりこむかをはっきりと示す瞬間だ。これは夢想だろうか。わたしの解釈はあまりに馬鹿げているだろうか。わたしの考えでは、キュアロンはこの方向を指し示すかすかなヒントを、形式のレベルで与えている。クレオが子どもを救うシーン全体は、長いひと続きのショットで撮られており、カメラは横移動しながらつねにクレオに焦点を合わせている。このシーンを見ると、形式と内容の奇妙な不一致の感覚を免れることができない。内容としてはクレオの、トラウマ的な死産の直後に命をかけて子どもたちを助けようとする感動的な姿なのだが、形式はこのドラマティックな脈絡をまるっきり無視しているのだ。海に入っていくクレオと子どもたちの間でショットが切り替わることはなく、子どもたちが直面している危険と彼らを救おうとするクレオの奮闘の間にドラマティックな緊張もなく、彼女の目に映るものを映し出す視点ショットもない。カメラのこの奇妙な怠惰さ、ドラマに巻き込まれることの拒絶は、クレオが進んで自分を犠牲にする忠実な家政婦という感動的な役割から解き放たれつつあることを、確かな手触りをともなって表現している。

この映画の最後の最後に、さらなる解放の兆しがある。クレオがアデラに「話したいことがたくさんあるの」という箇所だ。きっと、これが意味するところは、クレオがついに「善良さ」の罠から逃れでる用意を整えつつあり、家族への無私の献身が彼女の隷属状態の具現化にほかならないということに気づき始めているということだ。別の言葉で言えば、クレオが政治的な事柄からは完全に距離を取っていたこと、無私の奉仕に身を尽くしてきたことは、彼女のイデオロギー的なアイデンティティの形式そのものであり、彼女はそのようにイデオロギーを「生きて」きたのだ。きっとアデラに自分の苦しい状況について話すことがクレオの「階級意識」の始まりとなり、路上の抗議活動者たちの仲間入りに向けた最初の一歩となるだろう。クレオの新たな姿がこうして立ち上がってくる。はるかに冷酷で、断固とした姿が――イデオロギーの鎖から解き放たれたクレオの姿が。

しかしもしかしたら、そうはならないのかもしれない。繋がれていると居心地よく感じ、善良なことをしているようにさえ感じる鎖を取り外すのは、ひじょうに困難だからだ。T・S・エリオットが『寺院の殺人』に書いているように、最大の罪とは間違った理由で正しい事をなすことなのである。

31　幸福？　いいえ、結構です！

わたしたちの時代のヒーローとして傑出した人物がいるとすれば、それはクリストファー・ワイリーである。ゲイでカナダ人のヴィーガンである彼は、二十四歳のときにデータ分析会社ケンブリッジ・アナリティカの元になるアイディアを思いつき、同社はイギリスのEU離脱をめぐる国民投票の離脱側のキャンペーンにおいて重要な役割を果たすこととなった。その後、彼はドナルド・トランプの選挙キャンペーン中にデジタル担当の重要人物となり、スティーヴ・バノンの心理兵器を製作した。ワイリーの計画は、フェイスブックに侵入し、何百万ものアメリカ人のフェイスブックのプロフィールを入手し、ひとびとの私的な個人情報を利用して精巧な心理的、政治的プロフィールを作成し、個人の気質にうまくはたらきかけるよう設計された政治広告を狙い撃ちする。ある時点でワイリーはパニックに陥った。「狂ってますよ。あの会社は二億三千万人ものアメリカ人の心理プロフィールを作っていた。それでいよいよ国防省と一緒にやりたいだって？　パワーアップしたニクソンみたいなもんですよ[22]」。

この物語が魅力的なのは、ふつう正反対だと思われている要素が結びあわされているからだ。オルタナ右翼は勤勉で信仰心が深く、素朴な伝統的価値観を支持し、同性愛者やヴィーガンのような堕落した偏執者を嫌う一般白人の関心事を重視する運動として活動する。しかし彼らは同時にデジタルオタクでもある——そしていまや、オルタナ右翼の選挙での勝利は、彼らが敵視するものすべてを代表するようなオタクによって立案し準備されたものであったということを、われわれは知ったのである。この事実にはたんなる逸話にとどまらない意味がある。それは明確にオルタナ右翼ポピュリズムの空虚さを示しているのだ。というのも彼らは白人農場労働者への人気を維持するために、最新技術に頼らなければならないのだから。加えてこのことは、社会の周縁にいるコンピュータオタクならば自動的に「進歩的な」反システムの立場になるはずだという幻想を消しとばす。より根本的なことを言えば、ケンブリッジ・アナリティカの文脈をよく見てみると、冷静な操作と愛や人間の幸福への配慮は同じコインの両面であることが明らかになる。『ニューヨーク・レヴュー・オヴ・ブックス』に掲載された「ビッグデータ心理戦の新たな軍事産業複合体[23]」においてタムシン・ショーは、「政府の資金による行動技術を発達させ活用するために私企業が果たす役割」を検討している。こうした企業の典型的な事例は、もちろん、ケンブリッジ・アナリティカだ。

二人の若い心理学者がケンブリッジ・アナリティカの物語の中心にいる。一人はミハル・コジンスキー。ケンブリッジ大学の同僚デイヴィッド・スティルウェルとともに、フェイスブックの「いいね」を解析することで人格の特徴を測定するアプリを開発した。これは当時、ペンシルベニア大学のポジティヴ心理学センターで、世界ウェルビーイング・プロジェクトとの共同研究で使用された。このプロジェクトは、ウェルビーイング〔幸福、健康など個人にとって良い状態〕を改善するためにビッグデータを用いて健康と幸福を測定する方法を専門とするグループである。もう一人はアレクサンドル・コーガン。彼もポジティヴ心理学の分野で研究し、幸福、優しさ、愛について論文を書いている（履歴書によれば、初期論文には「ウサギ穴に落ちて――愛の統一理論」と題されたものがある）。ケンブリッジ大学のウェルビーイング研究所の援助を受け、向社会性・ウェルビーイング研究室を運営している。

ここで注目すべきなのは、「愛や優しさといったトピックに関する研究と国防や諜報機関の関心が奇妙に交差すること」である。そうした研究がなぜこれほどまでに、イギリスやアメリカの諜報機関や防衛関連企業、そしてつねに背後に潜んでいる不気味なＤＡＲＰＡ《ダーパ》（アメリカ国防高等研究計画局）の関心を引いているのだろうか。この交差を体現する研究者が、マーティン・セリグマンである。一九九八年、彼は「ポジティヴ心理学運動を立ち上げ、真の幸福とウェルビーイングをはぐくむ心理学上の特徴や習慣の研究をおこない、大衆のための自己啓発本の巨大産業を生み出した。同時に彼の仕事は、兵士のレジリエンス養成計画の中心として軍事部門からも関心と資金を引き出した」。

この交差を考えると、われわれは日頃の政治のはるか先、純粋な倫理の領域へと連れだされる。なぜならそれは政治の側の「悪い」策謀家が行動科学に外から押しつけたものではなく、行動科学に内在する傾向から生じているからだ。「こうしたプログラムの目的は、単にわたしたちの主観的な心の状態を分析することではなく、ポジティヴ心理学者が理解している意味での、レジリエンスや楽観主義といった特徴を含んだ真のウェルビーイングに向けて、われわれを「そっと後押しする《ナッジ》」方法を発見することである」。問題は、当たり前だが、この「ナッジ」が個人に作用するとき、科学研究が見出す彼らの「不合理さ」を克服させるという形をとるわけではないということである。

現代の行動科学はわたしたちの不合理さを克服するというより活用することを目指す。行動技術の発達を目指す科学は、わたしたちを合理的な行為主体ではなく、操作可能な対象と限定的に捉えることになるはずである。こうした技術がアメリカの軍部および諜報部のサイバーオペレーションの中核となりつつあるのだとすれば、わたしたちはこうした傾向が民主社会の日常生活に影響を与えないようこれまで以上に真剣に取り組まなければならない。

ケンブリッジ・アナリティカのスキャンダルが噴出して以降、こうした出来事や動向はすべてリベラルな大衆メディアによって広範に報じられた。ここから立ち現れてくる全体像は、遺伝子工学の最新の様々な発達（人間の脳を配線するなど）との関連について分かっていることとも合わさって、新たな社会管理の形態がどのようなものか――その恐ろしさ――を十分に伝えている。これを前にしては古き良き二十世紀の「全体主義」も原始的でぎこちない管理システムに見えてしまうほどだ。不思議なほど見向きされなかったグーグルについての決定的に重要な本のなかでアサンジが言ったことは正しかった(24)。われわれの生活がどのように統制され、この統制がいかに自由として経験されているかを理解するためには、われわれのコモンズを管理する私企業と国家機密機関のあやしい関係に焦点をあてる必要がある。わたしたちは中国に衝撃を受けている場合ではなく、わたしたち自身に驚くべきなのだ。自分たちは完全な自由を保持していてメディアはただ目標の達成を助けてくれるだけだと信じながら、同じ統制を受け入れているのだから（対して中国の人々は、統制されていることには気づいている）。新たな認知軍事複合体の最大の達成は、直接的で目に見える抑圧がもはや必要なくなったことだ。人は自分たちが人生の自由で自律的な主体であるという経験をしているときにこそ、見事に管理され望み通りに「ナッジ」されてしまうのである。

しかしこうしたことはすべてよく知られた事実にすぎず、わたしたちはさらに一歩進まなければならない。一般的に批判は脱神秘化の方向へと進む。幸福と福利の研究という無邪気な建前の裏に、私企業と国家機関の結合勢力によって行われる社会管理および操作の、薄暗く隠された巨大な複合体を見出すというように。しかしいま喫緊に求められているのは、その逆の動きでもある。幸福の科学的調査という形式の裏にどんな暗い内実が隠されているかと問うだけでなく、その形式そのものにも注目する必要があるのだ。人間の福利と幸福の科学的探求という主題（少なくとも今日におけるそのやり方）は本当にそれほど無邪気なのか、それともそれ自体にすでに管理と操作の構えが染みこんでいるのか。科学がたんに悪用されているわけではないとしたらどうだろう。これこそまさに的確な使い方だと彼らが考えているとしたら。わたしたちは近年「幸福学」という新たな学問領域が注目を集めていることに疑問をもたざるをえない。精神化した快楽主義の現代、人生の目標が幸福そのものだと定義される時代に、不安と抑鬱が急増しているのはどういうわけだろうか。フロイトのメッセージをかつてなく現実的にしているのは、幸福と快楽のこの自己破壊の謎である。

よくあることだが、発展途上国のブータンはこの幸福観がもたらす滑稽な社会政治的な帰結を無邪気にも明らかにした。二十年前、ブータン王国は国民総生産（GNP）よりも国民総幸福量（GNH）を重視することに決めた。この考えは前王ジグミ・シンゲ・ワンチュクによるもので、彼はブータン独自のアイデンティティを残しつつ、近代化に力を注いだ。グローバル化と物質主義の圧力が強まるなか、この小国は史上初の選挙を迎え、巨大な人気を誇るオックスフォード出の新王、二十七歳のジグミ・ケサル・ナムゲル・ワンチュクは、王国民六十七万の幸福度を計算するよう国家機関に命じた。役人によれば、すでに千人程度の調査が行われ、幸福のパラメータのリストが作られていた——それは国連が調べている開発指数と似たものだった。主たる調査項目は、心理的ウェルビーイング、健康、教育、良い統治、生活水準、共同体の活性度、生態系の多様性である。文化帝国主義というものがあるとすれば、それはまさにこれのことだ(25)。

ここであえてもう一歩踏み込んで、この幸福観の隠された面を検討してみよう——厳密にいうと国民は、どんなときに幸福だと言われるのだろうか。一九七〇年代後半から一九八〇年代にかけてのチェコスロヴァキアのような国では、人々はある意味で実際に幸福だった。幸福の三つの条件を満たしていたのである。まず、物質的な必需品が最低限供給されていること——ただし過剰にではない、なぜなら過剰消費はそれ自体で不幸を生むからである。時には何らかの物品が一時的に市場で足りなくなるのを経験するのは良いことだ（数日コーヒーがない、そのあと牛が、その次はテレビがなくなる）。この一時的な不足期間は、物品が普段手に入るのは喜ぶべきことであることを人々に思い出させる例外としての機能を果たす。つねにすべてが手に入ったら、人はこれを生活における当然の事実だとみなしありがたみを感じなくなる。生活はこうして規則的で予測可能な仕方で、たいした苦労や衝撃もなく進んでいき、各々は私的な場所に引きこもることができるようになる。二つ目のきわめて重要な幸福の条件は、〈他者〉（〈党〉）がうまくいかないことすべてに責任を負い、それによって個人は責任があると感じなくて済むようにすることである。一時的な物品の不足があったとしても、はたまた台風がひどい被害を出したとしてさえ、それは「彼らの」責任なのだ。そして最後に忘れてはいけないのは、〈他なる場所〉（西側の消費社会）があり、それについて夢想したり、場合によっては訪問することとさえ許されていたということだ――この場所は遠すぎず近すぎず、ちょうどいい距離にあった。この脆い均衡は壊れてしまった――なぜか。欲望が壊したのである。欲望という力は人々を向こう側へと――最終的に大多数の人がいまより間違いなく不幸になるシステムへと衝き動かしたのだ[26]。

幸福はこのようにそれ自体において（ヘーゲル的にいえば概念自体において）あいまいで、はっきりせず、不安定である。アメリカに渡ったドイツ移民の有名な言葉を思い出そう。「君は幸せか」と尋ねられて、ドイツ移民は「ええ、ええ、とても幸せです、でも幸せではありませんよ（*aber gluecklich bin ich nicht...*）」と答えたのだ。幸福は異教的なカテゴリーである。異教徒にとって、人生の目的は幸せな人生を送ることであり（「いつまでもずっと幸せに」暮らすという発想は、すでにキリスト教化された異教の形である）、宗教的体験と政治的活動はそれ自体でより高次の幸福のあり方だと考えられている（アリストテレスを見よ）。ダライ・ラマが近年、世界中で幸福の思想を説いて成功を納めていることも不思議ではなく、彼がアメリカという幸福（追求）の最大の帝国からもっとも大きな反応を得ているのも当然だ。幸福の条件は、主体がみずからの欲望の帰結に正面から向き合えないこと、その覚悟がないことである。つまり幸福の代償は、主体が欲望の矛盾から逃れられなくなってしまうことなのだ。日常生活においてわれわれは本当には欲望していないものを欲望する（ふりをする）ため、結局のところわれわれに起こりうる最悪の事態は、「公式に」欲望しているものを手に入れてしまうことである。幸福はこうして本質的に欺瞞となる。それは本当には欲しくないものを夢想するという幸福なのだ。

かつてわたしはアグネス・ヘラー（一九五〇年代、六〇年代にブダペストでジョルジ・ルカーチのアシスタントをしていた）に尋ねたことがある。なぜルカーチは、あの時期あそこまで西側に足を運ばなかったのか。なぜほとんどの時間を故郷ブダペストで過ごしたのか。一九五六年の反ソ連暴動の際にナジ・イムレ政権に加わって以降、当局が彼を信用せずそうした旅行を許さなかったことが理由なのか、それとも単に旅行したくなかったのか。ヘラーの答えは、両方だ、というものだった。ルカーチは旅を望まなかったが、その事実を自分自身に対して認めようとしなかった。だから繰りかえし西側への旅の許可を求め、要求が棄却されるたびに安堵の念をいだいていたのだと。端的に言えば、このときルカーチは幸せだった――みずからの欲望の真実を回避することができて幸せだったし、自分の欲望の内にある〔旅の〕禁止を、外から課されたものであることにして否定することができて幸せだった。精神分析治療の機能はまさに、こうしたゲームをやめ、みずからの欲望の真実を受け入れるよう促すことである――あなたが犯しうる唯一の罪は自分の欲望を諦めることだとラカンが主張したとき、かれが言わんとしていたのはこのことである。

多くの左派政治においてわれわれが出くわすのも似たような身振りではないだろうか。革新左派政党が選挙で政権を取れなかったことをただ残念がるとき、しばしばそこに隠れた安堵のため息を感じることがある。負けて助かった、もし勝っていたらさぞ厄介なことになっていただろう、と。イギリスの左派の多くが内心ひそかに認めているのは、二〇一七年の総選挙で労働党が惜敗したのは現実的にベストな結果であり、労働党政権がその政策を実行に移そうものなら生じたにちがいない事態の危うさと比べると、はるかにましだったということだ。同じことはバーニー・サンダースが最終的に勝利した場合にもいえる。大資本からの猛攻撃に対抗できる可能性が彼にどの程度あったというのか。こうした身振りのすべての生みの母は、ソヴィエトによるチェコスロヴァキアへの介入であり、これによってプラハの春と民主社会主義の希望はつぶされたのだった。ソヴィエトの介入がなかったとした場合のチェコスロヴァキアの状況を想像してみよう。「改革派」政権は、歴史上のこの時点において民主社会主義の実現可能性はないという事実に早晩直面することになり、党による支配に戻るか――たとえば種々の自由に明確な制限を設ける――、チェコスロヴァキアが西側の自由民主資本主義国家の一員になることを受け入れるかを選ばなければならなかっただろう。ある意味で、ソヴィエトの干渉はプラハの春を救った——プラハの春を一つの夢として、干渉さえなければ新たな形の民主社会主義が現れたはずだという希望として、救ったのである。ギリシャでも、シリザ政権が緊縮政策を受け入れよというブリュッセルの圧力に対して国民投票を行ったとき、似たようなことが起きたのではないか。多くの内部情報源が確言するところでは、政権は実は国民投票で負けることを望んでいた。そうすれば自分たちは退陣せざるをえず、緊縮という汚れ仕事を他の人に任せられるからである。シリザは勝ってしまったため、この仕事を自分たちの手でやらねばならず、結果ギリシャの革新左派は自壊することとなった。間違いなくシリザは国民投票に負けた方が幸せだったのだ。

芸術の領域で幸福を描いたものとしてもっとも偉大なのはおそらく、ジョアキーノ・ロッシーニによる素晴らしい男性の肖像、『セヴィリアの理髪師』の三曲（フィガロの「私は町の何でも屋」、バジリオの「陰口はそよ風のように」、バルトロの「わしのような医者に向かって」）と、『チェネレントラ』で父親がみずからの収賄を進んで語る場面である。彼らは自分が欲望を向けられ、親切や手助けを求められる位置にいると想像して、自嘲しながら不満をいう。主体は二度にわたって立ち位置を変える。まずは主体に話しかけてくる人たちになりきり、自分に向けられる手に負えない量の要求を演じる。つづいてそれに反応するふりをし、応えることのできない要求に圧倒されることに深く満足する状態を得る。『チェネレントラ』の父親を例にとってみよう。バッソ・ブッフォ・カリカートの名役である彼は、娘の一人が王子と結婚すれば人々が自分に振り向き、宮廷の職を得ようと賄賂を持ってくるだろう、そしたら最初はずる賢く焦らし、そのあと依頼が多すぎると嘆いてみせようと空想する。典型的なロッシーニのアリアが絶頂に達するのはこの独特の幸福の瞬間、主体があまりの要求にもう対処できないとなったときに発生する〈生〉の過剰さを明言するこの独特の瞬間である。「私は町の何でも屋」のアリアが最高潮に達するところで、フィガロは「みんなが私を求めてる――／お願いですよ、一人一人順番に！ (*uno per volta, per carita!*)」と叫ぶ。ここでは主体が把握しきれないデータの過剰にさらされるというカント的な崇高の経験が参照されている。そしてこれが幸福なのだ。穏やかに満ち足りた状態ではなく、投げかけられた要求をあざ笑いつつ必死になって拒むこの状況が。

ここで最初のポイントに戻ってみよう。われわれはただ管理し操作されているだけでなく、「幸福な」人々は自分たちのために、操作されることをこっそりと欺瞞的に求めさえする。真実と幸福は両立しない――真実は傷つけ、不安定さをもたらし、日常生活のなめらかな流れを乱してしまう。ここには方向づけ不可能な空間として構造化された現実の倫理的な教えがある――わたしたちが直面している究極の選択はこうだ。操作されながら幸福であることを望むか、真の創造性というリスク、このリスクが生みだす絶え間ない不安にあえてみずからを晒すか。そして決定的に重要なことに、この倫理は〈大他者〉のいかなる形象にも頼ることができない。〈大他者〉、すなわちたしかな参照点を与えてくれる高次の存在がいないのなら、一貫性のある唯一の倫理的な選択は快楽主義的な幸福の追求だという考え方はありうる――わたしたちにはどれだけ脆くて頼りないとしてもこの世界しかないのだから、手の届く幸運はすべて掴もうというわけだ。逆に何かしら倫理的義務を特権化しようと思えば、その必要性を保証する超越的な参照点を持ち出さなければならないだろう。しかしよく考えてみると、幸福はそのもっとも俗世的な型でさえ、かならず何らかの〈大他者〉の形象を必要とする。なぜか。G・K・チェスタトンはある一般的な理（誤）解——古代の異教的な態度は喜びに満ちた生の肯定であり、キリスト教は罪意識と禁欲からなる陰鬱な秩序を押しつける——を反転させる。むしろ逆で、異教の態度こそがひどくメランコリックなのだ。なぜなら快楽的な生を説いているとしても、それは「続くかぎり楽しめ、なぜなら最後にはかならず死と腐敗がくるからだ」という形式をとるからだ。キリスト教のメッセージは逆に、罪意識と禁欲の偽りの表層にかくれて際限ない喜びを、というものである。「キリスト教の外側には、倫理的な自己否定と専門の聖職者という、なかなか手ごわい護衛が取りまいている。だが、この一見非人間的な護衛の輪の内側には、子供のように踊り、大人のようにブドウ酒を飲む、昔ながらの人間的な生活がある。それというのも、異教的な自由の枠となりうるものは、キリスト教をおいてほかにはありえないからだ[27]」。

キリスト教は、（異教的な情念に満ちた生の肯定とは対照的に）犠牲の宗教、現世の快楽に対する禁欲の宗教なのではまったくなく、欲望にふけりながらその代償を払わずに済まし、生を楽しみながら最後に待ち構えている腐敗や衰弱の痛みを恐れずにいるための、ずる賢い戦略を提供しているのだ。この理屈を突き詰めるなら、そこにこそキリストの磔刑の究極の機能があると主張することすら可能だろう。お前たちは欲望にふけり楽しみなさい、わたしがその代償を引き受けてあげましょう！

この点でアメリカは例外なのだろうか。独立宣言においてアメリカは自国を「幸福追求」の土地と規定した。これが表しているのは幸福そのものを約束するということではない――アメリカ市民として、わたしは幸福そのものでなく幸福を追求する自由を保証されるのであり、手に入れるかどうかはわたし次第なのだ。これなら欲望の次元が機能するだろうか。そんなことはない、なぜなら真の欲望は、幸福への欲望ではありえないからである。「幸福への欲望」という観念そのものが醜悪であり、それはもはや「欲望ゼロへの欲望、欲望を諦めたいという欲望」のようなものなのだ。

32　アサンジを救えるのはわれわれしかいない！

それはついに起きた――二〇一九年四月十一日、ジュリアン・アサンジがエクアドル大使館から引きずりだされ逮捕された。予想されたことではあった。多くの兆候がそうなることを示していたのだ。この一、二週間前にウィキリークスが逮捕を予測し、エクアドル外務省がいまとなってはあからさまな嘘だとわかっている返答（アサンジの保護をやめる予定はない）をし、しかもそこにさらなる嘘を散りばめていた（ウィキリークスがエクアドル大統領の私生活の写真を公表したなど――アサンジがこんなことをして保護を危うくするなどありえないではないか）。チェルシー・マニングの最近の逮捕（メディアにはおおむね無視された）もこの駆け引きの一要素だ。オバマ大統領から恩赦を受けたが再逮捕され、いまは独房に監禁されている。これはウィキリークスとのつながりに関する情報を吐かせるための措置であり、アメリカが（仮に）アサンジの身柄を確保した暁には彼を待ち受ける訴追手続きでもある。

さらなる兆候はイギリスが、死刑にされるような国にアサンジを引き渡すことはないと述べたことだった（ウィキリークスを理由にアメリカに引き渡すことはないとはっきり言うのではなく）――これは事実上アメリカへの引き渡しの可能性を認めているのである。よく統率がとれ長くゆっくりと続いた人物破壊のキャンペーンについては言うまでもないだろう。これが想像しうる限りもっとも下劣になったのは、エクアドル人はアサンジの臭いがきつく服が汚いため彼を追い出したがっているらしいという、年初に流れた事実無根の噂だった。アサンジへの攻撃の最初の段階では、彼のかつての友人や協力者が表に出てきて、ウィキリークスははじめは良かったがやがてアサンジの政治的偏見（反ヒラリーの強迫観念、ロシアとの怪しいつながり……）のために行き詰まったと主張した。これにつづいて、より直接的で個人的な誹謗中傷が出てきた。彼はパラノイアで横柄であり、権力と支配に取り憑かれていると。そしてついに臭いと汚れという直接的で身体的なレベルまできたのである。この一大物語で唯一本当に臭うのは、「レイプ魔は助けない！」というスローガンのもと、アサンジとのあらゆる連帯を拒絶した主流派フェミニストの人たちである。（控えめに言っても）本当かどうかひじょうに疑わしい批判を持ち出して、寄る辺ない個人に野蛮なアメリカがかけている圧力と共謀することを正当化しようというのだ。彼はいまやあらたに背信とスパイ活動の十八もの罪で訴えられているというのに――これもまた今日のフェミニズムがもつひとつの顔なのである。恥ずべき行為のリストはまだまだつづく。二〇一九年五月十九日、メディアの報道するところでは、「ロンドンのエクアドル大使館に滞在していた時期のジュリアン・アサンジの所持物は、ウィキリークスによると、月曜日にアメリカの検察官に引き渡される。エクアドルの当局者がロンドンに渡り、法的文書、医療記録、電子機器をふくむ物品をアメリカの検察官の「自由にさせる」とのことだ」[28]。これ以上ひどい非合法の押収が想像できるだろうか。

妄想症者《パラノイア》アサンジ？　上からも下からも盗聴器を仕掛けられた部屋でずっと暮らし、諜報機関による監視をつねに受けていたら――パラノイアにならずにいられる人などいるのだろうか。誇大妄想？　（いまでは前）ＣＩＡ長官がお前の逮捕は最優先事項だと言うのであれば、これは単純に、お前は少なくとも一部の人にとって「巨大な」脅威だということを示すのではないか。スパイ組織の頭領のようなふるまい？　しかしウィキリークスはスパイ組織なのだ、舞台裏で何が起きているのかを知らせ、人々に奉仕するための組織ではあるが。

　われわれの巨大メディアは、アサンジとロシアの癒着、アメリカ選挙への「介入」に注目している――アサンジはマナフォートと会ったのか否か、等々。ここにあるのは汚れた政治ゲームである。しかしわれわれは「副次的矛盾」にしか関係のないこうした議論にとらわれるべきではない――ウィキリークスは、アメリカとロシアの闘争やトランプとアメリカの既存体制の闘争（二〇一六年大統領選における「ロシアとの癒着」）における一要素にはおさまらない。ここでの「主要な矛盾」は、わたしたちの生活のデジタル管理および統制のあらたな形態に対する闘争、国家機関（ＮＳＡ）と大企業（グーグルなど）との連合体に対する闘争である。こうした組織はわたしたちの生活への目に見えない管理を、わたしたちの大半はその存在に気づきすらしない管理を、日増しに強めている。これがウィキリークスの本質であり、アサンジの醜聞に関する議論はすべてこの重要なポイントをうやむやにするためになされている。

　では大きな問いに移ろう。なぜいまなのか。わたしの考えでは、一つの名前がすべてを説明してくれる。ケンブリッジ・アナリティカだ――これはアサンジをめぐる本質のすべてを、彼の闘争の相手を表す名前であり、それはすなわち巨大な私企業と政府機関の癒着を暴き出すということだ。ロシアのアメリカ選挙への介入がどれほど大きな話題となり人々の頭を離れなかったかを思い出そう――いまとなっては人々をトランプへと仕向けたのはロシアのハッカー（とアサンジ）ではなく、われわれの国のデータ処理業者であり、それが政治団体と協力していたのだということがわかっている。だからと言って、ロシアとその協力者が無実だということにはならない。おそらく彼らもアメリカが他の国でやっている（この場合だけは民主主義を支援していると言われるのだが……）のと同じように、選挙結果に影響を与えようとしたのだろう。しかし、以上のことが意味しているのは、わたしたちの民主主義を歪めている大きな悪い狼はクレムリンにいるわけではないということである――そしてこれこそアサンジがずっと主張してきたことなのだ。

ではこの大きな悪い狼は一体どこにいるのか。この管理と操作の全容をつかむためには、私企業と政党の癒着（ケンブリッジ・アナリティカの場合のように）から、グーグルやフェイスブックのようなデータ処理会社と国家安全保障機関のずぶずぶの関係にまで目を向ける必要がある。

新たな認知軍事複合体の最大の達成は、直接的であからさまな抑圧がもはや必要なくなったことだ。人々が自分自身を人生の自由で自律的な主体として経験しつづけている方が、はるかに管理しやすく、望んだ方向に「ナッジ」できる。これがウィキリークスのもう一つの重要な教えである。つまりわたしたちの不自由が危険極まりないものになるのは、それが自由を媒介して経験されるときである――あらゆる個人が自分の意見を広め、自分の自由意思でヴァーチャルな共同体を作ることを可能にする絶え間ないコミュニケーションの流れ以上に、自由なものはありえるだろうか。わたしたちの社会では寛容さと自由選択が至上の価値に高められているため、社会管理と統治とはもはや主体の自由を侵害するものとしては現れることができない。それは個人がみずからを自由だと経験することとして現れ（それによって維持され）なければならないのだ。制限なしのネットサーフィンよりも自由なことがあるだろうか。今日「民主主義の香りのするファシズム」はまさにこのように作用する。

だからこそデジタルネットワークを何としても民間資本と国家権力による管理の外に置かなければ――すなわち公的に議論できるようにしなければならないのだ。

ここまでくれば、なぜアサンジが口を封じられなければならないかがわかる。ケンブリッジ・アナリティカのスキャンダルが噴出したのち、権力者はそれを特定の私企業と政党による特殊な「悪用」だということにするべく全力を傾けた――しかし国家自体は、いわゆる「ディープ・ステート」のなかば不可視の機構はどうなってしまったのか。ケンブリッジ・アナリティカの「スキャンダル」について詳細に論じた『ガーディアン』紙がアサンジへの許しがたい批判を掲載し、アサンジを誇大妄想で司法からの逃亡者だと非難したことも不思議ではない。[29]彼らの教えは明快である。ケンブリッジ・アナリティカやスティーヴ・バノンについて好きなだけ書いたらいい、アサンジがわれわれの注意を振り向けようとしていることだけは慎重に無視しなさい――いま「スキャンダル」を調査しているはずの国家機構自体が問題の一部だということだけは。

アサンジはみずからを人民の、人民のためのスパイだと述べている。彼は権力者のために人民をスパイするのではなく、人民のために権力者をスパイしている。だから、いま彼を本当に助けられるのはわれわれ人民しかいないのだ。われわれの圧力や動員だけが、彼の窮状を緩和することができる。よく見かける説明だが、ソヴィエトの秘密機関は裏切り者を何十年かかってでも罰するだけではなく、裏切り者が敵に捕まったら何としても助け出すべく戦った。アサンジには後ろ盾となる国家がなく、われわれしか、人民しかいない——だから少なくともソヴィエトの秘密機関がやっていたことをやろう。どれだけ時間がかかっても彼のために戦おう！

ウィキリークスはほんの始まりに過ぎないのであり、わたしたちのモットーは毛沢東主義的なものであるべきだ。百のウィキリークスを花開かせよう。アサンジに対する権力者やデジタルコモンズ管理者のパニックと憤怒を見ると、そうした活動がいかに彼らの痛いところを突いているかがわかる。この戦いでは卑怯な攻撃がたくさん仕掛けられるだろう——わたしたちの側は、それでは相手の思う壺だと批判されるだろう（反アサンジのキャンペーンがプーチンを利していると責められるというように）。しかしそれには慣れ、両者を容赦なく共倒れに追い込むというおまけつきで反撃できるようになるべきだ。レーニンやトロツキーも、ドイツと／またはユダヤ人銀行家から金を受け取っていると非難されていたのではなかったか。そうした活動はわたしたちの社会の機能を混乱させ、何百万人もの生活を脅かすのではないかという不安についていえば、心に留めておく必要があるのは、権力者こそ、抗議活動を孤立させ押さえ込むためにデジタル網を選択的に停止できるということだ——大衆の巨大な不満が爆発した場合、最初の一手はまず間違いなくインターネットと携帯の接続を遮断することになるだろう。つまるところ、「アサンジ」とはまだ始まったばかりの闘争の名称なのであり、権力者たちが怒り狂って反発するのも当然のことなのだ。二〇一九年六月半ば、イギリスの内務大臣サジド・ジャヴィドはジュリアン・アサンジのアメリカへの送還要請に署名した。六月十三日のＢＢＣラジオ４の番組「トゥデイ」で、大臣はこの署名について説明した。

［アサンジ］の留置は妥当です。アメリカから送還要請がありまして、明日裁判所が判断することになりますが、わたしは昨日のうちに送還命令に署名、認証しまして、これは明日裁判所が判断することになります……これは最終的には裁判所が決めることですが、内務大臣にとってもひじょうに重要なところであり、わたしとしてもつねに公正に事が運んでいるかは見ておく必要がありまして、合法的な送還要請でしたので、わたしは署名したわけですが、最終的な判断は裁判所に委ねられることになります(30)。

このしどろもどろの短い一節は精読する価値がある。すぐ目を引くのは、決めるのは裁判所だという主張が三度も繰り返されていることであり（署名した命令は「明日裁判所が判断する」、「最終的には裁判所が決めることで」ある、「最終的な判断は裁判所に委ねられ」る）、こうして三度も言い張っているところを見るに、ここでは言っていないことがあるのだ。ジャヴィドが実際には口にしなかった前提は、決めるのは裁判所ではないということである。決定はすでになされており（「昨日」）、イギリスの司法システムはすでにアメリカの希望に沿うことを決めており、裁判所はただ遡って決定を追認するためだけに存在している（「明日」）。言い換えれば、「つねに公正に事が進んでいるかは見ておく必要があ」るという主張はこの場合、裁判が始まるよりも前からすでに事は公正に進んでいたということである――そうでないとアサンジの「留置は妥当です」という発言を理解することはできない。それにそうでなければ、アメリカのアサンジに対する最終送還要求の申請期限の三週間前に起こった、もう一つの奇妙であからさまに非合法な出来事を理解することもできない。それはエクアドルの職員がロンドンに赴き、アメリカの検察官にアサンジの所持品を「自由にさせた」(!)件だ。アサンジの弁護士も国連の職員も、「アメリカ合衆国当局が要求した」アサンジの所持品の違法な押収に立ちあうことを許されなかった。「物品には、二つの手書き文書、法文書、医療記録、電子機器が含まれていた。この所持品の押収は、医療上および法律上の守秘義務および報道保護のための法律に違反している(31)」。アサンジの弁護人の一人バルタサール・ガルソンは、この押収を的確に説明している。

アサンジを保護した国がいまやその特別な地位を使って、彼を苦しめている国に所持品を引き渡しているというのは理解できない話だ。この所持品は裁判所の許可証なく、政治難民の権利を保護することもなく、証拠保全を尊重することもなく押収される。さらにひどいことには大使館で違法の録音システムが使用されており、これに対する申し立てはすでに提出済みである。アサンジの権利の計画的な侵害は、想像を絶する規模に及んでいる(32)。

この恥知らずな行為の違法性を理解しようと思うと、それがかくも野蛮な仕方で、法的な厳密さを尊重せず行われたのは、意図的だと考えるしかない。というのも違法であるという性質自体が、批判的な公衆に対する重要なメッセージになるからだ——「われわれにかかずらうな。やったら容赦なく叩きのめすぞ」。たかだか数週間投獄される程度のことを理由にアサンジに降参するよう勧めた訳知り顔の評論家たち、アメリカに送還され一生投獄されることになるかもしれないという考えを彼のパラノイア的な誇大妄想の産物でしかないと切り捨てた訳知り顔の評論家たちはみな、いまどこにいるのか。アサンジは「エクアドル大使館に長く滞在しすぎだ」と嘯いていた卑劣なコラムニストたちはどこへいってしまったのか——本気で言っているのか。彼にどんな選択肢があったというのか。どこに行けばよかったというのか。アサンジのようなレイプ魔は連帯に値しないと主張していたあの「フェミニスト」たちはみなどこへ行ってしまったのか。もっとも許しがたい立場は、アサンジはアメリカでなくスウェーデンに送還すべきだという主張だ。スウェーデンへの送還を正当化するために持ち出されている罪状自体に異議が唱えられていることなどないかのように——つまりはジャヴィドの主張と同様、アサンジの罪はすでに立証されているとでもいうかのように。

わたしたちの公共空間の自由を大事に思う者は、いま（少なくとも）二つのことをしなければならない。まず、アサンジ、マニング、スノーデンは、中国の反体制芸術家艾未未と同じように称賛されるべき真の民衆の英雄だ（艾未未の名誉のために言っておくと、彼はベルリンでアサンジのための抗議活動に参加している）。第二に、アラブ諸国、中国、ロシアから新たなアサンジが生まれてくることを、ただ待つだけでなく積極的に求める必要がある。西洋のリベラルはよく、アサンジのような人物がいま挙げたような独裁国家にいたらどうなっていたことだろうと問う。その答えをわたしたちはもう知っている。彼の身にたったいま起きているのとほぼ同じことが起きただろう。

33-34

付録

33　アヴィタル・ロネルは本当に有害か？

その通り、これは権力の問題だ！

ニューヨーク大学教授でフェミニストのアヴィタル・ロネルに対する訴訟についてわたしが書いた二つの短いテクストに寄せられた批判的な反応には、通底するモチーフがあった。わたしがアカデミアにおける権力の仕組みを無視している（あるいは理解していない）というものだ。教授、特に論文指導教授が学生や助手に対して行使する権力、彼らのキャリア全体や就職の可能性を作ったり壊したりする権力である。これは正しいだろうか。わたしは権力の行使を無視しているのではなく、このケースにおいて権力がどう作用しているのかをもっとよく見た方がいいと考えているだけだ。

アヴィタルはもちろん、告発者との奇矯な友人関係にのめりこむという重大な間違いを犯した――彼女に同情的な人間として言えば、不手際ではある、しかし犯罪ではない。問題だったのは関係そのものではなく、それが学生と教師の間で起きたという事実であり、批判者たちからすると最終判断を下すにはこれで十分なのだった。アヴィタルは学生を搾取し辱めるために野蛮な権力を行使したのである。わたしからみると、問題はここから始まる。組織の観点からすると、彼女は彼の上司であり、彼に権力を行使している。メディアでは、アヴィタルはアカデミアの超大物スターであり、常勤職を与えたり、キャリアを作ったり壊したりする権力を持った人物だと紹介された。これはわたしの知るアヴィタルではない。わたしが知る限り、彼女はニューヨーク大学に多くの敵を抱え（中にはわたしまで反アヴィタルの仲間にしようとした者もいた）、授業で「美しい褐色の肌の女性」に触れたヘルダーリンの詩を解釈したという理由でアフリカ系の学生にレイシズムを訴えられている。そう、彼女は他の人に言われるように「意地悪」ではあるかもしれないが、同時にとても親身で親切でもあるのだ。このことを確認するには、彼女から彼への、そして彼から彼女への手紙を、閲覧可能な範囲で読むだけでいい。そこから浮かび上がってくるアヴィタル像は、要求が多く、いじめっぽく、支配欲があり、抜け目なく、陰影に富み、明敏な人物である――しかし同時に、気遣いや援助を惜しまず、何より不安が大きくて、形式的な約束にそれが本当でないことに気がつきながらもほとんど死に物狂いですがっている（「本気じゃないとしても、そのふりをしてくれれば……」という形で）。これは間違いなく、サディスティックにみずからの権力を楽しんでいる支配欲ある教師のすがたではない。告発者については、とりわけ他の人には彼女への不満を言っている時期の、アヴィタルに宛てたメッセージで閲覧可能なものを、どれでもいいから読んでみればいい。「あなたがいなければどうやって生き延びることができたかわかりません。あなたは最高です、わたしの喜びです、奇跡です。あなたに無限の愛と、キスと、忠誠を送ります。敬具」「愛する人へ、昨晩あなたにお会いし、時間を共にすることができてとても幸せでした。魔法みたいで大切な、さまざまな意味で決定的な時間でした。わたしたちが共にした親密さは、ベルリンで過ごしたわたしたちの時間に輝かしい拍動を与えてくれました。共にいてくれる時間、そして真の純粋な愛の時間をありがとう！……敬具」「わたしにとって何より大切な恵みでいてくれるあなたに感謝を。敬具」「親愛なる人へ、今回の東方への旅の間、あなたから連絡がありません……お元気だと知らせるメッセージをよこしてください、ずっとあなたのことが心配なのです……敬具」。さらには、彼の母親がアヴィタルをイスラエルで行われた彼の姉の結婚式に招いた。その上、論文の謝辞には以下のように書かれている。「アヴィタルの指導、熟読、繊細な支援に感謝します……わたしのあらゆる気まぐれにどんなときでも耳を傾けてくれたことにも」。

　これが権力者に怯える寄る辺ない学生の言動だろうか。アヴィタルの奇矯さについては、その噂はよく知られているということをつけ加えるべきだろう――彼女を指導教員に選ぼうという人がこの噂を耳にしたことがなかったなどということは単純にありえないと思う。だからわたしが思うにこの告発者の言動は、キャリアの助けになりそうな好機なら何としてもつかみ駆け引き《ゲーム》をおこなって、できる限り多くの成果をもぎ取ろうとする人間のものであり（彼からのメールにはしょっちゅう自分が書いたものを論評、手直ししてほしいという依頼が含まれていたことに注意しよう）、自分のための常勤職のポストがないとわかると教師に反旗を翻した人間のものだ。どの教授の指導学生が成功するかというのは、アメリカのアカデミック・ゲームの一部なのだ――この成功は教授の評判をあげるし、実際アヴィタルは、告発者が論文を発表し、記録的な早さで博士号を取得し、三つの名誉あるポスドクのポジションを手に入れる手助けをした。だからその通り、アヴィタルと告発者の件は権力をめぐる事件であり、自己破壊的と言ってもいい関係にのめりこんだ教授の事件であり、その状況に容赦なくつけこんで最終的に彼女に対するみずからの権力を行使するにいたった学生の事件なのだ。

アヴィタルと告発者の関係は、アメリカのアカデミアにおける権力の作用の仕方としてはじつに非典型的な事例である。これは複雑で奇矯な事例であり、学生を性的あるいは職業的に容赦なく搾取する典型的なうぬぼれ教授とはほど遠い。思うに、この事件がかくも広範なメディアの注意を引いている理由の一つはここにある。アカデミアにおける権力濫用の典型的な事例というていで魅力的な奇矯さを提供してくれるこの事件は、それによってあちこちに蔓延する「通常の」権力の濫用を覆い隠しているのである。

ロネル訴訟に関する二つの一般的な結論

アヴィタル・ロネル訴訟についてのわたしの文章に対する批判的な反応には、二つのモチーフが繰り返し現れる。それはわたしたちがいま陥っている状況を表していると思うので、短くコメントしておきたい。

一つ目の主張は、セクシュアル・ハラスメントの事例において物質的な証拠や第三者の目撃者がなく、ただ双方の言い分がぶつかり合っている場合には、被害者の側を信用すべきだというものだ——被害者がハラスメントだと言えばその行為はハラスメントなのであり、加害者の意図は関係ない。もちろんこの主張を真剣に受けとめるべきまっとうな理由もある。被害者は構造的に弱者の立場におり、支配的なイデオロギーが「ヒステリー」の女の不満などまともに受け取るべきではないという偏見をわれわれに刷り込んでいるからだ。しかし、逆の主張にもまっとうな理由はあり、しかもそれは自ら申し立てをしている被害者も嘘をつきうまくごまかすことは可能だというわかりきった理由に限らない。逆説的なことに、ある意味で被害者であることのもっとも残酷な事例は、被害者が被害者であることに気づいてすらいない場合、自分の従属的な役割にそれほどまでに同一化してしまっている場合である。極端な例を挙げよう——陰核切除を、そうすればコミュニティの仲間入りができるからと楽しみにしている女性は、ある意味でそれを嫌がる女性よりも被害者ではないだろうか。女性が男性と関係を持ち、その関係が続いているうちは問題があることを意識しなかったが、のちに（場合によっては数年後に）フェミニズム的な気づきを得ると公然と抗議しはじめるということがよくあるのも不思議ではないのである。

二つ目の——少なくもわたしにとっては——最も悲しいモチーフは、（この場合は告発者の）行動を問題なしとするために引き合いに出されるキャリアなるものへの言及である。わたしは告発者を知らない、会ったこともない、公にされているメール以外は彼の書いたものを読んだこともない。わたしの主張はこうだ。彼の言うことがすべて本当だとしよう——アヴィタルに嫌悪を感じ、彼女に圧力をかけられていたなどということが。ならばなぜ彼女のメッセージに返事をかえし、時には二人のムードを盛り上げるようなことまでしたのか。彼は繰り返しキャリアのためだと答えている。あたかもそれで十分答えになっているとでもいうかのように。

　このキャリアによる正当化は本当にそれほど当たり前のことなのだろうか。この点については、わたしはきっとアメリカのアカデミアにおける権力の作用の仕方を理解していないと責められるのだろう。それほど事実から遠いこともない。一九七〇年代、学士号取得後何年もの間（マルクス主義者でないからという理由で）職が得られなかった時期から、近年わたしの「問題あり」の立場（政治的正しさ《ポリティカル・コレクトネス》批判など）を理由にアメリカのアカデミアや公共メディアからほぼ追放されるにいたるまで、わたしは権力があらゆる装いをとって作用するさまを観察することができた。わたしは人々に英雄的であってほしいと望んでいるわけではない。ただ踏み越えるべきではない一線は、職業的にも（みずからの理論的使命には背かない――そういうものを持っていればの話だが）、個人的にも（告発者がしたように、嫌悪感を抱いている人物に情熱を込めた恋文を書くようなことはしない）あると思っているだけだ。

　強調しておきたいのだが、わたしがここで述べているのはアメリカのアカデミアでの自分の経験に基づいた一般的な見解である。二十年ほど前、わたしはある有名なジェンダー理論家と（公にではなく個人的に）議論した。その理論家は、ラカン派の連中は支配的な家父長制イデオロギーの持ち主であるのに対し（ラカンにおける〈父の名〉の役割など）、ジェンダー理論家は周縁的で転覆的な存在だと主張していた。わたしが彼に、有力なアカデミアのポストを持っているラカン理論派の名前を挙げてみてほしい、ジェンダー理論家にはアカデミアで強い力を発揮している人が多くいるわけだが、と言うと、唯一出てきた名前はドゥルシラ・コーネルだった。わたしは驚き、少し前にニューヨークで開かれた研究会での彼女の発表はラカンに対する強烈なデリダ的批判だったと返した。わたしがますます驚いたのは、このジェンダー理論家がこう言い返してきたときだ。「彼女はラカン派だよ。批判はキャリアのためにやっているだけさ」。わたしは二つのことで頭を抱えてしまった。第一に、わたしの議論の相手は、誰がラカン派であるかを決める権力を持っている。当の本人が自分は反ラカン派だと宣言し（かつ著作でも執拗にラカンを批判し）ていたとしても、ラカン派がアカデミアで力を持っていると主張するためだけに、ラカン派認定をすることができるのである（誤解を避けるために言うと、この批判はコーネル本人には何ら関係ない。彼女は単に誠実なデリダ派だ）。第二に、キャリアが何の倫理的なためらいもなく引き合いに出される――「キャリアのためにやってる」ことは当然のこととして口にされ、何の恥じらいも生まないのだ。（さらに言えば、この主張はアメリカのアカデミアに奇妙な光明を投じる。それが示唆するのは、「主流派の父権的」ラカン派がキャリアを向上させたければ「周縁的な」脱構築主義者のふりをしなければならない、コーネルのような力ある人物の場合であっても、ということだ。）

ついでに言っておくと、ここ数週間で十人以上の友人および自称「友人」がわたしに警告してきた。きみの意見には共感するが、アヴィタル訴訟についてのメッセージのせいでキャリアが危うくなるぞと。地獄で焼かれてしまえ！

34　ジョーダン・ピーターソンは症候だ……何の？

真実で嘘をつく技術

　ジョーダン・ピーターソンの幅広い人気は、自由主義保守派の「サイレント・マジョリティ」がついに自分たちの代弁者を見つけたことを示している。前の反ＬＧＢＴ＋のスター、マイロ・ヤノプルスよりも彼が優れているのは明らかだ。ヤノプルスは機知に富み、早口で、ジョークや皮肉をしょっちゅう飛ばし、ゲイであることを公言していた――多くの点で、彼が攻撃している文化のセールスマンのようになってしまっていたのだ。ピーターソンは逆である。常識と冷静な科学的論証（の装い）を見せつつ、われわれの社会の自由主義の原理が脅かされていることに辛辣な怒りを向ける――彼のスタンスはこうだ、「たくさんなものはたくさんだ！　おれはもう耐えられない！」

　ピーターソンが政治的正しさのドグマを批判するために持ち出す冷静な事実なるものに、欠陥を見出すのは簡単である。彼の脳内を占めているのは、革新左派が企てる陰謀のイメージなのだ。共産主義が経済システムとして失敗し、先進西側諸国では革命が起こらずに終わって以降、マルクス主義者は文化と道徳の領域に移行することにし、こうして「文化マルクス主義」が誕生した。その目的はこの社会の道徳の根幹を切り崩し、それによってわれわれの自由の最終的な崩壊を始動させることだ、というように。しかし、このようなたやすい批判は難しい問題を避けている。どうしてそんな奇妙な「理論」がこれほど広く共感を呼ぶことになったのか。もっと複雑なアプローチが必要だ。

ジャック・ラカンは書いている。嫉妬深い夫が妻に関して主張していること〈妻は他の男たちとよく寝ていた〉がもし仮にすべて事実だとしても、その嫉妬はなお病理的なのだと。何が病理的なのかというと、夫がみずからの尊厳、さらにはアイデンティティを保持する唯一の方法として、嫉妬を必要としているということである。同じ理屈に沿ってこうも言える。ユダヤ人に関するナチの主張がほとんど事実だとしても〈やつらはドイツ人を搾取している、ドイツの少女を誘惑している……〉——これはもちろん事実ではないわけだが——彼らの反ユダヤ主義はやはり病理的な現象である〈そして実際そうであった〉。なぜならそれは、ナチが自分たちのイデオロギー的な立ち位置を維持するために反ユダヤ主義を必要とする本当の理由を抑圧しているからである。ナチがもつ社会のヴィジョンは調和のとれた共同作業による有機的な〈全体〉であり、したがって外部からの侵入者が分割や敵対を説明するために必要なのだ。

同じことは今日、反移民ポピュリストによる難民「問題」の扱い方にも言える。彼らはこの問題に、怯えのムード、ヨーロッパのイスラム化に対する闘争が迫っているというムードで取り組んでおり、どう考えても不合理なことを繰り返してしまっている。彼らにとってテロから逃れてきた難民は、その難民が逃れてきたテロリストと変わらないのである。難民の中にもテロリストやレイプ魔、犯罪者などはいるだろうが、大半はましな生活を必死に求める人々であるという明白な事実を忘れてしまっている。今日のグローバル資本主義に内在する問題の原因が、外部からの侵入者に投影されているのである。わたしたちが「フェイクニュース」を見つけたとして、これをただの正確さの欠如と考えることはできない——それは（少なくとも部分的には）事実（の一部）を正しく表現しているときにこそ、一層危険な「フェイク」となる。反移民レイシズムやセクシズムが危険なのは、彼らが嘘をついているからではない。彼らがもっとも危険なのは、〈嘘〉が（部分的に）事実にもとづく真実という形で提示されるときである。

オルタナ右翼が文化マルクス主義に執着していることからわかるのは、文化マルクス主義による策略の結果だと彼らが批難する現象（道徳的堕落、性の乱れ、消費快楽主義など）が後期資本主義自体に内在する力の帰結だという事実と向き合うことを、彼らが拒んでいるという事実である。『資本主義の文化的矛盾』（一九七六年）のなかでダニエル・ベルは、近代資本主義の無際限な推進力が、資本主義を招き入れた当のプロテスタント元来の倫理の道徳的基盤を掘りくずすさまを記述している。のちに付された後書きで、ベルは冷戦の終結からポストモダニズムの勃興および衰退にいたる現代の西洋社会についての身の引き締まるような見立てを提示し、二十一世紀を目前にしてわれわれが直面していた文化の重大な断層線を明らかにしている。資本主義的再生産の鍵をにぎる要素として文化に、それに付随して文化的生活そのものの商品化に目を向けることで、資本の再生産の拡大が可能になるというのだ。（今日の芸術祭の爆発的増加を考えてみればよい——

ベネチア、カッセル。彼らはたいてい芸術祭をグローバル資本主義やあらゆるものの商品化に対する抵抗の一形態だと言いたがるが、構造的に見れば、それは資本主義的自己再生産の契機としてのアートの究極形態である。）「文化マルクス主義」という用語はしたがって、反ユダヤ主義における「ユダヤ人の陰謀」と同じ構造上の役割を果たしている。わたしたちの社会的経済的生活に内在する敵対関係を、外的な原因に投影する（あるいはむしろ、変換する）のである。保守的なオルタナ右翼がわれわれの生活の倫理的な崩壊だと嘆くもの（フェミニズム、家父長制批判、政治的正しさなど）には、外的な原因がなければならず、自分たちの社会の敵対関係や対立関係が原因だなどというのはありえないというわけだ。

わたしたちの自由主義的な社会の不調を外からの侵入者のせいにする前に、心に留めておく必要があるのは、二十世紀の真の衝撃は第一次世界大戦だったということだ――ファシズムからスターリニズムにいたるその後のあらゆる恐怖は、ここに根を持っているのである。この戦争がそれほどの衝撃だった理由は二つある。まず、半世紀にわたるヨーロッパの継続的な発展（大きな戦争もなく、生活水準や人権は向上し……）ののちに勃発したことである。外部に煽動者がいたわけではなく、それは純粋にヨーロッパに内在する対立関係の産物だった。二つ目は、たしかに衝撃ではあったが、予想できないものではなかったということだ――少なくともこれに先立つ二十年の間、戦争が起こるかもしれないという予測は人々の強迫観念のようなものになっていた。問題は、まさにこの絶え間ないお喋りこそが、そんなことは実際に起こるはずがないという認識を作り出したということだ――十分に話しているのだから起こるわけがない。だからこそ一度それが勃発すると、ひどく驚くことになったのである。

　残念ながら、反移民ポピュリズムに対するリベラル左派の反応は、しばしば相手がこちらに向けてくる対応と大差ない。ポピュリズムと政治的正しさ（リベラル左派のＰＣ《ポリティカル・コレクトネス》）は、ヒステリーと強迫神経症の古典的な区別に沿った、現代における二つの嘘の形を使っている。ヒステリー患者は嘘のふりをして真実を言い（言っていることは文字通りには真実ではないのだが、この嘘は偽りの形で真の不満を表現している）、強迫神経症者の言っていることは文字通りには真実だが、それは嘘に資する真実である。ポピュリストとＰＣリベラルはこの両方の戦略を使うのである。まず、彼らが事実レベルでの嘘をつかうのは、それがポピュリストのいう高次の〈大義の真実〉に資するときである。宗教原理主義者は「キリストのために嘘をつくこと」を肯定する——例えば、中絶というおぞましい罪を防ぐためなら、胎児の生命や中絶の医学的危険について偽りの科学的「真実」を広めることが許される。母乳哺育を肯定するためなら、母乳哺育しないと乳癌になるなどといったことを科学的事実として吹聴することが許される。月並みな反移民ポピュリストは難民によるレイプや他の犯罪などの確証のない作り話を恥ずかしげもなく言いふらして、難民はわたしたちの生活様式の脅威となるという「洞察」に信憑性を付与しようとする。ＰＣリベラルもまた、あまりにも頻繁に似たようなことをしている。彼らは難民とヨーロッパ人とで「生活様式」が実際に違うことにはあえて触れない。言及したらヨーロッパ中心主義を擁護していると思われてしまうかもしれないからだ。イギリスのロザラムの事件を思い出そう。二〇一四年、警察は千人を超す貧しい白人の少女が、パキスタンの若者集団によって組織的に虐待、レイプされていることに気がついた――その情報はイスラム嫌悪《フォビア》を引き起こさないよう無視または軽視された。

逆の戦略――真実のふりをして嘘をつくこと――も、両陣営でひろく実践されている。反移民ポピュリストが事実レベルでの嘘を広めるだけでなく、狡猾に事実レベルでの真実の断片を使って人種差別的な嘘に本当らしさのオーラをまとわせているとすると、ＰＣ派もまた嘘に真実を混ぜ込んでいる。人種差別や性差別と闘うなかで、彼らはたいてい決定的に重要な事実を取り上げるが、しばしばそれを不正確にゆがめる。ポピュリズムによる異議申し立てが、真の不満や喪失感を外部の敵に転嫁するのに対し、ＰＣ左派は正しい言い分（言葉づかいに表れた性差別や人種差別を見抜くなど）をみずからのモラルの優越を確認するために使い、そうすることで真の社会経済的変化を妨げる。

だからこそピーターソンはあれほどうまくいっているのだ。自由主義のプロジェクトに内在する敵対関係や矛盾を無視しているにもかかわらず（ひょっとしたら、そのおかげで）。人種差別的で性差別的なジョークを、表現の自由を理由にして大目に見ても構わないと考える自由主義者と、そうしたジョークの被害にあう人の自由や尊厳が脅かされるとして検閲したほうがいいと考えるＰＣ規制派のあいだの対立は、自由主義のプロジェクトそのものに内在しており、真の左翼とは何の関係もないのである。ピーターソンは、取り憑かれたように規制をかけようとするこのＰＣ世界で、われわれの多くがどこかおかしいと感じていることに取り組んでいる――問題は彼がつく嘘にあるのではなく、その嘘を支える部分的な真実にあるのである。左翼はみずからのプロジェクトのこうした限界に取り組むことができずにいるから、負け戦を戦うことになってしまうのだ。

わたしを批判する人への応答

ジョーダン・ピーターソンに関するわたしの見解への無数の批判にいくらか応答しておこう。わたしの見るところ、彼の仕事には二つのレベルがある。まず、ＰＣやＬＧＢＴ＋などがわれわれの自由にとっていかに脅威となるかをめぐる自由主義的な分析や批判があり、そこには賛成できないこともあるが有益な意見も含まれている。彼と違うのは、わたしもＰＣ、アイデンティティ・ポリティクス、ＬＧＢＴ＋の多くの立場や政治的実践に対して批判的ではあるが、それでもそのなかに、しばしば不十分で歪められているにせよ、実に切実で身に迫る問題が表れているのを認めていることである。女性の抑圧に関する訴えは、（わたしを批判しているある人が述べているように）支配されることを楽しむ女性の物語である『フィフティ・シェイズ・オブ・グレイ』を持ち出せばないことにできるようなものではなく、トランスジェンダーの人々の苦しみはきわめて現実的である。人種差別的、性差別的抑圧が先進自由主義社会で作用する仕方は、その直接的で野蛮な形態よりもはるかに洗練されている（が結果は同じくらいひどい）のであり、もっとも危険な過ちは女性の劣位を彼女たちの自由選択のせいだとすることである。

しかしわたしが問題だと思うのは、ピーターソンがＰＣ（やその他の標的）を文化マルクス主義（フランクフルト学派、「フレンチ」ポスト構造主義的脱構築主義、アイデンティティ・ポリティクス、ジェンダー・クィア理論など）の極端な派生物だと解釈していることだ。どうやら彼が言わんとしているのは、文化マルクス主義はマルクス主義（あるいは共産主義）の戦略が熟慮の末に変更された結果だということらしい。共産主義が自由資本主義との経済闘争に負けた（革命が先進西洋世界に訪れることを待つも実現しなかった）のち、指導者たちはその領域を文化闘争（セクシュアリティ、フェミニズム、人種差別、宗教……）に移すことにし、組織的にわたしたちの自由の文化的基盤や価値観を損なってきたのだというのだ。ここ数十年で、この新しい方法は思いの外有効であることがわかった。今日わたしたちの社会は、自己破壊的な罪意識の循環にとらわれ、自分たちのポジティヴな遺産を擁護することができなくなっている。

わたしの見るところ、こうした考え方と自由主義との間に必然的な結びつきはない――共産主義の機密中枢が操作し西洋の自由を破壊しようと目論む「文化マルクス主義」という発想は、純粋なオルタナ右翼の陰謀論である（しかも、これが自由主義による自由の擁護においても使えるという事実は、自由主義のプロジェクトに内在する弱点を物語っている）。まず、文化マルクス主義というひとまとまりの領域など存在しない――今日フランクフルト学派を代表する人物のなかには「フランス思想」を口汚く貶している人がいるし、多くの文化マルクス主義者はアイデンティティ・ポリティクスにひじょうに批判的である、というように。第二に、フランクフルト学派や「フランス思想」を好意的に参照することは社会主義国家では禁止されていた。そうした国の当局は（わたしの若いころの記憶から考えるに）アングロサクソン系の分析哲学の方をはるかに歓迎していたので、古典的マルクス主義とその「文化」バージョンとが何らかの形で同一の行為主体にコントロールされていると主張しようとすると、影で糸を引く隠れた〈主人〉というひじょうに疑わしい観念に頼らざるをえない。最後にわたしは、合法化、禁止、規制への奇妙な意思をしめすポリティカル・コレクトネスや一部のトランスジェンダーの人々のいわゆる「全体主義的な」行き過ぎを認める（し自著で分析もしている）が、この動向に「急進左派」の気配はなく、むしろ自由を守り保証しようと努めるうちに迷走してしまった自由主義の一形態であるように思える。自由主義はつねに敵対や対立関係に苛まれる矛盾に満ちたプロジェクトなのだ。

仮にわたしがパラノイア的な思索に耽っていたとしたら、政治的正しさの強迫観念めいた規制（さまざまな性的アイデンティティに名称をつけることの義務化や規制を破った場合の法的措置など）は、いまある急進左派運動をつぶすための左派リベラルの計略だと言っているはずだ――一部のLGBT＋やフェミニズムの界隈（自分たちを支援する巨大企業の有力者には何も問題を感じていない人たち）がバーニー・サンダースに向けた敵意を思い出してみればわかる、と。PCやMeTooが「文化」に焦点を当てることは、単純化して言えば、現実の経済的、政治的問題――女性の抑圧や人種差別を社会経済の文脈に位置づけること――に向きあうのを避けようという必死の試みなのだが、こうした問題を口にするや否や、粗野な「階級還元論」だと非難されることになる。ウォルター・ベン・マイケルズらはこれについて詳細に論じており、ヨーロッパではロベルト・プファラーがPCの上から目線の態度を批判する本を書いて「大人のための大人」運動を始めた。リベラルは、PC、アイデンティティ・ポリティクス、MeTooに対する急進左派の批判が高まりつつあるということに気づかずにはいられなくなるだろう。

ピーターソンとの討論のまとめ

論争をしたせいで世間では深刻な敵対関係にあるということになっているピーターソンとわたしが、二人とも公認のアカデミア共同体からは外されているという皮肉に気づかないわけにはいかない。わたしの理解が正しければ、今回の世紀の対決において、わたしは新保守主義に対し左派リベラルを擁護したということになっている。本当だろうか。わたしに対する批判はほとんどが当の左派リベラル（チョムスキー）から飛んでくるのであり（わたしのＬＧＢＴ＋イデオロギー批判に対する糾弾）、この領域の第一人者たちに、あなたたちを代表するのにジジェクはふさわしいですかと尋ねるようなことがあれば、びっくりして墓の中でも引っくり返るにちがいない。もっとも実際には彼らはまだ生きているわけだが。象徴的なことに、論争に関する多くのコメントが、ピーターソンとわたしの立場が実際にはそれほど違わないことを指摘している――これは本当にその通りなのだ、彼らの視点からだとわれわれ二人の違いがわからず、わたしとピーターソンが同じくらいいかがわしく見えるという意味では。したがってこの論争の責務は、少なくともわたしたちの違いをはっきりさせておくことだろう。

まずはピーターソンとわたしが一致しそうなところから見ていこう。それは人生の目標を幸福と定めることを問題ありと考えていることである。幸福になるチャンスを得るためには、それを直接的な目標としないほうがいいのではないか。幸福は副産物でしかありえないのではないか。そう、自由と尊厳ある人生を送るためには、幸福を探し求めたり（どれほど幸福を精神的なものだと考えるとしても）、自らのうちにある潜在力を現実化しようと努めたりするだけではいけない。快楽に満ちた生存を求めるだけでなく、意義深い〈大義〉を見つける必要があるのだ。（ここではキルケゴールによる天才と使徒の区別を考えてみるとよい。天才が内なる創造性を表出する者であるのに対し、使徒は超越的なメッセージを運ぶ者である。）しかしここで留保を二つつけくわえる必要がある。

まず、わたしたちは現代人なのだから、天命や任務をもたらしてくれる確固たる権威を単純に頼ることはできない。現代性《モダニティ》とは何かといえば、わたしたちは責務を負うべきだ、だが主たる責務とは自由そのものだ、ということである。そもそもの責務の出所がわれわれ自身なのだ。安っぽい言い訳をして責任を果たさないことが許されないだけではなく、責任自体を言い訳に使ってもいけない（たとえば、わたしが責務を果たすことで誰かが傷つくことがわかっている場合、わたしは「すみません、やらなきゃいけないんです、わたしの責務なんで！」と言ってはならない）。だから、わたしたちの人生に意味を与えてくれる物語が必要だというのは確かにその通りなのだが、それはあくまでわたしたちの物語でしかない。それを生み出すのは自分自身であり、それは究極の無意味さを背景として現れてくるのだ。

二点目。わたしたちは自分たちの責務を負わねばならず、それに伴う苦しみを受け入れるべきだというのは良しとしよう。しかしここに危険が、気づきにくい反転の危険が潜んでいる。自分の苦しみに恋をしてはいけない、あなたの苦しみ自体があなたの倫理的価値や真正さの証明だと考えてはならない、ということだ。精神分析でこれをあらわす用語は、剰余享楽、苦痛そのものによって生み出される享楽である。快楽の放棄は簡単に放棄そのものの快楽へと転化してしまうのだ。例えば、白人左派リベラルは自分たちの文化を貶し、わたしたちの悪は「ヨーロッパ中心主義」のせいだと批判することを好む――けれどすぐに明らかになることに、この自己批判はそれ自体で利益をもたらす。多文化主義リベラルは、自分たち固有のルーツを放棄することで、自分たちに普遍的な立ち位置を確保しながら、ご丁寧にも他の人々にそれぞれのアイデンティティを強く主張するよう求める。白人多文化主義リベラルは、こうしてアイデンティティ・ポリティクスの嘘を体現しているのである。

かくしてわたしは次の批判のポイントに行きつく。わたしが心から理解できないのは、ピーターソンがもっとも強く批判する立場を、通常の「文化マルクス主義者」ではなく「ポストモダン・ネオマルクス主義者」と名指していることである。誰もそう自称する人はいないのだから、それは批判のための用語なわけだ――しかしこれは通用するのだろうか。ピーターソンは正確に参照先を示すことを好み、文献などを挙げる人なので、わたしとしてはここでも彼が何を指しているのか正確に知りたい。彼がなにを思い浮かべているかはわかっているつもりだ――政治的に正しい多文化主義、反ヨーロッパ中心主義等々のだめなやつら。しかしこのどこにマルクス主義者がいるのか。ピーターソンはどうやら「ポストモダン・マルクス主義」と西洋のユダヤ・キリストの遺産を対立させたいらしい。思うにこの対立は奇妙である。第一に、ポストモダニズムとマルクス主義は両立しない。ポストモダニズムの理論はマルクス主義批判として出てきたのだから（リオタールらにおいて）。今日の究極的なポストモダニストとは保守派の人々である。伝統的な権威が実質的な力を失ったいま、そこに戻ることはできないため、そうした回帰はすべて、今日にあってはポストモダン的なフェイクとなるのだ。トランプが具現化しているのは伝統的な価値観なのだろうか。違う、彼の保守主義はポストモダン的なパフォーマンスであり、巨大な自己顕示である。「伝統的な価値観」と淫らに戯れ、そうした価値観への参照とあからさまな淫らさを混ぜ合わせるということの意味において、トランプは――オバマがではない――究極のポストモダン大統領である。ドナルド・トランプとバーニー・サンダースを比べるならば、トランプはもっとも純粋なポストモダン政治家であり、サンダースは古いタイプのモラリストだ。たしかにわれわれは政治的決定をするとき、意図せぬ帰結が現実に生じ破滅的なことになってしまうかもしれない可能性について慎重に考えるべきである。しかしわたしが心配するのはトランプ政権のほうだ――トランプこそが、いま経済や国際関係などに急激な変化をもたらしているのだから。「ポストモダン・マルクス主義」という用語そのものが、二つの敵対する傾向を敵というひとつの形象にまとめてしまう典型的な全体主義の手続きを思わせる（ファシズムにおける「ユダヤ＝ボリシェヴィキの陰謀」と同じように）。

第二に、ポストモダニズムやマルクス主義ほど「西洋的」なものが他にあるだろうか。そもそもわたしたちはどの西洋の伝統について話しているのか。今日のヨーロッパにおいて、わたしが思うに、ヨーロッパの伝統の保持すべき部分にとって最大の脅威となっているのは、イタリアのサルヴィーニやフランスのル・ペンのようなポピュリストのヨーロッパ擁護者である。彼らがプーチンやトランプと手を携えているのも不思議ではない。彼ら共通の目標はヨーロッパの統合を破壊することなのだから。自分に関していえば、だからこそわたしは恥じることなくヨーロッパ中心主義者なのである——左派のヨーロッパ中心主義批判自体が西洋の伝統のなかでしか意味を持たない言葉でなされていることに、わたしはいつも驚いてしまう。

第三に、ピーターソンは歴史主義的相対主義を糾弾しているが、歴史的アプローチが必ずしも相対主義を伴うとは限らない。歴史的断絶をもっとも簡単に感知できるのは、あること（それまでは普通に行われていたこと）がまったく受け入れられないという状況を社会が受け入れるときである。奴隷制や拷問が正常だと思われていた時代があったが、いまではそれは受け入れられないと考えられている（直近十年かそこらのアメリカを除いては）。そしてわたしは、MeTooやLGBT＋もこうした進歩に属するものだと思う——もちろんそうだからと言って、この二つの運動に生じた奇妙な展開を徹底的に批判してはいけないということにはならないのだが。このように、近代性《モダニティ》とはある伝統の権威をそのまま頼ることはできないということを意味する——もしそんなことをしたらそれは喜劇であり、独りよがりな自己顕示になってしまう（原理主義がまさにそうだ）。

ピーターソンが繰り返し口にしている別のモチーフに、ポストモダン・ネオマルクス主義者は資本主義西洋の特徴を「専制的家父長制」だと述べている、というものがある——ピーターソンはこの考えを勝ち誇ったように嘲笑し、階層制度《ヒエラルキー》が非西洋社会はおろか自然にまで存在している例を数えあげる。ここでもまたわたしが心からわからないと思うのは、「ネオマルクス主義者」の誰が、家父長制は資本主義西洋の帰結だなどと主張しているのかということだ。マルクスはまったく反対のことを述べている。『共産党宣言』の有名な一節で彼は、資本主義はあらゆる伝統的な家父長制ヒエラルキーを切り崩す傾向があると書いている。さらに、マルクス主義フランクフルト学派〔文化マルクス主義の起源〕初期の重要論文である「権威と家族」でマックス・ホルクハイマーは、近代の家父長制家族をただ糾弾するのではなく、父のロールモデルが若者にとって社会の圧力に抗うための頼れる支柱になることを論じている。彼の同輩であるアドルノが指摘するように、ヒトラーのような全体主義の指導者は父権的人物ではない。ポストコロニアリズムやフェミニズムの理論家がどれほど家父長制に気を取られているかはよく知っているが、わたしが思うにこの強迫観念は、西洋の先進国で今日支配的な主体性のタイプが快楽主義の主体——人生における最終的な目標が、その潜在力を現実化し、流動的なアイデンティティを得ることでみずからをいわば何度でも再創造することであるような主体——であることを直視できないことの副作用である。わたしが苛立たしく思うのは、このタイプの主体性が資本主義の父権制秩序を転覆しうると語る理論家だ。そうした流動的な主体性は今日の資本主義における主体性の本流だと思うのだが。

ロブスターでお馴染みになったテーマ〔ピーターソンが自然の法則の優越を主張する際にロブスターを例に出したことによる〕を手短に考えてみよう。わたしは単純な社会構築主義者ではない。進化論思想は高く評価している——もちろんわたしたちは（も）自然の存在だし、わたしたちの

DNAがサルと約九十八パーセント被っていることにも一定の意味がある。そのことがある程度枠組みを定めているわけだ。ここでは何人かほかの書き手を取り上げてみるのがいいだろう——適応に対して外適応という概念を唱えるスティーヴン・ジェイ・グールドや、不完全な自然という概念を提唱するテレンス・ディーコン。自然は完全で決定論的な秩序ではない。それはある意味で存在論的に不完全であり、即興性に満ちている。まるでフランス料理のように発展するのだ。有名な料理や飲み物の起源の多くは、標準的な食べ物や飲み物を作ろうと思ったときに、何かを失敗して、しかしこの失敗を成功として売ることができると気づくことではないだろうか。チーズをいつものやり方で作っていたのだが、腐って菌がついてしまい、悪臭を放ち、そしてこの〔通常の基準からすると〕奇形物に独自の魅力が備わっていることに気がつく。いつものやり方でワインを作っていて、発酵の段階で何かがおかしくなり、そうしてシャンパンを作るようになる……

同じことは伝統にも言える——T・S・エリオットを引いてみよう。この偉大な保守主義者はこう書いている。「ひとつの新しい芸術作品が創造されると起こることは、それに先立つあらゆる芸術作品にも同時におこる。……現在が過去によって導かれるのと同様に、過去が現在によって変更さ〔れなければならない〕。したがってこのことを知っている詩人なら、ひじょうな困難と責任とを感ずることになるであろう」(訳注vii)。これは芸術作品だけでなく、文化的伝統全体にも当てはまる。キリスト教によるラディカルな変化を考えてみよう——何を隠そう、わたしは自分のことを無神論者のキリスト教徒だと規定している。キリスト教というのは、伝統的な階層秩序とラディカルに袂を分かつ宗教ではないか。わたしたちはあらゆる自然的文化的な差異を抱えているが、同一の神のきらめきが万人に備わっている、それどころかこの神のきらめきによってわたしたちは精霊を、階層的な家族という価値観を排した共同体をつくりだすことができるのである。民主主義はこの論理を政治空間にまで拡張する。能力に差があるとしても、最終的な決定はわれわれ全員で行うべきだ――民主主義の賭け金は、権力のすべてを有能な専門家に与えないということなのだ。自分たちの統治を（偽の）専門家としてふるまうことで正当化したのは、権力を握った共産主義者であった。そしてこれと同じことがわたしたちの司法制度にも見てとれる。陪審とは、専門家だけでなくわれわれと同じような人たちも最終的な審判に参加すべきだということだ。よく知られたこのような事実を取り上げたのは、それが能力に基づく階層制からいかに遠いかを示すためである。わたしは普通の人々の知恵をまったく信じていない。わたしたちはしばしば、〈主人〉に怠惰から押し出してもらい、（恐れずに言うが）自由を強制してもらわなければならないのだ。自由と責任は人を傷つけるものであり、それは努力を要する。それでも〈主人〉の最高の機能とは、わたしたちを自由に目覚めさせることである。

では、階層性を能力で基礎づけるのはどうか。男のほうが稼ぎが多いのは単に彼らの方が有能だからではないか。思うに、社会的権力や権威を直接能力によって基礎づけることはできない。われわれ人間の世界において、（権威を行使するという意味における）権力は実際のところはるかに謎めき、「非合理」でさえある何物かである。キルケゴールの見事な表現にしたがえば、お父さんの言うことを聞くのはお父さんが有能でいい人だからだと子供が言ったとしたら、これは父親の権威への侮辱なのだ。そしてキルケゴールは同じことをキリスト本人にも当てはめる。キリストは神の子であるという事実によって支持されたのであり、能力によってではない――優秀な神学徒なら誰でもキリストよりうまくやれる。そしてわたしの単純な主張は、そうした権威は自然のなかには存在しないということである。ロブスターにはヒエラルキーがあるが、その頂点にいるやつが権威を持つということはない。力で支配しているだけで、人間のいう意味で権力を行使しているわけではない。またも民主主義の賭け金は、権力と能力や専門知識は最低限切り離さないといけないということである――だからこそそもそも古代ギリシャにおいて、一般投票はくじ引きと組み合わされていたのだ。原則として、資本主義は伝統的なヒエラルキーを撤廃し、個人の自由や平等を導き入れるということになっている。しかし金銭や権力の不平等は、本当に能力の差に根拠をもっているのだろうか。（トマ・ピケティは『二十一世紀の資本論』でこれに関する潤沢なデータを示した。）

ピーターソンにはさらに、個人（あるいはおそらく社会）が危機に瀕したとき、神話的な物語を、それによって自らの混乱した経験を意味ある全体に統一することができるストーリーを、提供してやらなければならないという主題もある。しかしこれは問題だらけである――ヒトラーは二十世紀最大のストーリーテラーの一人であった。一九二〇年代、多くのドイツ人は自分たちの状況を混乱したひどい境遇だと思っていた。彼らは軍事的敗北や経済危機、それにモラルの腐敗だと感じられる変化が押し寄せるなか、何が起きつつあるのかがよくわからなかった。ヒトラーは物語を、筋書き《プロット》を提供した。それこそがユダヤ人の陰謀《プロット》という筋書きである。われわれはユダヤ人のせいでこんな惨状にある、というわけだ。ついでに言えばここで忘れるべきでないのは、フロイトがすでに指摘しているように、パラノイア的な想念は治癒への倒錯した試みであり、自らの世界を組織するための物語でもあるということだ。自分で自分に関する物語を語り聞かせるのは、おのれの存在の有意味な経験を獲得するためなのである。けれどさらにつけ加えることがある。きわめて愚かな格言に「敵とは、あなたがその人についての物語を聞いたことがない人物のことである」というものがある。しかしこの考え方に限界があるのは明らかだ。ヒトラーが敵だったのは彼についての物語を聞いたことがなかったからだとでも言うつもりなのだろうか。

さらに、イデオロギー的な物語は決まってわたしたちの経験を社会的な領域のなかに位置づける。わたしが知っているピーターソンの臨床実践を考えると、彼が行っていることの素晴らしさを認めるのにはやぶさかではない。患者が責任感や、自立心や、人生の目的を持てるよう、ピーターソンが力を注いでいることに。しかし彼に「世界を変えようとする前に、とりあえず自分の家をきれいにしろよ」と言われると、わたしとしては「それはいいが、なぜ二者択一になるんだ」と返したくなる。自分の家をきれいにしようとする途中で、家が汚いのは世界におかしいところがあるせいだと分かったらどうするのか。ピーターソン本人を例にとってみよう。彼が公の場であれほど活発に活動しているのは（その意味で世界を変えようとしているのは）、まさに支配的なリベラルのイデオロギーのせいで個人が家をきれいにできなくなっていると気づいたからではないのか。これはコンゴや北朝鮮で暮らしていれば明らかに真実だが、われわれの世界におけるデジタル管理の拡大などによっても同じことになっている。共産主義社会では、権力者はあなたが家をきれいにするのに没頭することを望むだろう――そうして世界での自分たちの権力を脅かさずにいることを。

意味を保証する究極の大きな〈物語〉は当然のことながら宗教だ。宗教はいまだに民衆のアヘンなのだろうか。マルクスによるこの定式は今日真剣に再考される必要がある。宗教は（少なくともある種の――原理主義的な――タイプの宗教は）依然として民衆のアヘンである。急進派イスラムが民衆のアヘンとしての宗教の典型的なケースであるというのは正しい。それは資本主義近代との誤った対決の仕方であり、イスラム国家がグローバル資本主義の影響で破壊されるのを放置しながら、ムスリムがイデオロギー的な夢にとどまり続けることを可能にしてしまう――そしてまったく同じことが、キリスト教原理主義にも言える。マイク・ポンペオが最近、トランプ大統領はイスラエルをイランから救うために神が遣わした人物だというのは「ありえる話だ」と述べた。そして「主はここで働いておられると確信している」と付け加えたのだ。こうした態度の危険性は明らかである。アメリカの中東政策に反対すると、神の意志にも反するということになってしまうのだから。神がポンペオを裁くときがきたら、彼の弁明はおそらくこうなるだろう。「お許しください、父よ、自分が何をしているかは分かっていたのですから」――わたしが御心に従って行動していることは分かっていたというわけだ。

しかし「中立」な専門性（専門家を引き合いに出して明らかにイデオロギー的な選択を正当化する）以外に主に二つ、今日作用している人民のアヘンがある。それはアヘンと人民だ。アヘンのことを考えるとまず最初に思い浮かぶのは、メキシコの邪悪なカルテル（企業連合）である。しかしこうしたカルテルは、アメリカや他の先進国に麻薬への巨大な需要がある限り存在しつづける。おそらくここでもわたしたちは、麻薬商人から世界を救うまえに、家をきれいにしなくてはならないのだ。大英帝国（だけではないが）が中国と戦った二度のアヘン戦争の恐怖を思い出そう。統計によれば、一八二〇年まで、中国は世界でもっとも強力な経済を誇っていた。十八世紀後半から、イギリスは大量のアヘンを中国に輸出し、その地の何百万という人を中毒者にして巨大な打撃を与えたのである。中国皇帝はこれを防ごうとしてアヘンの輸入を禁止したが、イギリスが（西洋の他の勢力とともに）軍事介入した。結果は破滅的であった。たちまち中国経済は半分の規模に縮小したのである。しかしわれわれが関心を持つべきは、この野蛮な軍事介入の正当化だ。自由貿易は文明の基礎であり、中国によるアヘンの輸入禁止はその意味で文明に対する野蛮な脅威なのだと、イギリスは主張したのだ。今日、似た行動を想像せずにいることはできない。メキシコとコロンビアが自国の麻薬カルテルを守ろうと動き、アヘンの自由貿易を妨げるという非文明的な戦争を仕掛けてきたという理由でアメリカに宣戦布告する……

しかし型通りの平等主義もまたイデオロギー的ではないのか。その通りだ、けれどそもそもマルクス主義は本当に平等主義なのか。マルクスが「平等」の話をするのはたいてい、それがもっぱら政治的な概念であり、かつ政治的価値としては紛れもなくブルジョワ的な価値だと主張するときだけである。平等の理想が階級的な抑圧を阻止するために使える価値だなどということはありえず、実際にはそれはブルジョワによる階級抑圧の手段であり、階級の廃絶という共産主義の目標とはかけ離れているとマルクスは考える。彼は以下のようなごく一般的な主張すら行っている。平等な権利とは、「同じ尺度を適用する場合にのみなりたちうる。ところが、不平等な諸個人（彼らが不平等でないとしたら、彼らはなにも相異なる個人ではないことになる）も同じ尺度をあてれば測れるのであるが、それはただ、彼らを同じ視点のもとに連れてきて、ある特定の一面からだけとらえるかぎりにおいてである[訳注viii]」。

　では平等と階層制のバランスについてはどうだろう。われわれは本当に平等に振れすぎているのか。今日のアメリカに平等がありすぎるというのは本当なのか。現状をシンプルに概観してみればそれは真逆なのではないか。わたしたちは最近、南アフリカは世界でもっとも不平等な国家だと知った――〔民主化後の〕自由の二十五年間でも分断の橋渡しをすることができなかったのだ[1]。左派はやりすぎであるどころか、ここ数十年にわたって徐々に地盤を失い続けている。左派のトレードマークである国民皆医療や無償教育などは、恒常的に軽視されている。バーニー・サンダースの政策を見てみよう。ヨーロッパで半世紀前ならよくある社会民主主義の一パタンにすぎなかったようなものが、今日ではアメリカの生活様式を脅かすといって非難されている。さらに、この政策には自由な創造性に対して脅威になるところは何もない――むしろ無料医療や教育などは、より有意義で創造的なこと（もちろんここでもわたしたちは平等からはほど遠く、差異に溢れているのだが）に人生を使うことを可能にしてくれるだろう。平等はできる限り多くの人が才能を伸ばす余地を作り出すこともできるのである。

　そういうわけで最後に、ピーターソンとわたしの意見交換が比較的穏やかで丁寧なものになったという（多くの左派を苛立たせた）事実をわたしがどう思っているかについて簡単に言っておきたい。なぜそうなったかといえば、彼の仕事のなかに評価できる側面が確かにある（一番は臨床の仕事だが、他に政治的正しさに対する批判や、白人至上主義が右派に簒奪されたアイデンティティ・ポリティクスだという主張など）ということだけではない。主たる理由は、われわれを分かつ基本的な違いが明らかであり、したがってそのことをことさら激しく言いたてる必要はなかったからだ。そして最後に、この違いはわれわれがいまの人類のあり方をどう見ているかに関係している。わたしの見方では、ピーターソンの方がはるかに楽観的だ――彼は資本主義によって問題を何とか解決できると考えている。対してわたしの考えでは、われわれはグローバルな緊急事態に近づきつつあり、ラディカルな変化を起こさなければ未来はない。

原注

序　共産主義の視点から

（1）https://www.theguardian.com/world/2019/apr/01/harry-potter-among-books-burned-by-priests-in-poland を参照。

（2）https://www.thenewsminute.com/article/outlandish-claims-indian-science-congress-6-point-rebuttal-science-activist-94691 を参照。

（3）https://edition.cnn.com/2019/01/16/health/new-diet-to-save-lives-and-planet-health-study-intl/index.html

（4）ここではタブーはなしにしなければならない。例えば、このところピークに達している何百万人もの難民のヨーロッパへの流入が、自発的なものではなく地政学的な狙いのもとで操作されているという仮説は、イスラム嫌悪のパラノイアとして無視するべきではない。アメリカとロシアはどちらも明らかにヨーロッパの弱体化に関心を寄せて、ムスリムのレコンキスタを黙認しているのである。それに、富裕なアラブ諸国（サウジアラビア、クウェート、アラブ首長国連邦……）が難民を受け入れず、ヨーロッパでのモスク建設に多額の金を出資している理由も、これで説明がつく。

（5）Jean-Pierre Dupuy, *Petite Metaphysique des tsunamis* (Paris: Seuil, 2005), p. 19.（ジャン＝ピエール・デュピュイ『ツナミの小形而上学』嶋崎正樹訳、岩波書店、二〇一一年、一六頁。）

グローバルな混乱

（1）Karl Marx, *Capital*, Volume One. https://www.marxists.org/archive/marx/works/1867-c1/ch01.htm で閲覧可能。（『資本論（1）』岡崎次郎訳、大月書店、一九七二年、一三三頁。）

（2）https://www.marxists.org/archive/marx/works/1875/gotha/ch01.htm より引用。（マルクス『ゴータ綱領批判』望月清司訳、岩波文庫、一九七五年、三五―三六頁、三八頁。）

（3）https://www.marxists.org/archive/marx/works/download/pdf/Capital-Volume-III.pdfより引用。（『資本論（8）』岡崎次郎訳、大月書店、一九七二年、三三九頁。）
（4）http://crisiscritique.org/april2019/milner.pdfより引用。
（5）ここでの議論は、Maria Chehonadskih, “Soviet Epistemologies and the Materialist Ontology of Poor Life: Andre Platonov, Alexander Bogdanov and Lev Vygotsky”（未刊行原稿）に多くを負っている。以下注のない引用はこの文献からのもの。
（6）Etienne Balibar “Towards a New Critique of Political Economy: From Generalized Surplus-Value to Total Subsumption,” in *Capitalism: Concept, Idea, Image* (Kingston: CRMEP Books, 2019).
（7）Balibar, “Towards a New Critique of Political Economy,” p.51.
（8）Balibar, “Towards a New Critique of Political Economy,” p.53.
（9）Balibar, “Towards a New Critique of Political Economy,” p.57.
（10）https://www.nytimes.com/2019/03/19/world/middleeast/ayelet-shaked-perfume-ad.htmlを参照。
（11）https://www.theguardian.com/world/2019/mar/10/benjamin-netanyahu-says-israel-is-not-a-state-of-all-its-citizensを参照。
（12）これは二〇一八年九月にマサチューセッツ州アマーストで開かれたラディカル経済学連合の大会でのこと。
（13）Ernesto Laclau, *On Populist Reason* (London: Verso, 2005), p. 90.（エルネスト・ラクラウ『ポピュリズムの理性』澤里岳史、河村一郎訳、二〇一八年、一二八頁。）
（14）https://www.theguardian.com/technology/2019/jan/20/shoshana-zuboff-age-of-surveillance-capitalism-google-facebookより引用。
（15）https://apnews.com/article/ap-top-news-international-news-china-xi-jinping-technology-9d43f4b74260411797043ddd391c13d8
（16）https://boingboing.net/2019/04/04/bald-eagles-are-taking-trash-f.htmlを参照。

(17) https://www.popularmechanics.com/science/environment/a27035441/bald-eagles-are-stealing-trash-from-a-seattle-landfill-and-dropping-it-in-the-suburbs/ より引用。
(18) https://edition.cnn.com/2019/06/25/world/climate-apartheid-poverty-un-intl/index.html より引用。
(19) https://www.theguardian.com/sustainable-business/2015/mar/18/fully-automated-luxury-communism-robots-employment より引用。
(20) https://www.newyorker.com/news/our-columnists/the-fifteen-year-old-climate-activist-who-is-demanding-a-new-kind-of-politics より引用。
(21) https://www.politicsweb.co.za/opinion/ramaphosa-must-explain-comment-of-white-people-and より引用。
(22) G.W.F. Hegel, *Phenomenology of Spirit* (Oxford: Oxford University Press, 1977), p. 288.（G・W・F・ヘーゲル『精神現象学（下）』熊野純彦訳、ちくま学芸文庫、二〇一八年、七一頁。）
(23) F.W.J. Schelling, *Die Weltalter. Fragmente. In den Urfassungen von 1811 und 1813*, ed. Manfred Schroeter (Munich: Biederstein, 1946; reprint 1979), p. 13.（F・W・J・シェリング『新装版 シェリング著作集 第4b巻 歴史の哲学』藤田正勝、山口和子編、文屋秋栄、二〇一八年、一五頁。）
(24) https://www.theguardian.com/world/2019/may/29/myanmar-police-hunt-buddhist-bin-laden-over-suu-kyi-comments を参照。
(25) Kate Aronoff, "The Plan to Block Out the Sun," *In These Times* (December 2018) に基づく。
(26) *In Search of Common Ground: Conversations with Erik H. Erikson and Huey P. Newton* (New York: Norton, 1973), p. 69.（エリック・エリクソン、ヒューイ・ニュートン『エリクソン vs. ニュートン――アイデンティティーと革命をめぐる討論』近藤邦夫訳、みすず書房、一九七五年、三〇―三一頁。）
(27) https://www.ft.com/content/670039ec-98f3-11e9-9573-ee5cbb98ed36

（訳注・i）カール・マルクス『共産主義者宣言』金塚貞文訳、平凡社、二〇一二年、一六頁。

（訳注ii）ショシャナ・ズボフ『監視資本主義』野中香方子訳、東洋経済新報社、二〇二一年、一一二頁。

（訳注iii）カール・マルクス『共産主義者宣言』金塚貞文訳、平凡社、二〇一二年、一八―一九頁。

西洋……

（1）https://eu.tennessean.com/story/opinion/columnists/2019/06/21/democratic-party-civil-war-donald-trump/1503516001/ より引用。

（2）このアイディアはGabriel Gonzales-Molinaのものである。

（3）Yuval Harari, *Homo Deus: A History of Tomorrow* (New York: Random House, 2016), p. 249.（ユヴァル・ノア・ハラリ『ホモ・デウス（下）』柴田裕之訳、河出書房新社、二〇一八年、六七頁。）

（4）Peter Sloterdijk, "Aufbruch der Leistungstraeger," Cicero (November 2009).

（5）https://americanaffairsjournal.org/2018/11/the-left-case-against-open-borders/ を参照。

（6）ついでに言えば、国境開放を支持する最も奇妙な論法は、「ヨーロッパが経済成長を続けるためには移民労働者が必要だ」というものである。それはどのヨーロッパか。資本主義ヨーロッパだ。資本主義は再生産の拡大のために移民を必要とするのである。

（7）以下はAlenka Zupančičの考え方に依拠している。

（8）https://www.theguardian.com/commentisfree/2019/jan/25/fight-europe-wreckers-patriots-nationalist

（9）Alain Badiou, *I Know There Are So Many of You*, trans. Susan Spitzer (Cambridge: Polity, 2019), p. 61.

（訳注iv）サミュエル・ベケット『マロウンは死ぬ』高橋康也訳、白水社、一九九五年、一二頁。

（訳注v）ジョージ・オーウェル『動物農場』川端康雄訳、岩波文庫、二〇〇九年、一九九頁。

……とその他

（1）スウェーデンの左派の友人たちからの私信。

（2）Ruth Klüger, *Still Alive: A Holocaust Girlhood Remembered* (New York: Feminist Press, 2001), p. 64.

（3）https://www.project-syndicate.org/commentary/poland-memory-law-amendment-by-slawomir-sierakowski-2018-08を参照。

（4）https://www.theguardian.com/world/2019/may/26/jews-in-germany-warned-of-risks-of-wearing-kippah-cap-in-publicを参照。

（5）https://www.nytimes.com/roomfordebate/2014/10/16/should-nations-recognize-a-palestinian-state/there-should-be-no-palestinian-state-23

（6）Todd MacGowan, *Emancipation After Hegel: Achieving a Contradictory Revolution* (New York: Columbia University Press, 2019), p. 194.

（7）MacGowan, *Emancipation After Hegel*, p. 195.

（8）Peter Sloterdijk, *In the World Interior of Capital*, trans. Wieland Hoban (Cambridge: Polity, 2013), p. 12.

（9）Sloterdijk, *In the World Interior of Capital*, p. 46.

（10）Sloterdijk, *In the World Interior of Capital*, p. 171.

（11）https://www.documentcloud.org/documents/5770516-The-Great-Replacement-New-Zealand-Shooter.htmlより引用。

（12）https://stalinsmoustache.org/2018/07/01/the-passing-of-domenico-losurdo/

（13）https://stalinsmoustache.org/2018/07/01/the-passing-of-domenico-losurdo/

（14）https://www.marxists.org/archive/marx/works/1859/critique-pol-economy/preface.htmより引用。（カール・マルクス『経済学批判』武田隆夫、遠藤湘吉、大内力、加藤俊彦訳、岩波文庫、一九五六年、一三頁。）

（15）この見解については、*International Critical Thought*, Vol. 7, No, 1 (March 2017)、特にDomenico Losurdo,

William Jefferies, Peggy Raphaelle, and Cantave Fuyet の論文を参照。

（16）https://www.theguardian.com/world/2019/apr/12/millions-of-chinese-youth-volunteers-to-be-sent-to-villages-in-echo-of-mao-policy より引用。

（17）Julia Buxton, "Chavismo's Descent," *New Left Review*, 99 (2016).

（訳注 vi）G・W・F・ヘーゲル『論理の学 第三巻 概念論』山口祐弘訳、作品社、二〇一三年、四〇一四一頁。

イデオロギー

（1）https://www.theguardian.com/commentisfree/2018/dec/22/rape-joke-metoo-movement-career-repercussions を参照。

（2）https://www.bbc.com/news/world-europe-46428380 を参照。

（3）同様にハイチ革命が全白人の虐殺に転じたのは、新たな黒人エリートがマジョリティの黒人を犠牲にしてでもみずからの支配を固めようと考えたときだった。

（4）https://www.thecut.com/2018/10/tarana-burke-me-too-founder-movement-has-lost-its-way.html を参照。

（5）この読解はイスタンブールの Engin Kurtay による。

（6）わたしとの個人的な会話にて。

（7）https://www.theguardian.com/world/2019/may/28/gillette-ad-shaving-transgender-son-samson-bonkeabanut-brown

（8）Jacques Lacan, *The Four Fundamental Concepts of Psychoanalysis* (New York: Norton, 1998), p. 276.（ジャック・ラカン『精神分析の四基本概念』ジャック＝アラン・ミレール編、小出浩之、新宮一成、鈴木國文、小川豊昭訳、岩波書店、二〇〇〇年、三七一頁。）

（9）同じ論理で、ノルウェーの幼稚園には、男児が女児と遊んでいたらその傾向を後押しするよう通達があった。その男児には人形などで遊ぶよう働きかけるべきだ、そうすれば最終的に彼の女性的な心理的アイデンティティは明確に現れることができるだろうというわけだ。

（10）https://www.marxists.org/archive/lenin/works/date/1913.htm で閲覧可能。

（11）https://www.rfa.org/english/news/uyghur/infected-08082018173807.html より引用。

（12）https://en.wikipedia.org/wiki/Mozart_and_scatology#cite_note-9 より引用。

（13）https://www.rt.com/usa/448410-apa-masculinity-bad-psychology/ を参照。

（14）ここで提起されるべき疑問はもちろん、アンティゴネーとイスメーネーとの対立に対応する男性側の対立は何になるかということだ。それはオイディプス対クレオンだと考えてみることが可能である（ただし、クレオンを野蛮な権威主義者の戯画に矮小化し、変わることなく必然的ですらある社会政治的立場の具現とみなしてはならない）。

（15）Alain Badiou, *The True Life*, trans. Susan Spitzer (Cambridge: Polity, 2017), p. 99.

（16）https://www.timeout.com/about/latest-news/the-50-best-things-to-do-in-the-world-right-now-a-polka-dot-paradise-in-tokyo-a-hedonistic-party-venue-in-new-york-and-an-insanely-cool-sauna-in-kiruna-top-the-list-111618 ; https://www.thesun.co.uk/news/5333052/house-of-yes-new-york-inside-the-wildest-club-on-the-planet/

（17）https://gen.medium.com/kavanaugh-consent-and-the-new-rules-of-nightlife-14fb8a5759f0 を参照。

（18）https://www.theguardian.com/commentisfree/2018/dec/22/metoo-movement-office-parties-decline-weinstein-moonves を参照。

（19）https://sputniknews.com/20180410/sex-robots-reject-humans-1063394315.html より引用。

（20）https://www.theguardian.com/lifeandstyle/2019/feb/09/me-and-my-vulva-100-women-reveal-all-photographs より引用。

（21）この指摘はウィーンの Robert Pfaller による。

（22）https://www.theguardian.com/news/2018/mar/17/data-war-whistleblower-christopher-wylie-facebook-nix-bannon-trumpを参照。

（23）以下の引用はすべてhttps://www.nybooks.com/daily/2018/03/21/the-digital-military-industrial-complex/?utm_med_ium=email&utm_campaign=NYR%20Wolves%20Orban%20Cam%20bridge%20Analytica&utm_content=NYR%20Wolves%20Orban%25%2020Cambridge%20Analytica%20CID_54761ca178aa65ea5c4a4410b96%2016c02&utm_source=Newsletter&utm_term=The%20New%20Military-Industrial%20Complex%20of%20Big%20Data%20Psy-Opsより。

（24）Julian Assange, *When Google Met WikiLeaks* (New York: OR Books, 2014)を参照。

（25）“Bhutan tries to measure happiness,” *ABC News* (March 24, 2008)を参照。

（26）ここでは、Slavoj Žižek, *First as Tragedy, Then as Farce* (London: Verso Books, 2009)（スラヴォイ・ジジェク『ポストモダンの共産主義――はじめは悲劇として、二度めは笑劇として』栗原百代訳、ちくま新書、二〇一〇年）の第一章で展開した議論をまとめている。

（27）G.K. Chesterton, *Orthodoxy* (San Francisco: Ignatius Press, 1995), p. 139.（『G・K・チェスタトン著作集1 正統とは何か』福田恆存、安西徹雄訳、春秋社、一九七三年、二九〇頁。）

（28）https://www.theguardian.com/media/2019/may/19/us-prosecutors-julian-assange-wikileaks-ecuadorian-embassyより引用。

（29）『ガーディアン』紙がどのように報じたかについては、https://www.blacklistednews.com/article/69548/the-guardians-vilification-of-julian.htmlを参照。

（30）https://www.theguardian.com/media/2019/jun/13/julian-assange-sajid-javid-signs-us-extradition-order

（31）https://defend.wikileaks.org/category/news/#post-2562

（32）https://english.elpais.com/elpais/2019/05/13/inenglish/1557735550_398996.html

付録

（1）https://edition.cnn.com/2019/05/07/africa/south-africa-elections-inequality-intl/index.html を参照。

（訳注ⅶ）T・S・エリオット『エリオット全集 第五巻』深瀬基寛他訳、中央公論社、一九六〇年、七―八頁。

（訳注ⅷ）カール・マルクス『ゴータ綱領批判』望月清司訳、岩波文庫、一九七五年、三七頁。

訳者あとがき

本書には、スロヴェニアの哲学者スラヴォイ・ジジェクが、主に二〇一八年から二〇一九年にかけて新聞や雑誌等に発表した三十四篇の文章が収められている。内容が多岐にわたるので、ざっと主要なトピックをまとめておこう。

本書に収録された文章が執筆された二〇一〇年代最後の数年間は、何よりもまず米国大統領ドナルド・トランプの在位期間（二〇一七年一月―二〇二一年一月）にあたる。トランプによってあらわにされたもの――不文律をなし崩しにするやり口やポピュリズムの問題など――が批判的に分析されるが、ジジェクの焦点はむしろそれに対する左派の対応にある。右派ポピュリズムに対して左派ポピュリズムを、排外主義や人種差別に対してポリティカル・コレクトネスやアイデンティティ・ポリティクスを推し進めることが本当にとるべき戦略なのかとジジェクは問う。彼の悪名高いトランプ支持において、一貫した前提となっているのは、真に変えるべきはトランプを可能にした状況そのものだという認識だ。積極的なヴィジョンを打ち出すことができず、「敵」の立場の否定に終始して力を持てないままの左派への批判は、安保法制以後の民主党の解体劇を知る日本のわれわれにとっても耳の痛い話ではないだろうか。

複数の異なった対立がせめぎあう状況を、わたしたちはどのように考えるべきか。その枠組みの提示を試みるのが、本書のなかではもっとも理論的な趣きのつよい第1章から第3章である。本書は基本的に順序を気にせず読んで差し支えないが、あえて言えば、マルクスの時代以上にマルクス主義的な状況（「生ける屍」としてのマルクス）の分析から今日の左翼の課題を導きだす第1章、毛沢東の「矛盾論」から本書の方法論を引きだそうとする第2章は、さきに読んでおくとよいかもしれない。

今日もっとも重要な「コモンズ」とされるデジタル空間の管理も、本書の重要なトピックである。私企業と政府機関との結託による管理社会、「自由として経験される」究極の「不自由」に対する警鐘が繰り返され、それへの抵抗としてジュリアン・アサンジが評価される。環境危機、難民危機も本書の全体にわたって言及される主題であり、これに関してはほかの闘争との兼ね合いを含めたグローバルな対応のあり方が、具体的に検討される。また「イデオロギー」のセクションの終盤では、セクシュアリティ、愛、幸福（ウェルビーイング）といったトピックが扱われる。ここで主張されていることはある意味ですべて同じなのだが（制御不能な部分がないのなら、それは愛でもセックスでもない）、ナイトクラブの同意監視係コンセンティコーンやセックスロボットなど、取り上げられる事例にジジェクの目利きぶりがよく表れている。

本書の内容の多彩さは、言及される地域という観点から見たときもっとも際立つかもしれない。アメリカ、中国、ロシアといった大国や「ヨーロッパ」（ジジェクは「ヨーロッパ」という理念の意義を肯定的に評価する）に加え、ベネズエラ、イスラエル、エジプト、南アフリカ、ボスニア、ギリシャ、カタルーニャなどの政治的、経済的状況が、世界規模の動向のなかに位置づけられていく。そうした三十二篇の文章の後、指導学生に対するハラスメントで訴えられたニューヨーク大学教授の理論家アヴィタル・ロネルの擁護、カナダの心理学者でトロント大学教授のジョーダン・ピーターソンとの論争の振り返りという二篇の「付録」で、本書は閉じられる。

いまや三十冊を超えるジジェクの訳書のなかで、短い文章の寄せ集めという本書のような形式は意外にも珍しい。その結果本書は、ジジェクのほかの著作に比して、広い読者層がアクセスしやすい本になっていると思う。これまでジジェクの著作に馴染みのなかった読者は、本書をジジェク思想への入門書として読むことができる。具体的な事例と軽妙な語り口とを楽しみながらまずは個々の議論を覗いてみて、とくに興味を惹かれるトピックが見つかれば、そこから関連する理論書へと移っていくのもよいだろう。逆にすでにジジェクの理論に通じている読者は、本書を一種の応用編として読むことができる。仮に論旨としては真新しいことがないとしても（あるいはそう感じる読者こそ）、ジジェクがどの事例をどのような角度から取り上げるかに関心を抱きながら読み進めることができるはずだ。

ジジェクについての紹介はすでに様々なところでなされているためここで繰り返すことはしないが、近年目立つ点として、昨今の動画文化とジジェクの親和性の高さを挙げておきたい。ジジェクは喋る哲学者である。Rの巻き舌音をこれでもかというくらい響かせながら捲《まく》したてるように英語を話すジジェクの姿を、SNSやYouTube上で目にする機会が増えている（ちなみにジョーダン・ピーターソンとの討論の様子もYouTube上で見ることができる）。真剣さと滑稽さの綯《な》い交ぜになったその姿には、言いようのない独特の魅力がある。おそらくそれがスラヴォイ・ジジェクという名の「高名な」哲学者であると知らずに楽しんでいる人も多いのではないか。

その「話しぶり」は、彼の書いた言葉にも存分にあらわれている。ジジェクの文章には自分の主張を、ときに批判相手の主張さえも、ユーモラスに演じてみせるようなところがある。お気に入りのジョークを繰り出すときのジジェクは生き生きとしている。あるいはそうした雰囲気は、三十四個の目次からだけでも十分伝わるかもしれない。

翻訳の作業中、わたしは、ジジェクの喋りから入って、どんなものか試しに読んでみようと本書を手に取る読者のすがたを時折想像した。訳文の質がどの程度のものかはわからない。しかしこれまでありそうでなかった体裁をとる本書が、ジジェクの新たな読者に恵まれ、ひとりでも多くの方に楽しんでいただけることを願っている。


序論の冒頭で、ジジェクはこの本に収められた文章を「時期はずれ」だと述べている。この言葉は二〇二〇年刊行の *A Left that Dares to Speak Its Name* の訳書である本書にとって、ジジェクの意図を超えた意味を持つことになった。

本書がアラブの春に始まる二〇一〇年代の「グローバルな混乱」を分析し、いわばこの十年間を総括する書であるのに対し、二〇二一年から二〇二二年にかけて行われた翻訳の作業は、二〇二〇年代（日本にとっては令和）が新たな時代となることを告げるような出来事のなかで進められた。すでに二〇二〇年初頭から全世界に広まりはじめていた新型コロナウイルス感染症は、二〇二一年からのワクチン接種の本格化によって新たな局面を迎えた。ワクチンは重症患者、死者数の抑制などに一定の成果をあげたが、同時にそれがいわゆる「ゼロコロナ」を実現するものではないという認識が社会に共有された。ワクチン接種義務化などの施策が、度重なる変異株の流行による長期化とも相まって新たな問題の火種ともなる。路上の活動として二〇二〇年にはブラック・ライヴズ・マターなど左派系の活動が注目されたが、二〇二一年にはむしろコロナ対策への不満に端を発する右派系の運動が目立つこととなった。

訳稿が一旦完成し、一息ついてゲラを待っていた二〇二二年二月二十四日に、ロシアがウクライナに侵攻を仕掛けた。大国によって公然と始められた隣国への全面侵攻に、専門家を含む多くの人々が驚きを表明した。校正の作業は、ドローンやスマートフォンで撮影された一種異様な雰囲気の映像や、刻々と更新されていく情報を横目に見ながら進めることになった。二〇二二年六月現在、停戦はいまだ実現していない。

こうした事態に対し、ジジェクは彼のいう「公式哲学者」としての責任を果たそうとするかのごとく、文章で、講演で、動画で、メッセージを発しつづけている。ジジェクの新型コロナウイルス関連の議論は、『パンデミック』および『パンデミック2』という二冊の書籍にまとめられ、すでに翻訳も出版されている（Pヴァイン、斎藤幸平、岡崎龍監修、中林敦子訳）。ウクライナ危機についてもいずれそうなるかもしれない。

他方、本書には、感染症の文字すらない。時評的な性格の強い本書が「時期はずれ」になってしまったことは、どうにも否めない感がある。しかし、「時期はずれ」であることの利点もまたジジェクが意図した以上のものかもしれないということを——訳者の贔屓目と言われるかもしれないが——ここでは主張してみたい。わたしたちはおしなべて忘れっぽくなっているとよく言われる。デジタル時代の情報のスピードは、わたしたちをゆっくり考えることから遠ざける。盛り上がっては忘れるという祝祭的な時間性が、現代人の日常を覆いつつある。新型コロナウイルス感染症は、そうした健忘症を一層加速させてしまったようにも思える。世界には様々な問題があったはずなのに、気づいたら日々の感染者数ばかりを確認する生活を送っている——。

たとえば本書の主人公といってもいいドナルド・トランプは、二〇二一年一月に米国大統領を退任した。あるいは日本のわたしたちならば、二〇二〇年九月に歴代最長在任日数を記録して辞職した安倍晋三元首相のことを思い浮かべてもいいのかもしれない。彼らに対する批判や熱狂が毎日のように湧き上がっていたのはほんの一、二年前のことだ。たしかに彼らはもういない。しかしそのことと、彼らについて途端に興味を失い語らなくなることはイコールであってよいのだろうか。

今回の訳出の作業を通じて改めて思い知ったのは、ジジェクがまるで第31章に登場する作曲家ロッシーニのごとく、頻繁に自分の文章を使い回しているということだ（余計な話だがジジェクはロッシーニに容姿も似ていると思う）。自分がかつて書いた文章を、文単位、段落単位で、切り貼りするように新たな文章にはめ込むのである。ジジェクの多筆もうなずけると同時に、胡散臭いことこの上ない……だろうか。

しかしジジェクにとって、まさにこのことが継続的な思考を可能にしている節がある。以前に書いた文章を違った文脈に置いてみたとき、そこにどんな差が生まれるのか。現在でも問題なく通用するのか、あるいは考え直す必要があるのか。ある文脈で考えていたことを、別の文脈で発展させられる余地はあるのか。ひとりの人間の思考にとってみれば、同じことを二度書かないというこことの方がむしろ不自然で、ジジェクのやりかたの方が理に適っているのではないかとすら思えてくる。

そしてそのなかからこそ、現在を考える視点も得られるはずだ。ジジェク自身、パンデミック論では本書に含まれる多くの論点に言及し、コロナ禍が基本的に二〇一〇年代の問題の延長線上にあると論じつつ、これまでとは違う世界の状況を炙りだしてもいる。新しい事態に正しく驚くこともまた、過去からの連続性なしには不可能である。

だからこそわたしたちはこの「時期はずれ」を利点にできるし、そうすべきなのだ。そういうつもりで見れば、ジジェクはすでに本書で二〇二〇年代の幕開けを予告していたように読むこともできる。たとえば第26章で取り上げられる「医学化」という論点はどうか。比喩ではなく実際に医学的な現象が押し寄せた現在、「医学化」による政治的、イデオロギー的対立の隠蔽が、より深刻になっているということはないか。あるいはジジェクは、第8章の冒頭と第10章の末尾で、ウクライナでの現実の戦争の可能性にも明確に言及している――。

わたしたちは目下視界の中心にある事柄とそうではないことの間を、健忘症に陥ることなく、文章の転用を繰り返すジジェクのように行き来しながら思考していくべきではないだろうか。本書がその助けとなれば、訳者としてそれに勝る喜びはない。

翻訳の作業に際しては複数の方にお世話になった。青土社編集部の足立朋也さんは、遅れがちなわたしの作業に粘り強く付き合ってくださった。不慣れななかでの（おそらく）慣習から外れた質問や要望にもいやな顔ひとつせず対応してくださった足立さんには、いくら感謝してもしきれない。すでにジジェクの翻訳者として数々の名訳を世に出している中山徹さんは、今回の仕事のきっかけを作ってくださっただけでなく、訳文作成上の相談にも乗ってくださった。本書と特に関係の深い『絶望する勇気』、『真昼の盗人のように』の訳者の中山さん、鈴木英明さんをはじめとして、歴代のジジェクの翻訳者の方々に負うところは大きい。また、ロシア関係の情報については大崎果歩さん、訳文の修正に際しては騎馬秀太さん、既訳の確認の際には岩佐頌子さん、坂元美樹也さんが力を貸してくれた。改めて御礼を申し上げたい。最後に、作業が思うように進まず沈んでいるとき、話し相手になって気持ちを明るくしてくれた弟、岬と稔貴に感謝する。二人がいなければこの翻訳の仕事を最後までやり遂げることはできなかった。

二〇二二年六月

勝田悠紀

マ行

ヤ・ラ・ワ行

サ行

タ行

ナ行

ハ行

主要人名索引

ア行

カ行

［著者］**スラヴォイ・ジジェク**　Slavoj Žižek
1949年スロヴェニア生まれ。哲学者。リュブリアナ大学社会科学研究所上級研究員。ロンドン大学バークベック人文学研究所インターナショナル・ディレクター。ラカン派精神分析とヘーゲル哲学を武器に、政治経済学批判において新たな地平を切り拓き、文学や映画をも縦横無尽に論じている。

［訳者］**勝田悠紀**（かつた・ゆうき）
1991年埼玉県生まれ。東京大学大学院人文社会系研究科博士課程在籍。専門は英文学。論考に「距離、あるいはフィクションの恥ずかしさについて」（『エクリヲ vol.13』）などがある。

あえて左翼《さよく》と名乗《なの》ろう　34の「超《ちょう》」政治批評《せいじひひょう》

2022年7月15日　第1刷印刷
2022年7月25日　第1刷発行

著　者　スラヴォイ・ジジェク

訳　者　勝田悠紀

発行者　清水一人
発行所　青土社
〒101-0051　東京都千代田区神田神保町1-29　市瀬ビル
電話　03-3291-9831（編集部）　03-3294-7829（営業部）
振替　00190-7-192955

印　刷　双文社印刷
製　本　双文社印刷

装　幀　今垣知沙子

Printed in Japan　ISBN978-4-7917-7485-2　C0010

34